JN063319
日商簿記2級
光速マスター
NEO
工業簿記
テキスト
[第4版]
合格
百源

はしがき

簿記とは、取引を帳簿に記入するための技術です。この簿記の学習を通じて、日々の帳簿記入から財務諸表を作成するまでの過程を理解することができます。財務諸表は、経理部門や財務部門に携わる方のみならず、経営者であれば「会社の経営判断」の材料、営業担当者であれば「取引先の状況判断」の材料、投資家であれば「投資先の投資判断」の材料として重要な役割を果たします。企業のIR活動が活発化する中、ビジネスパーソンにとって「財務諸表を読み取る能力」は必要不可欠なものとなっており、日商簿記検定を学習する意義は高まっているといえます。

年々日本経済は、グローバル化が顕著に進行し、欧米型の新しい会計基準が次々と導入され、近年では、検定試験の出題内容は難易度が高まっています。本書は、そのような新しい会計基準や関係法令に完全対応し、はじめて簿記２級を学習される方が安心してお使いいただけるよう、合格に必要な知識を整理し解説した入門書です。

本書は、長い間ご好評をいただいておりました弊社の大人気シリーズ「光速マスター」をベースに、新区分表への対応のみではなく、さらに「効率的に学習を進めること」をコンセプトとして「光速マスターNEO」を制作いたしました。短時間でポイントを押さえられるよう項目が細かく区切られているので、３分～５分単位での学習も可能です。

かつご自身の理解度、目標検定までの期間に合わせて「さっくり７日間」「しっかり10日間」「じっくり15日間」で学習を終えられるよう進度インデックス式を採用しました。また、各章の終わりには、「確認テスト」を掲載していますので知識の定着が図れます。

ぜひ本書を活用していただき、みなさまが合格の栄冠を勝ち取られることを祈念しております。

2022年２月吉日

株式会社　東京リーガルマインド
LEC総合研究所　日商簿記試験部

本書を使用するにあたって

① 学習を始める前に

簿記の学習は、次のものを準備して始めましょう。

準備するもの…鉛筆またはシャープペンシル、消しゴム、電卓

日商簿記検定は、自分で用意した電卓を持って受験します。また、鉛筆またはシャープペンシルを使って答案を作成します。ですから、普段の学習も必ずこれらを準備して行いましょう。

電卓は、日商簿記検定２級の受験に際しては、一般的に販売されているものを使っていただいてかまいません。新たに購入するのであれば、12桁表示、早打ち機能、00キー付きで、手のひらくらいの大きさのものが、大きく使いやすいでしょう。

② 勉強のすすめ方

本書は、日商簿記検定２級の学習を開始される方に、合格のために必要な知識を解説する入門書です。また、テキストである本書の姉妹書として、テキストで得た知識を用いて演習を行う『日商簿記２級光速マスターNEO工業簿記問題集』を販売しています。

テキストと問題集を効果的に使用して、簿記の力を身につけていきましょう。

❶ テキストを用いて記帳方法を理解しましょう。

学習方法

各章、大見出しごとに「イントロダクション」がついています。ここでこれから学習していく内容のイメージをつかみましょう。本文中では、まず理論的な背景を説明しているので、これを読んでから具体的な取引と記帳方法を「例題」で押さえます。「例題」の「考え方」も参照し、必要であれば電卓を利用して数字を確かめてください。

学習の効果

「例題」を用いた具体的な記帳方法と、その理論的背景や考え方を並行して学習することで、基本的な取引の記帳方法を理解し、また難易度の高い問題に対応するための応用力を養うことができます。

ひとつひとつ理解しながら身につけていく学習が、簿記の力を着実に育てていきます。

❷「確認テスト」で論点を整理しましょう。

学習方法

各章の終わりの「確認テスト」を用いて、その章で学習した論点を整理し、問題演習を行いましょう。間違ってしまった場合は、もう一度本文に戻って理解の不足を補ってください。

学習の効果

論点を整理することで、日商簿記 2 級の学習内容のどの部分を学習したのかを把握できます。また、理解不足の論点がないかどうかを確かめることができます。

❸ 問題集を使って、問題演習を行いましょう。

学習方法

本書の姉妹書である「日商簿記 2 級光速マスターNEO工業簿記問題集」には、〈基本〉と〈応用〉に分けて、合計74題の問題を掲載しています。本書の 1 章目の学習を終えたら、対応する〈基本〉の問題を解きましょう。
他の章も同じように、対応する〈基本〉の問題を解く、といった順序でまずは学習を進めていきます。このような本書と問題集の〈基本〉の問題を用いた全11章の学習を終えたら、次に問題集の〈応用〉の問題を順に解いていきましょう。

学習の効果

テキストと問題集の〈基本〉問題の演習を並行した全11章の学習によって、充分な基礎力を獲得することができます。また、その後の問題集の〈応用〉問題の演習によって、本試験に対応していく実戦力を養います。

本書の効果的活用法

イントロダクション

このテキストでは八百屋の源さんが経営している八百源という商店が主人公になっています。源さんを通じて取引をみていきましょう。

本文の理解を助ける情報等をまとめました。

重要

必ず押さえなければならないポイントです。

コトバ

大切なキーワードです。
理解することで、効率よく学習が進められます。

1 工業簿記って何だろう？

イントロダクション

これから工業簿記の学習がスタートします。工業簿記特有の専門用語がいくつかありますので、初めは難しく感じるかもしれませんが、丁寧に１つずつ内容をおさえていきましょう。

1 商業簿記と違い

工業簿記とは、**製造業**（材料を仕入れて、製品を製造し、販売する業種）が使う簿記のことです。３級で学習した簿記は、**商業簿記**と呼ばれるもので、**商業**（商品を仕入れて、販売する業種）が使う簿記のことです。製造業と商業とでは、製造活動を行うか否かという違いがあります。

【製造業のイメージ】

◆確認テスト

各章をひととおり学習したら、すぐに解いてみましょう。必ずノートに書いて解いてください。少なくとも３回は解いてみましょう。

確認テスト

問題

次の仕訳をしなさい。解答にあたっては以下の勘定科目を用いること。

材料	賃金	経費
製造間接費	仕掛品	製品

① 材料を直接材料として￥80,000、間接材料として￥30,000消費した。
② 賃金を直接労務費として￥70,000、間接労務費として￥10,000消費した。
③ 経費を直接経費として￥50,000、間接経費として￥90,000消費した。

固定予算の欠点

　実は、固定予算を使[illegible]計算には問題があります。まず、予算差異から検討しますが、固定予算では基準操業度における製造間接費の発生予定額（当初の予算）と実際発生額を比べています。この計算では、予算差異が製造間接費の浪費や節約を表しません。なぜかといいますと、例えば皆さんが服を買いに行こうと考えて、次のように予算を立てたとします。

ジャケット	¥10,000
スニーカー	¥4,000
カバン	¥6,000
合　計	¥20,000

　しかしながら、実際に買い物に行ったところ、気に入るカバンがなく、とりあえずジャケットとスニーカーだけを買い、後日カバンを買うことにしました。一旦は買い物が済んだため、使ったお金を集計したところ¥16,000かかっていましたが、当初の予算¥20,000よりも¥4,000安く済んだため、固定予算では予算差異¥4,000（有利）と計算され、節約できたと判断します。

第3章　個別原価計算

◆ マーク

理解をさらに深める状況説明です。本文とあわせて読みましょう。

例1－7　製品が販売された

問題　① A製品が¥10,000、B製品が¥12,000で掛販売された。A製品の製造原価は¥6,300、B製品の製造原価は¥7,700である。
② 販売費及び一般管理費¥2,000を現金で支払った。

お客さん

【解答】
① 製品の販売と売上原価の振替

借方科目	金額	貸方科目	金額
売掛金	22,000	売上	22,000
売上原価	14,000	製品	14,000

② 販売費及び一般管理費の支払い

借方科目	金額	貸方科目	金額
販売費及び一般管理費	2,000	現金	2,000

【考え方】
① 製品の販売と売上原価の振替
　製品の販売を行っているため、「売上」という収益の増加と「売掛金」という資産の増加を記録します。
　製品の販売を行っているため、「製品」という資産の減少と「売上原価」という費用の増加を記録します。
② 販売費及び一般管理費
　販売費及び一般管理費という費用の増加と、現金という資産の減少を記録します。

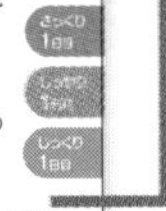

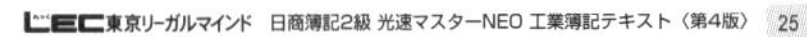

第1章　工業簿記を学ぼう

◆ 例

取引の内容を簡単な言葉で説明しています。ここで、どのような取引があったのかを理解しましょう。試験で用いられる専門的な言葉に慣れていきましょう。

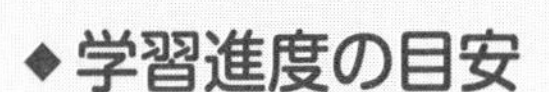

◆ 学習進度の目安

さっくり 7 日間パターン
しっかり10日間パターン
じっくり15日間パターン
の進度インデックスです。
自分の学習ペースに合わせて選びましょう。

キャラクター相関図

外注

仕入れ

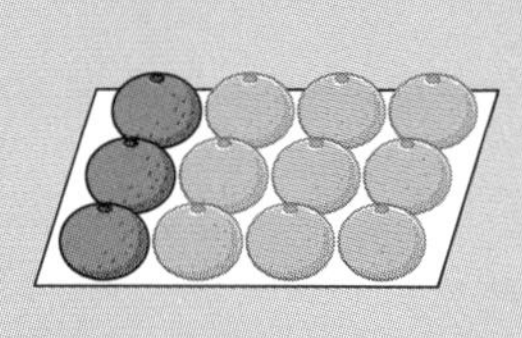

果物をねらっている

八百屋
売上げ
動力部門
製造
現場
第 1 製造部門
第 2 製造部門
修繕部門

りんご

CONTENTS

- はしがき
- 本書を使用するにあたって
- 本書の効果的活用法
- キャラクター相関図
- 日商簿記2級工業簿記の学習内容
- 勘定科目一覧
- 日商簿記2級検定ガイド
- 日商簿記2級傾向と対策

学習進度目安

さっくり 7日間	しっかり 10日間	じっくり 15日間
1日目	1日目	1日目
		2日目
2日目	2日目	3日目
	3日目	4日目
		5日目

第1章 工業簿記を学ぼう

1 工業簿記って何だろう? …… 2
2 原価計算と工業簿記 …… 5
確認テスト …… 29

第2章 材料費・労務費・経費

1 原価計算の全体像 …… 34
2 材料費会計 …… 38
3 労務費会計 …… 64
4 経費会計 …… 82
確認テスト …… 90

第3章 個別原価計算

1 個別原価計算 …… 98
2 仕損が出る場合 …… 111
3 製造間接費会計 …… 115
4 固定予算と変動予算 …… 125
確認テスト …… 146

第4章 部門別計算

1 部門別原価計算 …… 152
2 第一次集計 …… 158
3 第二次集計 …… 165
4 第三次集計 …… 181
確認テスト …… 194

第5章 総合原価計算I

1 総合原価計算の基礎 …… 198
2 月初仕掛品がある場合 …… 209
3 材料を追加投入する場合 …… 229
確認テスト …… 249

第6章 総合原価計算II

1 減損が出る場合 …… 254
2 仕損が出る場合 …… 282
確認テスト …… 294

第7章 総合原価計算III

1 総合原価計算の種類 …… 300
2 工程別単純総合原価計算 …… 301
3 等級別総合原価計算 …… 316
4 組別総合原価計算 …… 324
確認テスト …… 334

第8章 財務諸表

1 製造業の財務諸表 …… 340
確認テスト …… 354

3日目 4日目 6日目 5日目 7日目 4日目 6日目 8日目 9日目 5日目 7日目 10日目 11日目

第9章 標準原価計算

1 標準原価計算 360
2 原価差異の計算 372
3 標準原価の記帳 405
確認テスト 421

第10章 直接原価計算

1 利益計画 428
2 直接原価計算 435
3 損益分岐点分析 464
確認テスト 479

第11章 本社工場会計

1 本社工場会計 482
確認テスト 502

6日目 7日目 8日目 9日目 10日目 11日目 12日目 13日目 14日目 15日目

うまくできそうだ！

くつ、どこにぬいだっけ？
みんな、がんばってね！
工場長

◎日商簿記2級工業簿記の学習内容◎

準備

商業簿記の場合と同じように仕訳帳と総勘定元帳を用意します。

仕訳帳と
総勘定元帳を
用意します

製品の製造

●製品をつくるための材料を仕入れます。

●製品をつくってくれる工員を雇います。

●工場の電気代や水道料を支払います。

●途中で失敗してしまうこともあります。

●お客さんから注文が入ります。

●工員に賃金を支払います。

●作業の一部を他の工場に頼むこともあります。

●できあがった製品をお客さんに販売します。

この他にもいろいろ作業を行って製品をつくっていきます。

記録

製品をつくるためにいくら
かかったのかを計算します。

製品をつくるためにかかったお金の計算にはさまざまな方法があります。問題文の指示にしたがって計算します。

帳簿に記録をとります。

まず
仕訳帳に
仕訳します

次に
総勘定元帳に
転記します

商業簿記の場合と同じように仕訳と転記を行います。

報告

帳簿の記録をもとに報告書を
つくります。

製造原価報告書で製品をつくるためにいくらかかったのかを表します

損益計算書で会社の経営成績を表します

貸借対照表で会社の財政状態を表します

1年間書きためてきた帳簿の記録をもとにして、製造原価報告書、貸借対照表、損益計算書を作ります

◎勘定科目一覧◎

◉資産

◀左 資産に分類されるもの

貸借対照表		損益計算書	
資　産	負　債	費　用	収　益
	純資産		

材料	製品を作るための原料になるもの
製品	作業がすべて終わり、出来上がった完成品
半製品	まだ続きの作業を残しているけれど、そのままでもお客さんに売れるもの
仕掛品	作業がまだ途中までしか終わっていない、作りかけのもの
第1工程仕掛品	最初の工程の作業がまだ途中までしか終わっていないもの
第2工程仕掛品	最初の工程の作業は終えたが、2番目の工程の作業がまだ途中までしか終わっていないもの

◉費用

◀左 費用に分類されるもの

貸借対照表		損益計算書	
資　産	負　債	費　用	収　益
	純資産		

売上原価	お客さんに売れた製品の原価
半製品売上原価	お客さんに売れた半製品の原価
変動売上原価	直接原価計算を行った時の、お客さんに売れた製品の原価
販売費	製品を販売するためにかかるお金
一般管理費	製品の製造や販売を管理するためにかかるお金

◉負債

▶右 負債に分類されるもの

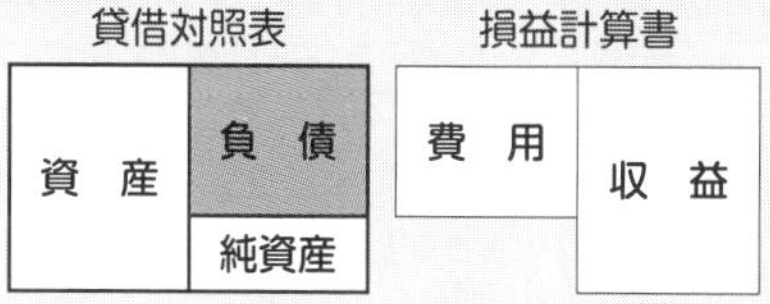

貸借対照表		損益計算書	
資　産	負　債	費　用	収　益
	純資産		

未払賃金	支給日は次月だが、当月に属する賃金

◉収益

▶右 収益に分類されるもの

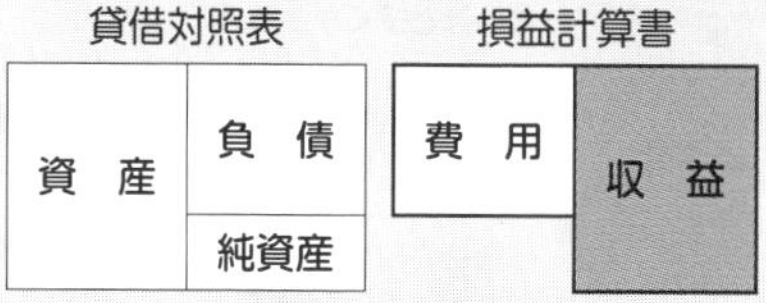

貸借対照表		損益計算書	
資　産	負　債	費　用	収　益
	純資産		

売上	お客さんに売れた製品の売値

◉その他

◀左右▶ その他

月次損益	1ヶ月分の収益と費用をすべて列挙する時に用いるもの
本社	本社に対する債権・債務
本社元帳	本社と同じ意味
工場	工場に対する債権・債務
工場元帳	工場と同じ意味
内部売上	本社へ売上げた製品の売値

内部売上原価	本社へ売上げた製品の原価

◉製造原価

◀左右▶ 製造原価

材料副費	材料を買ってきて使うまでにかかる様々なお金
内部材料副費	買ってきた材料を使うまでにかかる様々なお金
賃金	製品を作るために働いてくれた工員に支払うお金
経費	製品を作るためにかかる電気代や水道料など
外注加工賃	製品を作るのを手伝ってくれた会社に支払うお金
製造間接費	色々な製品を作るために共通してかかるお金
棚卸減耗損	無くなってしまった材料の原価
修繕費	機械などが壊れた時に修理にかかるお金
第1製造部門費	製品を作るために行う第1製造部門での作業にかかるお金
第2製造部門費	製品を作るために行う第2製造部門での作業にかかるお金
動力部門費	製品を作るために必要な電気の発電などを行う部門でかかるお金
修繕部門費	製品を作るために必要な機械の修理などを行う部門でかかるお金
事務部門費	製品を作るために必要な事務作業などを行う部門でかかるお金
加工費	作業が進むにつれてかかる材料費以外の原価
変動加工費	加工費のうち、製品をたくさん作れば作るほど多くかかる分
固定加工費	加工費のうち、製品をどれだけ作っても同じ額だけかかる分
仕損費	作業に失敗したことによって無駄にかかってしまったお金

◉原価差異

◀左右▶ 原価差異

材料消費価格差異	使った材料の値段の見込みと実際とのズレ
賃率差異	1時間あたりの賃金の見込みと実際とのズレ
製造間接費配賦差異	単位あたりの製造間接費の見込みと実際とのズレ
加工費配賦差異	単位あたりの加工費の見込みと実際とのズレ
原価差異	製品を作るためにかかるお金の見込みと実際とのズレ
直接材料費差異	目標としていた直接材料費の実際とのズレ
直接労務費差異	目標としていた直接労務費の実際とのズレ
製造間接費差異	目標としていた製造間接費の実際とのズレ
変動加工費配賦差異	単位あたりの変動加工費の見込みと実際とのズレ

◉CVP 分析　公式集

公式 1

$$損益分岐点売上高 = \frac{固定費}{貢献利益率}$$

公式 2

$$損益分岐点比率 = \frac{損益分岐点売上高}{計画売上高}$$

公式 3

安全余裕額 ＝ 計画売上高－損益分岐点売上高

公式 4

$$安全余裕率 = \frac{安全余裕額}{計画売上高}$$

公式 5

損益分岐点比率＋安全余裕率＝1（100%）

公式 6

$$目標売上高 = \frac{目標営業利益 + 固定費}{貢献利益率}$$

◎日商簿記２級検定ガイド◎

「ネット試験（CBT方式）」導入でますます受験しやすい検定試験に!!

日商簿記２級検定試験は、高校程度の商業簿記および工業簿記（初歩的な原価計算を含む）を習得している程度の出題がなされます。すなわち、中規模程度の株式会社の簿記と考えてください。

合格点は70点です。競争試験ではありませんので、十分な対策・勉強をすることで合格できる試験といえます。

日商簿記検定試験２級は、2020年11月の検定試験までは「答案用紙」に解答を記入する「ペーパー試験」（以下、「統一試験」）のみで実施されていましたが、安定した受験機会の確保やデジタル社会にふさわしい試験とするために、2020年12月からは「ネット試験（CBT方式）」も始まりました。

「統一試験」は従来どおり実施されていますので、受験機会や方法の選択肢が増えたことになります。これにより、たとえば「統一試験」を受験する予定で勉強をすすめている途中でも、実力がついたところで「統一試験」を待たずに「ネット試験」を受験するということも可能になります。選択肢が増えたことで、これまでにも増してますます受験しやすい試験となっています。

以下、試験概要とそれぞれの受験までの流れについてご案内いたします。

1．試験概要

下記は、「ネット試験」「統一試験」共通です。

◉ **受験資格**　年齢・性別・学歴・国籍による制限はありません。誰でも受験できます。

◉ **合格基準点**　合格点　70点以上（100点満点）

◉ **試験科目**　商業簿記・工業簿記（レベル中級）

◉ **「合格」の扱い**　「ネット試験」「統一試験」の合格は同じ扱いになります。履歴書等には「日商簿記検定２級取得」と記載できます。

2.「ネット試験（CBT方式）」と「統一試験（ペーパー試験）」の申込みから受験までの流れ

	ネット試験（CBT方式）※1	統一試験（ペーパー試験）
試験日	試験センターが定める日時において随時受験可	6月第2週、11月第3週、2月第4週 ※2
試験会場	日本商工会議所が指定する試験センター	各商工会議所や指定の会場
受験申込み方法	「株式会社CBT-Solutionsの日商簿記申込専用ページ」から申込み https://cbt-s.com/examinee/examination/jcci.html ※受験希望日時、希望受験会場、受験者情報を入力し、受験料・申込み手数料を決済	各商工会議所の指定する方法で申込み（ネット・窓口・書店など）※2
試験時間・出題数	90分（5題出題） （出題内容は次ページ参照）	
出題範囲	日本商工会議所が定める「簿記検定出題区分表」に則して出題	
受験料	4,720円（ネット試験・統一試験とも同額）※3	
解答方法	①試験センター設置の端末に、受験者ごとに問題が配信される。 ②キーボード・マウスを使用して解答を入力（プルダウン＋入力式）	答案用紙に解答を記載。 ネット試験の「プルダウン式」や「入力式」と共通にするため、一覧から選択する方式となる問題もある。
合格発表	①試験終了後に自動採点され、パソコン画面に結果が表示される。 ②QRコードから＜**デジタル合格証**＞が即日取得できる。	実施後、2～3週間程度必要となる。
その他	計算用紙が2枚配付される。試験終了後に回収。	計算用紙は冊子に綴じ込まれています。

※1 「ネット試験」詳細は商工会議所検定（HP）の案内をご確認ください。
https://www.kentei.ne.jp/

※2 各商工会議所により申込期間および申込方法が異なりますので、最寄りの商工会議所の案内でご確認ください。
http://www5.cin.or.jp/examrefer/

※3 「統一試験」では、別途事務手数料が必要となる場合がございます。
詳細は商工会議所検定（HP）でご確認ください。

◎日商簿記2級傾向と対策◎

■ 試験の出題形式 ■

日商簿記検定2級は、第1問から第5問までの5題の問題が出題されます。制限時間は90分です。100点満点で、70点以上得点できれば合格となります。第1問から第3問は商業簿記、第4・5問は工業簿記から出題されます。

第1問	[出題内容] 仕訳問題が5題 [配点] 20点	幅広い範囲から仕訳問題が5題出題されます。解答に使用する勘定科目は、語群やプルダウンから選択します。1題あたり2～3分程度で解答する必要があるため、速さと正確性の両方を身に付ける必要があります。
第2問	[出題内容] 連結精算表、連結財務諸表、勘定記入、空欄補充などに関する問題 [配点] 20点	一つの論点を系統的に理解できているかを問う問題が出題されます。具体的には、連結会計、純資産会計、銀行勘定調整表、商品売買、有価証券、固定資産などが出題されます。
第3問	[出題内容] 個別財務諸表などの個別決算に関する問題 [配点] 20点	財務諸表を中心として、精算表や決算整理後残高試算表などの出題が想定されます。本支店会計では、本支店合併財務諸表や決算における帳簿上の処理が出題される可能性があります。出題される決算整理の多くはパターン化しているので、決算整理仕訳をしっかりと学習することが大切です。
第4問	[出題内容] (1)仕訳問題 (2)原価計算などの問題 [配点] 28点 (1) 12点 (2) 16点	(1)では仕訳問題が3題出題されます。勘定連絡図に基づいた工業簿記全体の仕組みを理解しているかが重要です。(2)では個別原価計算や総合原価計算に基づいた原価計算が出題の中心です。また、財務諸表作成や勘定記入も出題される可能性があります。
第5問	[出題内容] 標準原価計算の差異分析、CVP分析などの直接原価計算 [配点] 12点	標準原価計算における差異分析と直接原価計算におけるCVP分析(損益分岐点分析)が出題の中心です。直接原価計算に基づく損益計算書も出題される可能性があります。

【ネット試験における注意点】

1. 仕訳問題における勘定科目は選択式(プルダウン方式)です。
2. 金額を入力する時は数字のみ入力します。カンマを入力する必要はありません。
3. 財務諸表作成などの問題で、科目名の入力が必要な場合もあります。

※その他「ネット試験」詳細は商工会議所の案内をご確認ください。
https://www.kentei.ne.jp/

第1章 工業簿記を学ぼう

学習進度目安

さっくり 7日間	しっかり 10日間	じっくり 15日間
1日目	1日目	1日目

◉第1章で学習すること

① 工業簿記って何だろう?

② 原価計算と工業簿記

製品を作って、原価の計算をするよ!

1 工業簿記って何だろう?

イントロダクション

これから工業簿記の学習がスタートします。工業簿記特有の専門用語がいくつかありますので、初めは難しく感じるかもしれませんが、丁寧に1つずつ内容をおさえていきましょう。

1 商業簿記と違い

工業簿記とは、**製造業**（材料を仕入れて、製品を製造し、販売する業種）が使う簿記のことです。3級で学習した簿記は、**商業簿記**と呼ばれるもので、**商業**（商品を仕入れて、販売する業種）が使う簿記のことです。製造業と商業とでは、製造活動を行うか否かという違いがあります。

【製造業のイメージ】

【商業のイメージ】

工業簿記でも商業簿記でも基本的な簿記のルールは全く同じです。資産・負債・純資産・収益・費用のどれかに属する勘定科目を用いて仕訳帳に仕訳し、総勘定元帳へ転記を行います。必要に応じて補助簿を使用し、取引内容・特定の勘定科目についてより詳細な情報を記録します。

【簿記の基本的な流れ（復習)】

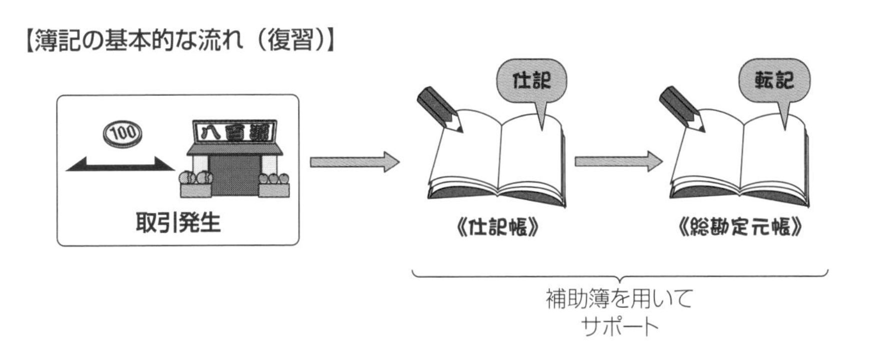

では、工業簿記と商業簿記では何が違うのでしょうか。それは登場する勘定科目です。製造業では、商業にはない製造という活動を行うので、その内容を記録するために特有の勘定科目が必要となります。具体的には、材料や仕掛品（しかかりひん）（製造途中の製品)、製品といった勘定科目が登場します。後ほど、仕訳とともに確認していきます。

コトバ

仕掛品：工場で加工している途中のもの（未完成のもの）
製品：工場で加工して完成したもの

2 原価計算とは?

商業では、企業外部の仕入先と契約によって決められた金額で商品を仕入れ、それに利益を付け加えてお客さんに販売するという取引を行っているため、取引から生じた金額は明らかです。

【商業のイメージ】

他方、製造業では、製造活動が行われますが、この活動は企業内で行われるため、その内容を帳簿に記録をとろうにも金額がわかりません。そこで、原価計算という手続で、必要な金額を自ら計算して確定させることになります。原価計算とは、企業が製造した製品や仕掛品の金額を計算することです。これは、企業内で行われている製造活動を帳簿に仕訳として表すために必要な金額を計算する手続です。

【製造業のイメージ】

2 原価計算と工業簿記

イントロダクション

これから原価計算の全体的な流れを学習します。詳細は2章以降で取り扱いますが、本節では全体的な流れと、詳細なことを学習する前の準備として原価の分類について学習します。

また、工業簿記一巡の流れでは、特定の勘定科目から特定の勘定科目への数値の移動を見ていきます。工業簿記上の仕訳を中心的に取り扱うのは本節で最後となります。2章以降は仕訳を行うための数値計算、つまり原価計算が中心になります。

1 原価計算の始まり

企業が製造する製品の原価は、**材料費、労務費、経費**の3つの要素(原価要素と呼びます)で構成されます。これらの原価要素が1ヶ月間にどれだけかかったのかを計算することを**費目別計算**と呼びます。

コトバ

材料費：製品製造のために消費された材料の金額
労務費：製品製造にかかった人件費
経費：製造原価のうち材料費でも労務費でもないもの

原価計算はいくつかステップを踏むことになりますが、まず第1ステップが費目別計算です。

コトバ
原価計算：製品を作るためにかかった原価を計算すること
消費：使うこと

2 原価の分類

原価は大別すると、**製造原価**と**総原価**に分けられます。製造原価とは、製品製造にかかった金額を表すのに対して、総原価とは、製品製造だけでなく、販売にかかった人件費や建物の賃借料など（損益計算書における販売費及び一般管理費に計上されるもの）を加えた原価です。

また、製造原価には様々な分類があり、材料費、労務費、経費に分類する方法を**形態別分類**と呼びます。これは何を消費したのかという分類です。この他にも、**製品との関連による分類**という方法があり、製造原価を**製造直接費**と**製造間接費**に分類します。

コトバ
製造直接費：特定の製品の製造にいくらかかったのか明確なもの
製造間接費：特定の製品の製造にいくらかかったのか不明なもの

原価を計算（集計）するために、製造直接費は**直課**（ちょっか）（**賦課**（ふか））という計算手続を行い、製品へ割り当てます。これに対して、製造間接費は**配賦**（はいふ）という計算手続を行い、複数の製品へ按分します。

コトバ

直課（賦課）：製造直接費を製品に直接集計すること
配賦：製造間接費を製品に振り分けること
製造間接費配賦額：複数の製品に振り分けた製造間接費のこと

製造原価の形態別分類と製品との関連による分類には密接な関係があり、特定の製品の製造原価を算定するにあたり、まず、形態別分類を行った後、製品との関連による分類を行います。つまり、材料費であれば**直接材料費**と**間接材料費**に、労務費であれば**直接労務費**と**間接労務費**に、経費であれば**直接経費**と**間接経費**に分類されます。

製造原価	材料費	直接材料費
		間接材料費
	労務費	直接労務費
		間接労務費
	経　費	直接経費
		間接経費

上記の内容をまとめると以下の通りです。

				利　益	売　価
			販管費	総原価	
直接材料費	製造直接費	製造原価			
直接労務費					
直接経費					
間接材料費	製造間接費				
間接労務費					
間接経費					

3 製造・販売活動の流れ

工業簿記では、特有の勘定科目を活用し、製造・販売活動の流れを仕訳帳および総勘定元帳に表していきます。製造・販売活動は材料の仕入から始まり、材料を製造工程に投下し、労務費や経費をかけることで、まず仕掛品が製造され、製造工程の終点まで至ったものが完成品となります。完成品のうち、販売されたものが売上原価となり、損益計算書において費用として計上されます。

製造・販売活動の流れ

製造活動のイメージ

製品製造と聞くとあまり日常に馴染みがないため、実際にどのように工場の中で製造活動が行われているのか想像が難しいかと思います。そこで、もっと日常に関連するもので、製造活動を考えるのに役立つものとして料理が挙げられます。例えば、ラーメンを作る際に、まずは、麺や卵などの材料を買ってくるところから始まります。その後、鍋に水を入れて、お湯を沸かし、数分間茹で、最後に器に盛り付ければ完成品が出来上がります。この料理の過程を製造活動の流れ（販売は省略）に照らし合わせると、次の通りとなります。

製造活動の流れ

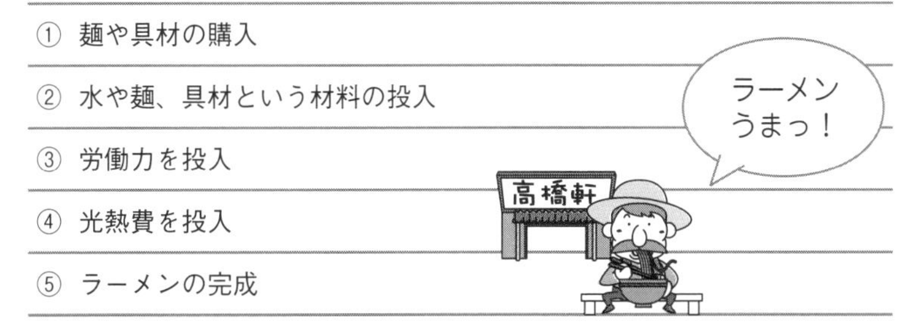

製造活動の流れ
① 麺や具材の購入
② 水や麺、具材という材料の投入
③ 労働力を投入
④ 光熱費を投入
⑤ ラーメンの完成

このように、料理も製造活動の一種ですから、企業の製品製造がわかりにくければ、料理をイメージすればよいでしょう。

4 工業簿記一巡の流れ

工業簿記では、製造・販売活動の記録をとる必要がありますが、以下のような流れで処理が行われます。

工業簿記の流れ

① 材料勘定へ購入額を記帳
② 材料勘定へ消費額を記帳
③ 賃金勘定へ支払額と消費額を記帳
④ 経費勘定へ発生額と消費額を記帳
⑤ 製造間接費の配賦を記帳
⑥ 仕掛品勘定から完成品原価を製品勘定へ
⑦ 製品勘定から販売された製品原価を売上原価へ
⑧ 帳簿の締切り

工業簿記でも商業簿記同様に帳簿の締切りという手続が行われます。しかし、商業簿記と異なり、1ヶ月単位で行われるという特徴があります。したがって、収益・費用項目に関しては、「損益」勘定を用いるのではなく、「**月次損益**(げつじ)」勘定を用いて処理します。

工業簿記では、材料を買ってきてから、製品が出来上がり、売れるまでの流れを帳簿に記録します。この流れのうち、工業簿記の学習の中心となるのは、製品を作る部分の流れをどのように記帳するかということです。

仕訳・転記をして総勘定元帳を作りますが、製品を作る過程ごとに、原価を集計していきながら、その過程を仕訳していきます。

仕訳をして転記をした後の勘定を並べると、製品を作る流れと同じになります。そこで、並べた勘定をイメージしながら仕訳をしていきます。この勘定を並べたものを勘定連絡図といいます。

【勘定連絡図】

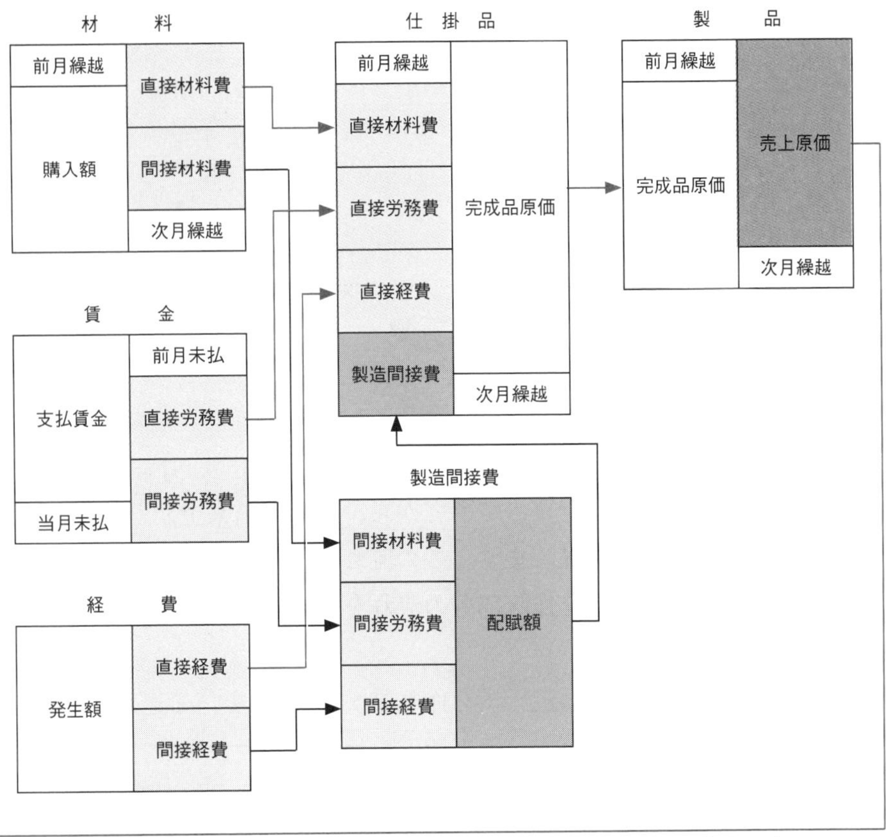

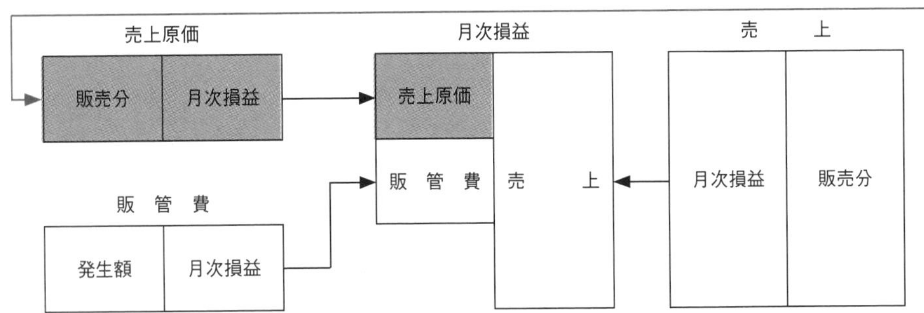

コトバ

勘定連絡図：原価の集計の流れにあわせて勘定を並べたもの
勘定連絡図を考えながら仕訳ができるようになりましょう

例１－１　材料の仕入

問題　材料￥4,000を掛で仕入れた。

信じてるんだけどね…
今度っていつ？

【解答】

借方科目	金額	貸方科目	金額
材料	4,000	買掛金	4,000

【考え方】

材料を仕入れているため、「**材料**」という資産が増加したと考えます。仕入という単語にだまされて、「仕入」勘定を用いないことに注意しましょう。

【総勘定元帳】

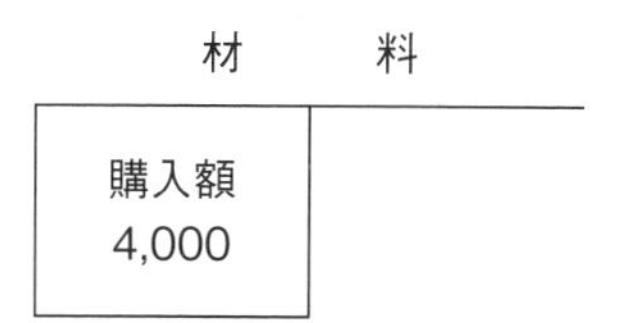

信じて
もらえない…

例1－2　材料を製造工程へ投下（材料の消費）

問題　製品A製造のために￥1,300、製品B製造のために￥1,200、機械の修繕のために￥500の材料をそれぞれ消費した。

【解答】

借方科目	金額	貸方科目	金額
仕掛品	2,500	材料	3,000
製造間接費	500		

【考え方】

まず、材料という資産が合計で￥3,000減少するため、その事実を貸方に記入します。

次に、製品A製造のために￥1,300、製品B製造のために￥1,200消費していますが、これらは特定の製品製造のためにいくらかかったのか明確な**直接材料費**であり、「**仕掛品**」という資産の増加として処理します。

また、機械の修繕のために￥500を消費しましたが、これは特定の製品製造のためにいくらかかったのか不明な**間接材料費**であり、「**製造間接費**」という費用の増加として処理します。

【総勘定元帳】

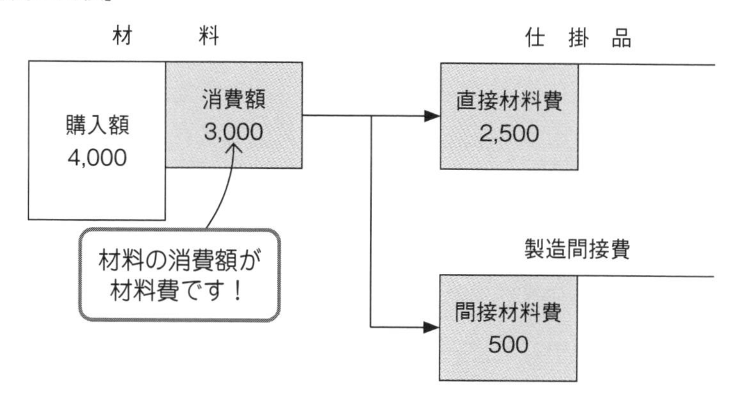

コトバ
振替：ある勘定から別の勘定へ金額を移動させること

重要　工業簿記の記帳

材料を買ってきてから、製品が出来上がり、売れるまでの流れを帳簿に記録します。工業簿記の中心は、製品が出来上がるまでの流れを記帳することです。製品を作る過程ごとに、原価を集計していきながら仕訳をします。

例１－３　労務費を製造工程へ投下

問題　① 工員に対する給与として￥5,000を現金で支払った。

② ￥5,000の内訳として、製品A製造のために従事した時間に対する金額が￥2,000、製品B製造のために従事した時間に対する金額が￥1,500、工場内の清掃のために従事した時間に対する金額が￥1,500と判明した。

【解答】

① 支払賃金の計算

借方科目	金額	貸方科目	金額
賃金	5,000	現金	5,000

② 消費賃金の計算

借方科目	金額	貸方科目	金額
仕掛品	3,500	賃金	5,000
製造間接費	1,500		

【考え方】

① 支払賃金の計算

給与の支払いを行っているため、「**賃金**」という費用が増加したと考えます。また、賃金¥5,000の計算のことを**支払賃金**の計算といいます。

② 消費賃金の計算

製品A製造のために要した¥2,000、製品B製造のために要した¥1,500、これらは特定の製品製造のためにいくらかかったのか明確な**直接労務費**であり、「**仕掛品**」という資産の増加として処理します。

次に、工場内の清掃に¥1,500を費やしています。これは特定の製品製造のためにいくらかかったのか不明な**間接労務費**であり、「**製造間接費**」という費用の増加として処理します。このように、賃金¥5,000の内訳を計算することを**消費賃金**の計算といいます。

【総勘定元帳】

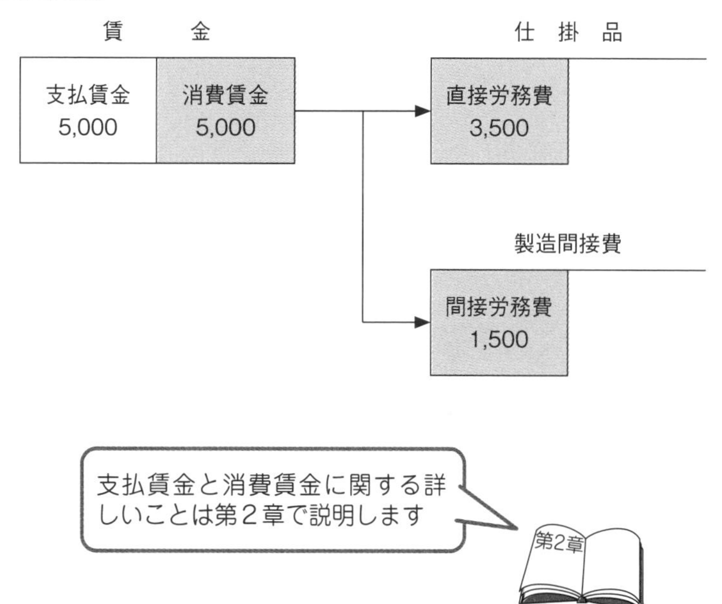

例1－4　経費を製造工程へ投下

問題　① 経費￥6,000を小切手を振出して支払った。

② ￥6,000の内訳として、製品A製造のために￥1,500、製品B製造のために￥2,500、両製品に共通して生じたものが￥2,000と判明した。

【解答】

① 経費の支払い

借　方　科　目	金　額	貸　方　科　目	金　額
経　　　費	6,000	当　座　預　金	6,000

② 経費の消費

借　方　科　目	金　額	貸　方　科　目	金　額
仕　掛　品	4,000	経　　　費	6,000
製 造 間 接 費	2,000		

【考え方】

① 経費の支払い

経費の支払いを行っているため、「経費」という費用が増加したと考えます。

② 経費の消費

製品A製造のために要した¥1,500、製品B製造のために要した¥2,500、これらは特定の製品製造のためにいくらかかったのか明確な**直接経費**であり、「**仕掛品**」という資産の増加として処理します。

次に、両製品に共通して生じたものとして¥2,000を費やしています。これは特定の製品製造のためにいくらかかったのか不明な**間接経費**であり、「**製造間接費**」という費用の増加として処理します。

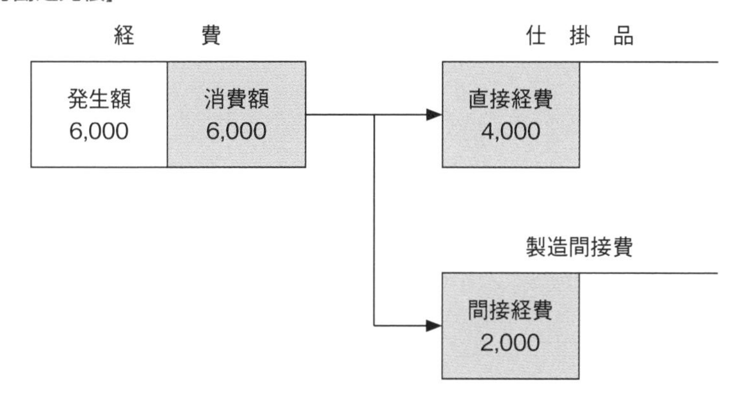

例1－5　製造間接費の配賦

問題　製造間接費￥4,000を製品Aに￥1,500、製品Bに￥2,500配賦する。

【解答】

借方科目	金額	貸方科目	金額
仕掛品	4,000	製造間接費	4,000

【考え方】

製造間接費は、間接材料費、間接労務費、間接経費の合計額です。これは、特定の製品にいくらかかったのか不明の金額ですが、製品製造にかかったものであることに違いはありません。そこで、何らかの合理的な基準を設けて、各製品へ配賦します。

本設問では、￥4,000の製造間接費を製品Aに￥1,500、製品Bに￥2,500配賦していますが、工業簿記上は、製品Aに対する配賦額と製品Bに対する配賦額は不明な仕訳となります。その理由は、帳簿に設ける仕掛品勘定が1つだからです。つまり、製品Aの仕掛品勘定、製品Bの仕掛品勘定を分けて設けることはしないため、それぞれに対する配賦額を合算した金額が製造間接費勘定から仕掛品勘定へ振替えられます。

【総勘定元帳】

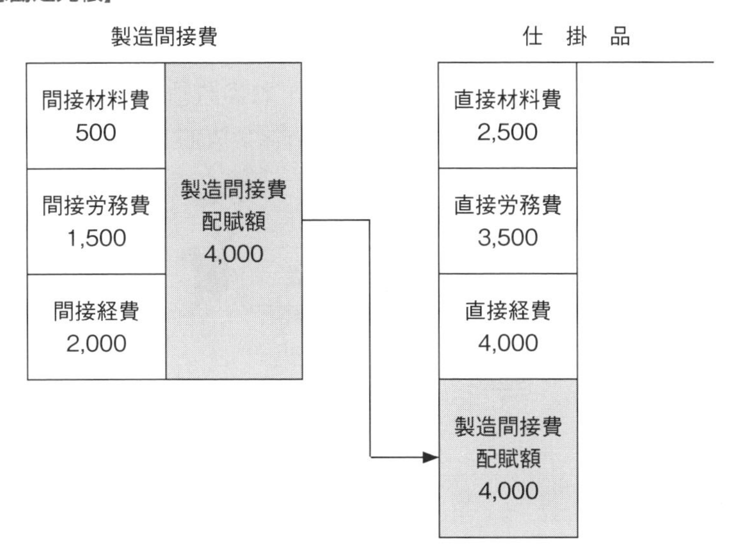

製造間接費
間接材料費
500
間接労務費
1,500
間接経費
2,000
製造間接費
配賦額
4,000
仕　掛　品
直接材料費
2,500
直接労務費
3,500
直接経費
4,000
製造間接費
配賦額
4,000

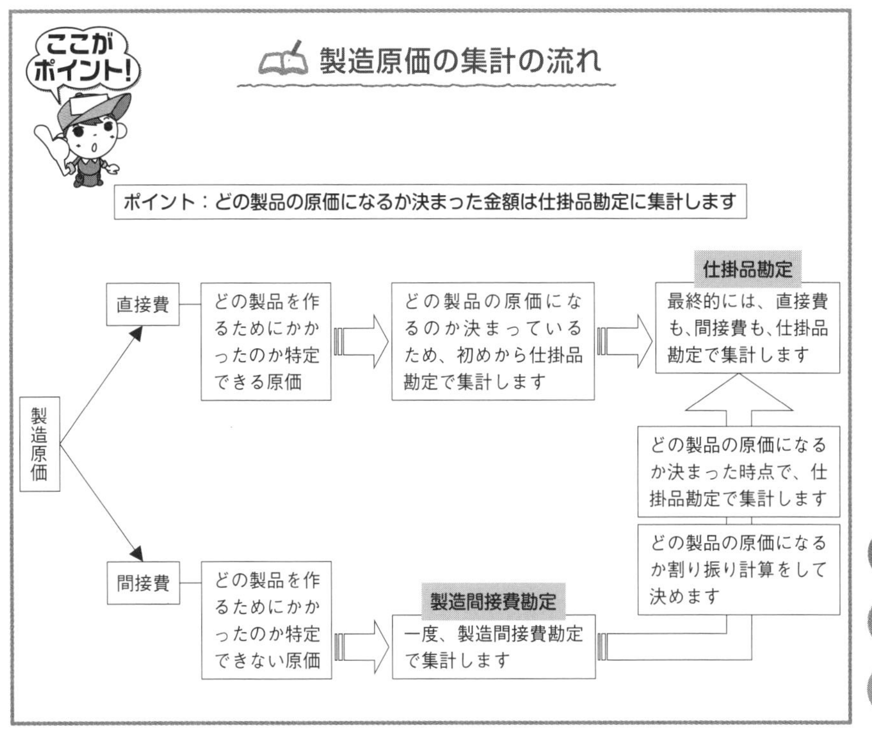

ここが
ポイント!
製造原価の集計の流れ
ポイント：どの製品の原価になるか決まった金額は仕掛品勘定に集計します
製造原価
直接費
どの製品を作るためにかかったのか特定できる原価
どの製品の原価になるのか決まっているため、初めから仕掛品勘定で集計します
仕掛品勘定
最終的には、直接費も、間接費も、仕掛品勘定で集計します
どの製品の原価になるか決まった時点で、仕掛品勘定で集計します
どの製品の原価になるか割り振り計算をして決めます
間接費
どの製品を作るためにかかったのか特定できない原価
製造間接費勘定
一度、製造間接費勘定で集計します

例1－6　製品の完成

問題　製品Aと製品Bが完成し、それぞれの原価を計算したところ、製品Aが¥6,300、製品Bが¥7,700であった。

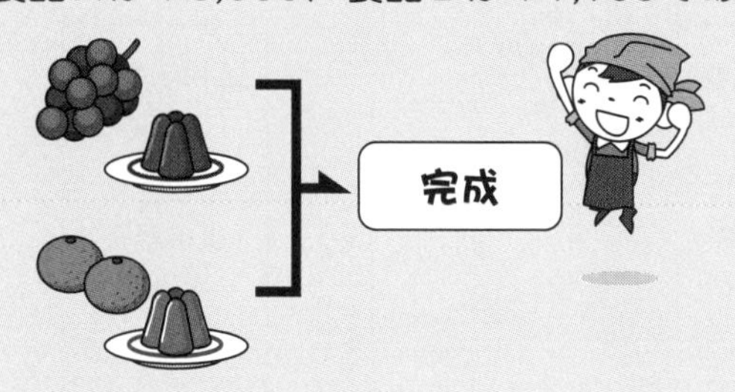

【解答】

借方科目	金額	貸方科目	金額
製品	14,000	仕掛品	14,000

【考え方】

製品が完成したため、製造途中の製品を表す「仕掛品」という資産の減少と完成品を表す「製品」という資産の増加を記録します。

製品勘定に関しても、仕掛品勘定と同様に、製品ごとに勘定を設けることはしないため、A製品とB製品の区別なく記録します。

【総勘定元帳】

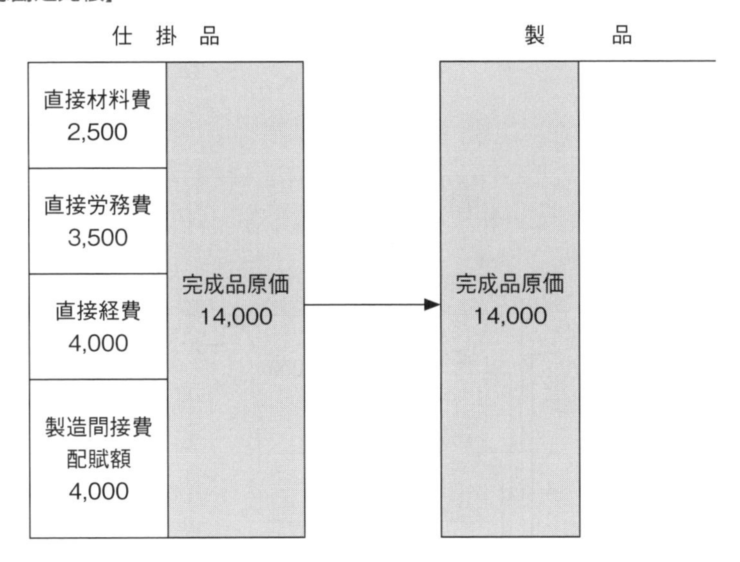

【原価計算表】

各製品の原価は、原価計算表という表で集計できます。製品との対応が決まった金額を原価計算表に記入して集計します。

原 価 計 算 表

	製品A	製品B	合 計
直接材料費	1,300	1,200	2,500
直接労務費	2,000	1,500	3,500
直 接 経 費	1,500	2,500	4,000
製造間接費	1,500	2,500	4,000
合 計	6,300	7,700	14,000

例１－１から例１－６までの金額を使って、勘定連絡図を作成すると次のようになります。

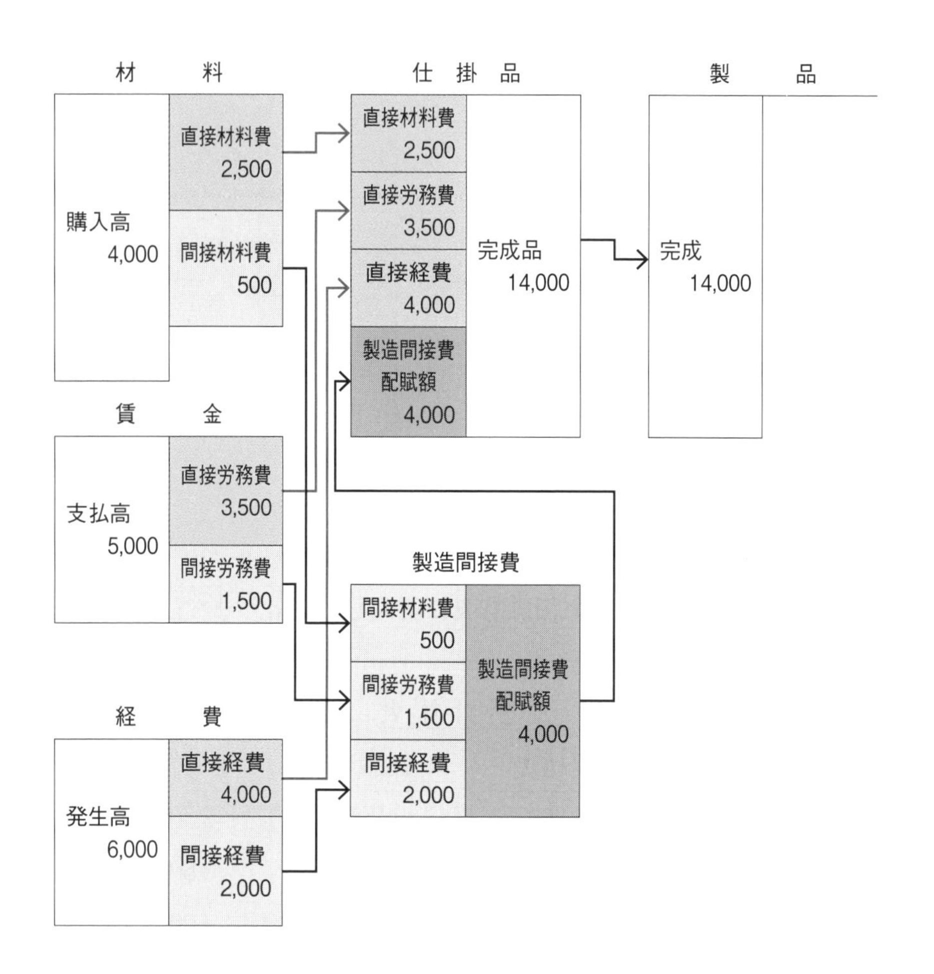

例１－７　製品が販売された

問題　① A製品が¥10,000、B製品が¥12,000で掛販売された。A製品の製造原価は¥6,300、B製品の製造原価は¥7,700である。

② 販売費及び一般管理費¥2,000を現金で支払った。

【解答】

① 製品の販売と売上原価の振替

借方科目	金額	貸方科目	金額
売掛金	22,000	売上	22,000
売上原価	14,000	製品	14,000

② 販売費及び一般管理費の支払い

借方科目	金額	貸方科目	金額
販売費及び一般管理費	2,000	現金	2,000

【考え方】

① 製品の販売と売上原価の振替

製品の販売を行っているため、「売上」という収益の増加と「売掛金」という資産の増加を記録します。

製品の販売を行っているため、「製品」という資産の減少と「売上原価」という費用の増加を記録します。

② 販売費及び一般管理費

販売費及び一般管理費という費用の増加と、現金という資産の減少を記録します。

さっくり 1日目
しっかり 1日目

【総勘定元帳】

現金勘定は省略しています。

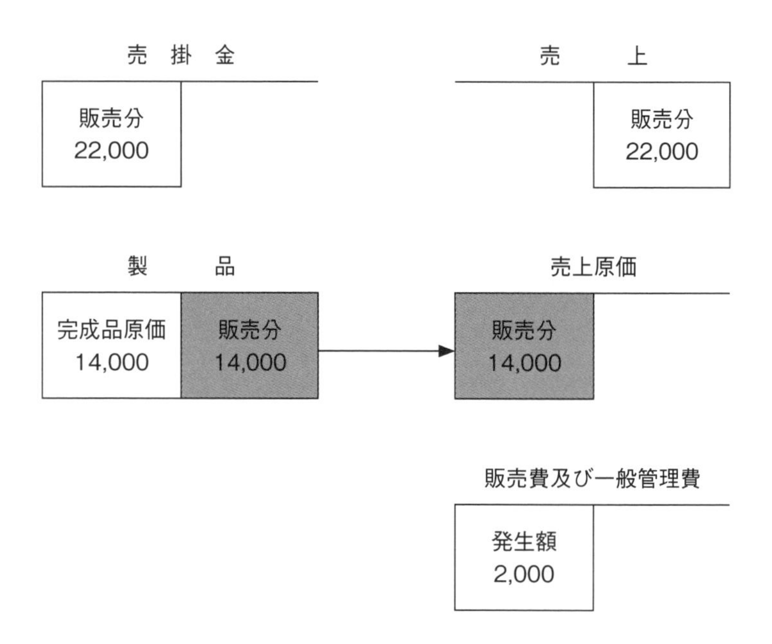

例1－8 帳簿の締切り

問題 月末になり、帳簿の締切りを行った。

【解答】

借方科目	金額	貸方科目	金額
売上	22,000	月次損益	22,000
月次損益	14,000	売上原価	14,000
月次損益	2,000	販売費及び一般管理費	2,000

【考え方】

収益・費用項目を月次損益勘定へ損益振替し、帳簿の締切りを行う。また、貸借対照表項目については、次月繰越として帳簿の締切りを行う。

【総勘定元帳】

現金勘定は省略しています。

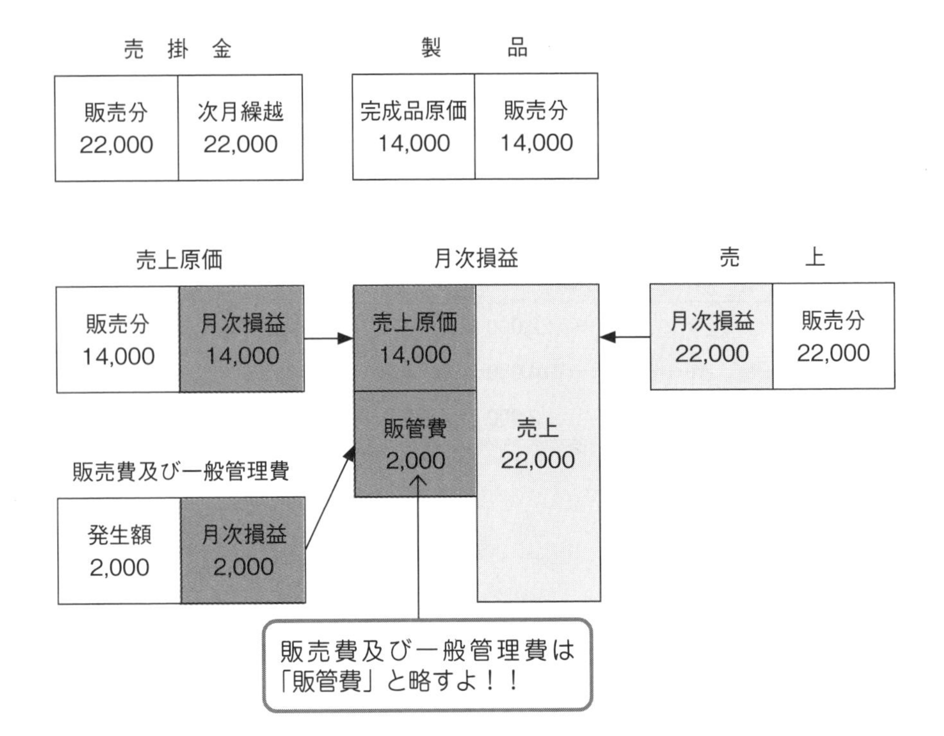

確認テスト

問題

次の仕訳をしなさい。解答にあたっては以下の勘定科目を用いること。

材料	賃金	経費
製造間接費	仕掛品	製品

① 材料を直接材料として￥80,000、間接材料として￥30,000消費した。
② 賃金を直接労務費として￥70,000、間接労務費として￥10,000消費した。
③ 経費を直接経費として￥50,000、間接経費として￥90,000消費した。
④ 製造間接費￥130,000を仕掛品勘定に振替えた。
⑤ 完成品原価￥330,000を製品勘定に振替えた。

	借方科目	金額	貸方科目	金額
①				
②				
③				
④				
⑤				

解答

	借方科目	金額	貸方科目	金額
①	仕掛品	80,000	材料	110,000
	製造間接費	30,000		
②	仕掛品	70,000	賃金	80,000
	製造間接費	10,000		
③	仕掛品	50,000	経費	140,000
	製造間接費	90,000		
④	仕掛品	130,000	製造間接費	130,000
⑤	製品	330,000	仕掛品	330,000

解説

① 直接材料費は仕掛品勘定に、間接材料費は製造間接費勘定に振替えます。

② 直接労務費は仕掛品勘定に、間接労務費は製造間接費勘定に振替えます。

③ 直接経費は仕掛品勘定に、間接経費は製造間接費勘定に振替えます。

④ 製造間接費配賦額を製造間接費勘定から仕掛品勘定に振替えます。

⑤ 完成品原価を仕掛品勘定から製品勘定に振替えます。

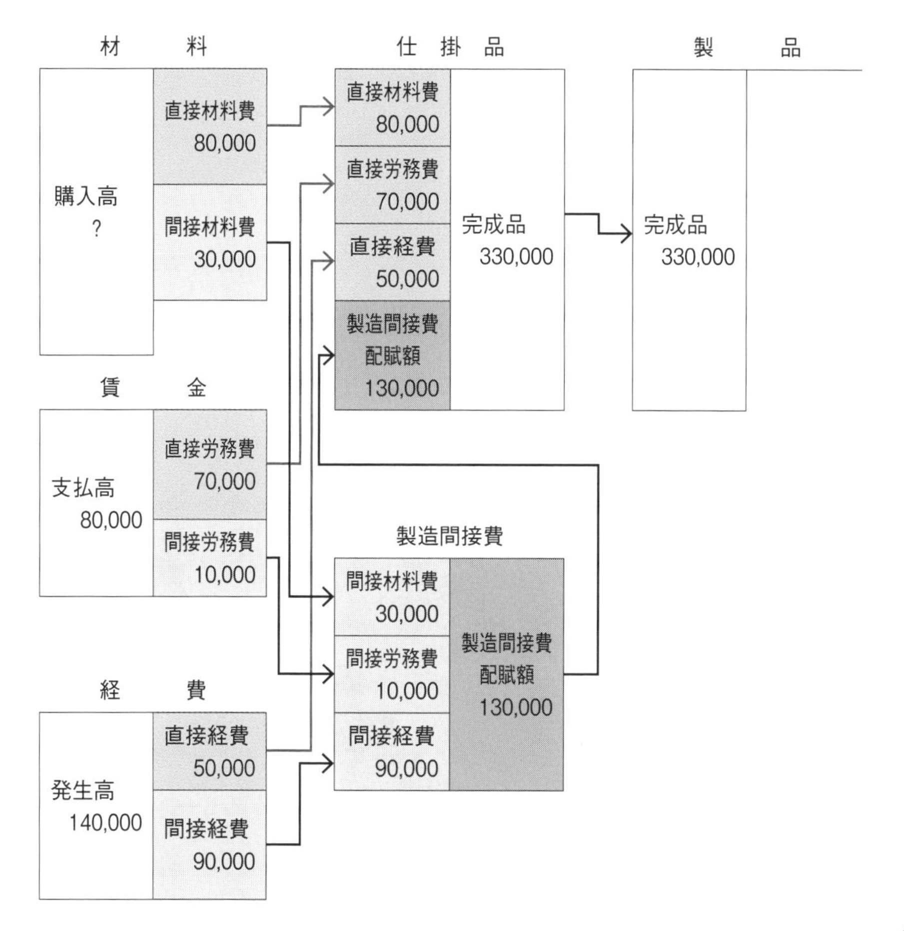
材　料
直接材料費
80,000
購入高
?
間接材料費
30,000
賃　金
直接労務費
70,000
支払高
80,000
間接労務費
10,000
経　費
直接経費
50,000
発生高
140,000
間接経費
90,000
仕　掛　品
直接材料費
80,000
直接労務費
70,000
直接経費
50,000
製造間接費
配賦額
130,000
完成品
330,000
製　品
完成品
330,000
製造間接費
間接材料費
30,000
間接労務費
10,000
間接経費
90,000
製造間接費
配賦額
130,000

なんで～？
お金がないよ～
ドロボー運送

第2章

材料費・労務費・経費

学習進度目安

さっくり 7日間	しっかり 10日間	じっくり 15日間
1日目	1日目	2日目
	2日目	
2日目		3日目

◉第2章で学習すること

① 原価計算の全体像

② 材料費会計

③ 労務費会計

④ 経費会計

1 原価計算の全体像

イントロダクション

これから様々な原価計算の方法を学習します。

まず、その全体像を確認しましょう！　工業簿記が得意な人は全体像をきちんと把握できているので、頭の中で知識が整理されています。各章の内容を学習する際に、全体の中での位置付けを確認してから学習を進めましょう。

「何事も最初が肝心！」

1 費目別計算からスタート

原価計算は、費目別計算から始まり、部門別計算、製品別計算という流れで行われます。詳しいことは、各章で説明しますが、本章では原価計算の始まりである、費目別計算を取り扱います。

原価計算の手続

費目別計算	…	材料費、労務費、経費に関して計算します。 本章での学習事項です。

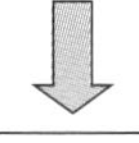

部門別計算	…	部門と呼ばれる場所ごとに原価がいくら生じたのか計算します。第４章での学習事項です。

製品別計算	…	完成品原価、月末仕掛品原価等を計算します。 第３章、第５章での学習事項です。

この流れを
思い浮かべながら
勉強しよう！

こんなの
知ってるよ！

2 工業簿記との関係

費目別計算は、材料費・労務費・経費に関する計算を行います。そのため、大きく論点を分けると、材料費・労務費・経費に大別されることになり、これから、1つずつ内容を確認していきます。

費目別計算により算定された金額は、勘定連絡図で確認すると、工業簿記上、次の網掛け部分に関連します。つまり、この章で学習する内容は、網掛け部分の金額計算と考えてください。

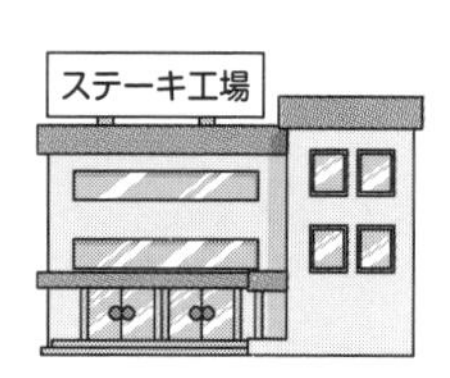

【勘定連絡図】

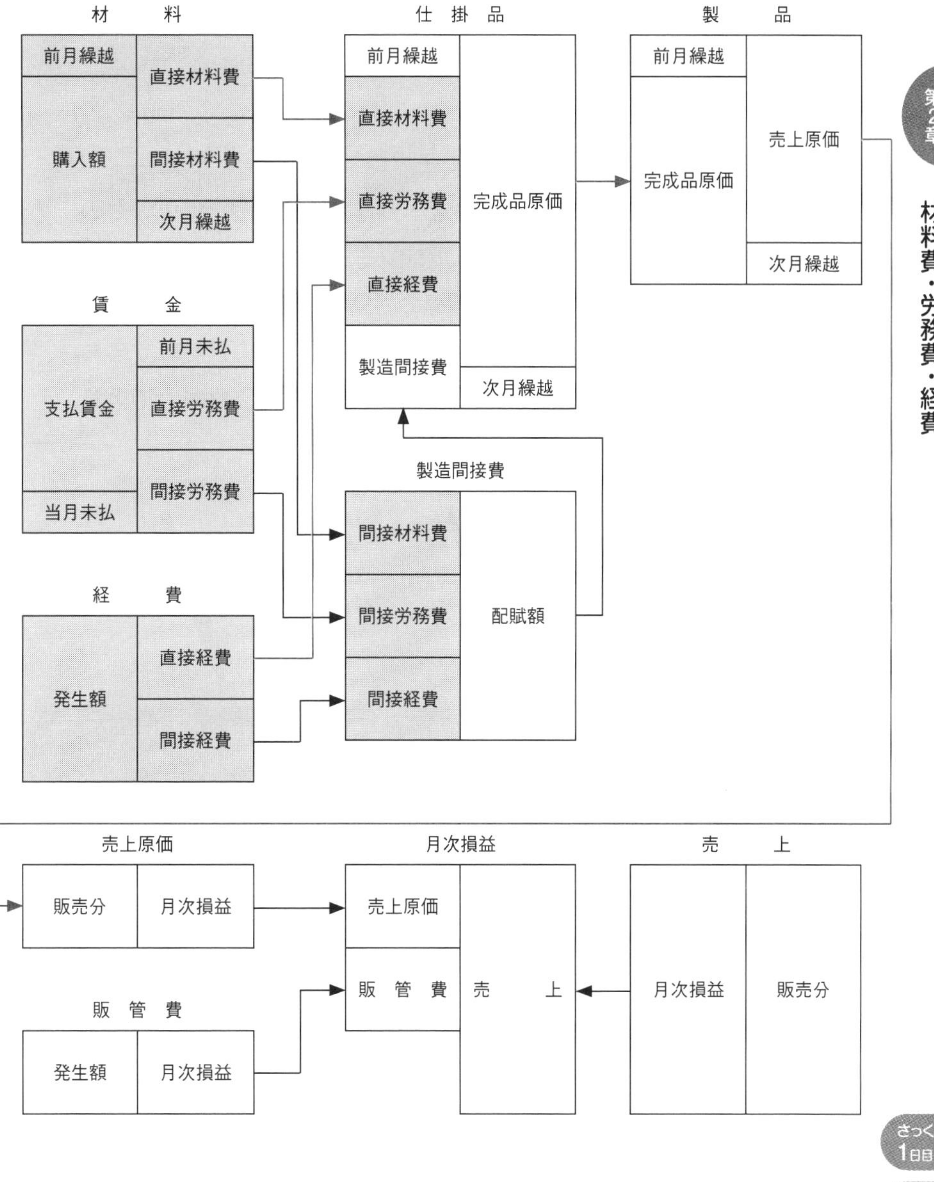

材　料
前月繰越
購入額
直接材料費
間接材料費
次月繰越
仕　掛　品
前月繰越
直接材料費
直接労務費
直接経費
製造間接費
完成品原価
次月繰越
製　品
前月繰越
完成品原価
売上原価
次月繰越
賃　金
支払賃金
当月未払
前月未払
直接労務費
間接労務費
製造間接費
間接材料費
間接労務費
間接経費
配賦額
経　費
発生額
直接経費
間接経費
売上原価
販売分
月次損益
月次損益
売上原価
販　管　費
売　上
売　上
月次損益
販売分
販　管　費
発生額
月次損益

2 材料費会計

イントロダクション

材料と一口に言っても、製品を1つ作るにあたり、種々のものが使用されます。例えば、ボールペンを1本製造するにも、プラスチックやゴム、塗料などの種々の材料を用いています。

費目別計算では、それぞれがいくら消費されたのか計算するわけですが、金額的な重要性の高い材料とそうでない材料とで計算方法が異なります。

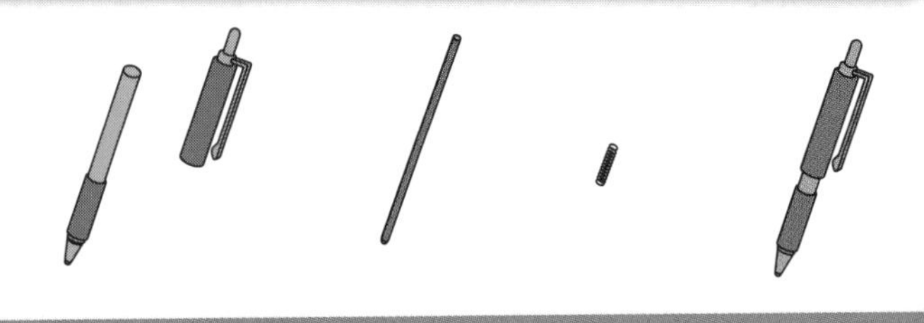

1 材料費会計の全体像

材料費会計は、その内容を大別すると、材料の**購入原価の計算**（材料勘定の借方の計算）と材料の**消費額の計算**（材料勘定の貸方の計算）に分類されます。

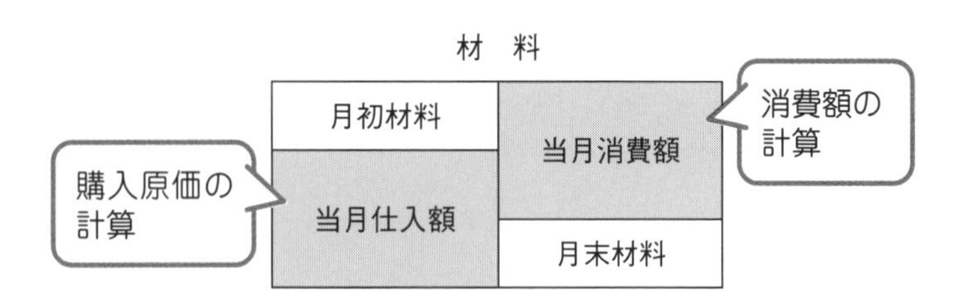

2 購入材料の種類

材料と一口に言っても、種々のものがあります。具体的には、素材(原料)、買入部品、燃料、工場消耗品、消耗工具器具備品があります。これらはすべて材料勘定を用いて、記録がとられます。

材料	主要材料	製品の素材や原料となる物品のこと 例）自動車メーカーの鋼板、家具製作での木板 パン工場の小麦、酒メーカーの米や麦
	買入部品	外部から購入し、製品に取り付ける部品のこと 例）自動車メーカーのタイヤ、計器類　等
	補助材料	製品の製造に補助的に使う物品のこと 例）補修用材料、塗料、接着剤、燃料
	工場消耗品	製品製造を間接的に補助するための物品のこと 例）機械油、クギ、ネジ　等
	消耗工具器具備品	少額の工具、器具、備品のこと 例）スパナ、ドライバー、工場の机・椅子　等

3 購入原価の計算

材料を購入したときは、購入原価で記帳します。購入原価は、購入代価と材料副費の合計です。

購入原価 ＝ 購入代価 ＋ 材料副費

ここで、購入代価とは、送り状記載価格（取引先と事前に約束した金額）から値引・割戻を控除したものです。

購入代価 ＝ 送り状記載価格 － 値引・割戻

値引・割戻・割引（参考）

値引・割戻・割引はそれぞれ内容が異なるため、区別されます。

	意　味	性　質
値　　引	品質不良、品違い等による代金の減額	営業活動
割　　戻	大量購入による代金の減額	
割　　引	代金の早期決済による減額	財務活動

値引・割戻は、営業活動（製造活動＋販売活動）から生じるものです。一方、割引は、企業がお金のやりくりをうまく行うことで発生するものなので、財務活動から生じると考えます。割引だけは性質が違うので注意しましょう。

次に、材料副費とは、材料を購入してから消費するまでに付随してかかる費用のことです。材料副費は、**外部副費**と**内部副費**に分類されます。

コトバ

外部副費：材料が取引先から当社に届けられるまでに要する費用のことであり、「**引取費用**」ともいいます。
ex） 買入手数料、引取運賃、荷役費、保険料、関税

コトバ

内部副費：材料が当社に届いてから消費されるまでに要する費用のことです。会社の中で生じるから、「内部」副費と捉えてください。
ex） 購入事務費、検収費、整理費、選別費、手入費、保管費

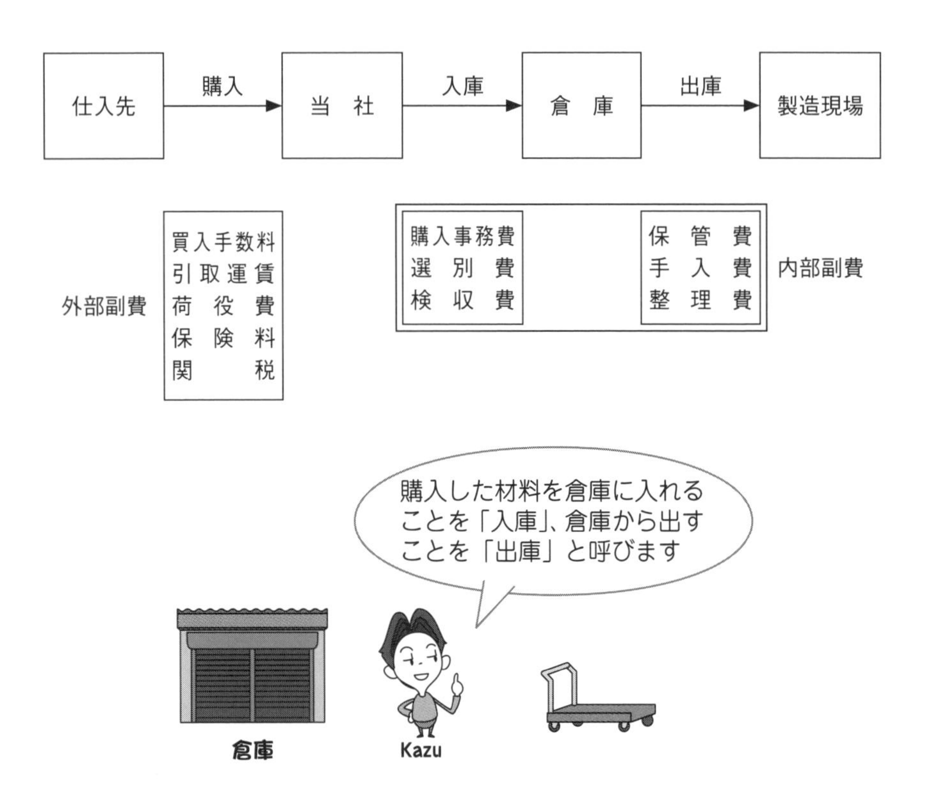

材料副費は、材料の購入原価にすべて含めるというのが基本的な考え方ですが、現実的には難しいため、材料副費をどこまで購入原価に含めるかについては、内部副費を全部含める、一部含める、まったく含めない、の3パターンがあります。

< 購入原価に含める材料副費の範囲のまとめ >

(1)　購入原価＝購入代価＋外部副費＋内部副費

(2)　購入原価＝購入代価＋外部副費＋内部副費の一部

(3)　購入原価＝購入代価＋外部副費

例２－１　購入原価の計算

問題　材料@￥100を200個、掛で仕入れた。その際、外部副費￥3,000を現金で支払った。

【解答】

借方科目	金額	貸方科目	金額
材料	23,000	買掛金	20,000
		現金	3,000

【考え方】

「材料」という資産の増加と、「買掛金」という負債の増加、「現金」という資産の減少を記録します。この仕訳により、材料勘定の借方に購入原価として￥23,000が転記されます。

【総勘定元帳】

材料	
購入原価 23,000	

さっくり 1日目
しっかり 1日目
じっくり 2日目

4 材料副費の配賦

3章まで終わった後にやるといいよ！

例えば、材料Aと材料Bを同じトラックに載せて届けてもらうと、引取運賃がかかりますが、どちらの材料にいくらかかったのかはよくわかりません。そこで、材料の購入数量や購入代価を基準として引取運賃（材料副費）を材料Aと材料Bの分に振り分けます。この振り分けることを配賦といい、実際にかかった金額で行う場合と事前に見積もった金額で行う場合があります。

材料の購入原価に含める材料副費の金額の考え方には、**実際配賦**と**予定配賦**という2つの方法があります。実際配賦とは、実際にかかった金額を使って計算した金額（**実際配賦額**）を含める方法です。一方、予定配賦とは、会社が事前に見積もっておいた**予定配賦率**を使って計算した金額（**予定配賦額**）を含める方法です。

コトバ

実際配賦額：実際にかかった金額に基づいて振り分けた金額
予定配賦額：予定配賦率を使って、振り分けた金額
予定配賦率：材料1単位あたりにかかると見込まれる材料副費の金額

材料副費について予定配賦を行った場合、予定配賦額と実際にかかった金額（**実際発生額**）との間にズレが生じます。このズレを、**材料副費配賦差異**といいます。なお、材料副費配賦差異は原価差異ともいいます。

材料副費配賦差異＝予定配賦額－実際発生額

コトバ

実際発生額：実際にかかった金額
原価差異：予定配賦額と実際発生額との差額

材料副費配賦差異について、実際発生額が予定配賦額より小さい場合は、会社にとって得なズレなので**有利差異**といいます。逆に、実際発生額が予定配賦額より大きい場合は、会社にとって損なズレなので**不利差異**といいます。なお、有利差異は貸方差異ともいいます。また、不利差異は借方差異ともいいます。

材料副費の予定配賦の記帳

試験では、材料副費について、「購入代価の2%を予定配賦する」というような問題が出題されることがあります。材料の購入時と材料副費配賦差異の処理について確認してみましょう。

【例】① 材料@¥100を200個、掛で仕入れた。なお、当工場では購入代価の2％を材料副費として予定配賦している。

② 材料副費の実際発生額は、500円であった。

① 予定配賦額を計算し、材料副費という勘定科目で処理します。

借方科目	金額	貸方科目	金額
材料	20,400	買掛金	20,000
		材料副費	400

購入代価：@¥100 × 200個 = ¥20,000

予定配賦額：¥20,000 × 2％ = ¥400

② 予定配賦額と実際発生額との差異を、材料副費勘定から材料副費配賦差異勘定に振り替えます。

借方科目	金額	貸方科目	金額
材料副費配賦差異	100	材料副費	100

材料副費配賦差異：¥400 − ¥500 = △¥100（不利差異）

5 材料費の種類

材料費とは、使用（消費）した材料の金額のことをいいます。具体的には、主要材料費（素材費または原料費）、買入部品費、補助材料費、工場消耗品費、消耗工具器具備品費があります。このうち、主要材料費と買入部品費は直接材料費に該当し、補助材料費、工場消耗品費、消耗工具器具備品費は間接材料費に該当します。

	形態別分類	製品との関連における分類
材料費	主要材料費	直接材料費
	買入部品費	
	補助材料費	間接材料費
	工場消耗品費	
	消耗工具器具備品費	

このように、それぞれの材料費が直接材料費なのか間接材料費なのかの区別が、製品の原価を計算するときに重要となります。なお、素材や原料については、間接材料費になることもあるので、注意が必要です。

コトバ

主要材料費：製品の主要部分に用いる素材や原料の消費高
買入部品費：買入部品の消費高

6 材料費の計算

材料費は、消費単価に消費数量を掛けることで求まります。

材料費　＝　消費単価　×　消費数量

計算を行うにあたり、消費単価として何を用いるのか、消費数量をどう計算するのかという２つの問題があります。

(1) 消費単価の計算

消費単価には、大きく分けると**実際単価**（実際価格）と**予定単価**（予定価格）があります。実際単価の具体的な計算方法として、**平均法**と**先入先出法**（さきいれさきだし）の２つの方法があります。平均法とは、月初材料有高と当月購入高とを平均し、消費単価を算定する方法です。他方、先入先出法とは、月初材料有高と当月購入高を区別し、先に入ったものが先に消費されたという仮定のもと、消費単価を算定する方法です。

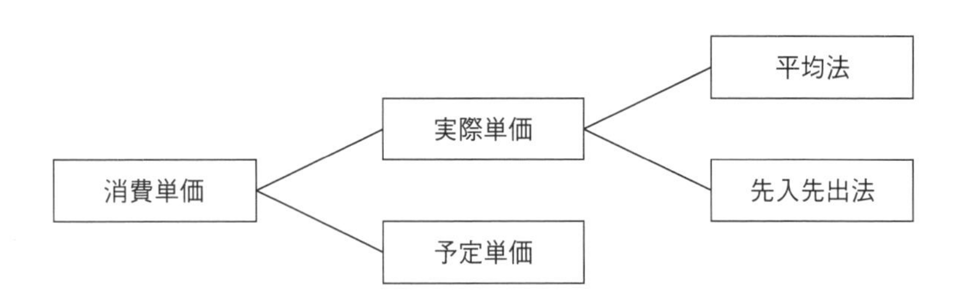

コトバ

実際単価：材料の購入に要した実際の金額から求めた消費単価
予定単価：事前に会社の中で決めておいた消費単価

また、予定単価を計算に用いることで材料費を迅速に求めることができます。なお、予定単価を用いると、予定消費高と実際消費高との間にズレが生じ、**材料消費価格差異**という原価差異が計算されます。原価差異は、会計年度の期末において、原則として売上原価に賦課されます。

コトバ

実際消費高：実際単価を使って計算した消費高
予定消費高：予定単価を使って計算した消費高
材料消費価格差異：材料の予定消費高と実際消費高との差額
予定単価と実際単価が異なることが原因で生じます

(2) 消費数量の計算

消費数量の計算方法として、**継続記録法**(けいぞくきろくほう)と**棚卸計算法**(たなおろしけいさんほう)の２つの方法があります。継続記録法とは、材料が消費される度に帳簿に記録をとることで消費数量を計算する方法です。この方法によると、手間はかかりますが、どの製品にどれだけ材料が使われたのかを正確に把握することができます。

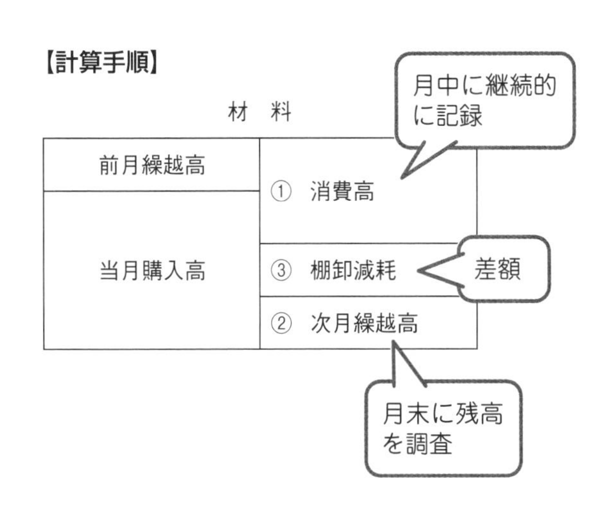

他方、棚卸計算法とは、月末に材料が何個残っているのか調べ、購入数量との差額で消費数量を計算する方法です。この方法によると、手間はかかりませんが、どの製品にどれだけ材料が使われたのかを正確に把握することができません。

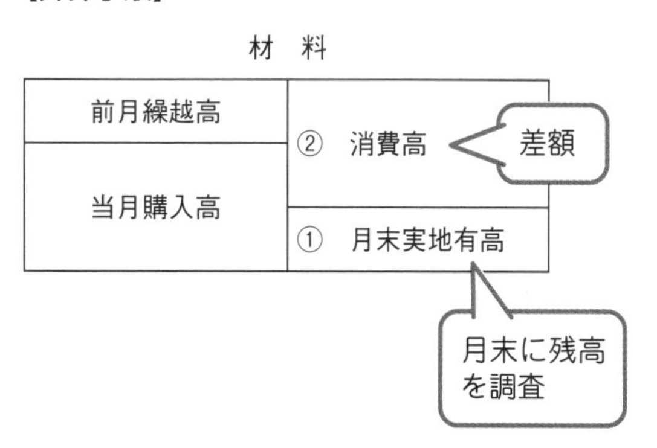

棚卸計算法によると、どの製品にいくら材料が消費されたのかを把握することができないのに加え、棚卸減耗も把握できないため、正確な消費高がわかりません。

例2－2　実際価格の計算（平均法VS先入先出法）

問題　実際価格を①平均法、②先入先出法、で計算し、材料の実際消費高および月末棚卸高を求めなさい。

前月繰越高	@￥200 × 10 個	=￥　2,000
当月購入高	@￥240 × 90 個	=￥21,600
合　計		￥23,600
当月実際消費数量	80 個	
月末実地棚卸数量	20 個	

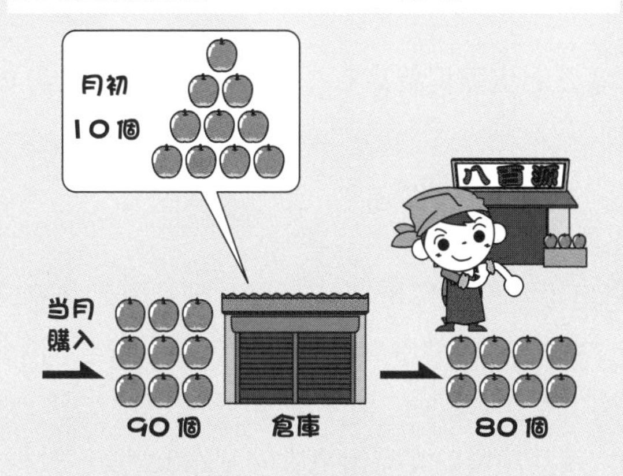

【解答】

①

平均法による実際消費高　￥18,880

平均法による月末棚卸高　￥　4,720

②

先入先出法による実際消費高　￥18,800

先入先出法による月末棚卸高　￥　4,800

【考え方】

① 平均法

平均法とは、月初材料有高と当月購入高とを平均し、消費単価を算定する方法です。したがって、月初有高と当月購入高を合算し、そこから材料単位あたりの実際価格@￥236を算定します。

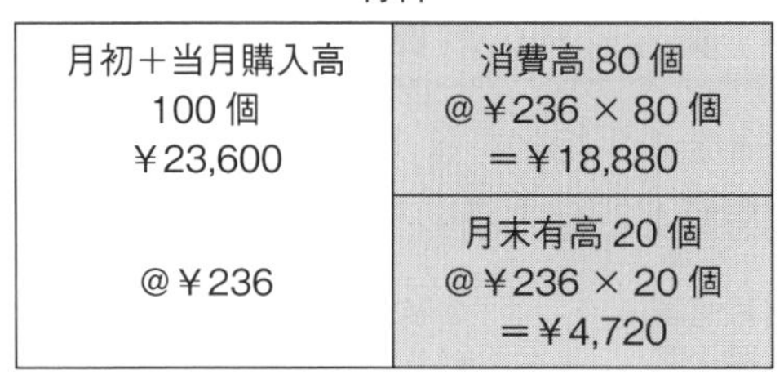

$$\text{平均単価：}\frac{@¥200\times10\text{個}+@¥240\times90\text{個}}{10\text{個}+90\text{個}}=@¥236$$

平均法によると実際消費高も月末有高も単位あたりの金額が同じとなります。

② 先入先出法

先入先出法とは、月初材料有高と当月購入高を区別し、先に入ったものが先に消費されたという仮定のもと、消費単価を算定する方法です。当月に使った80個のうち10個の実際価格は@¥200、残り70個の実際価格は@¥240と考えます。

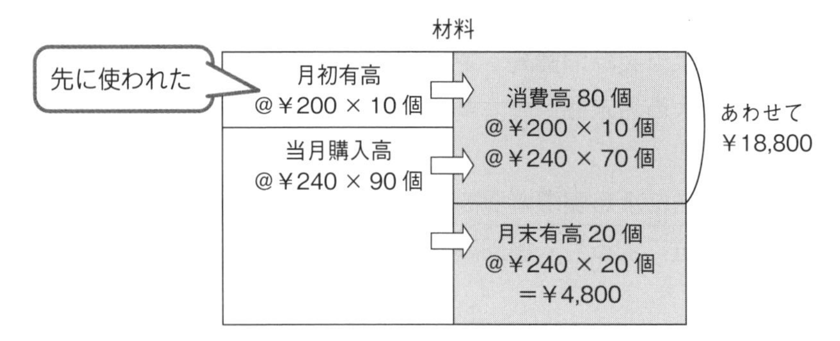

先入先出法によると、実際消費高と月末有高の単位あたりの金額が異なります。

例2－3　材料の実際消費高の計算

問題　① 実際価格を平均法で計算し、直接材料費と間接材料費を求めなさい。

② 材料消費についての仕訳を答えなさい。

前月繰越高	@￥200 × 10 個	＝￥　2,000
当月購入高	@￥240 × 90 個	＝￥21,600
合　計		￥23,600
当月実際消費数量	80 個	

当月実際消費数量80個の内訳は、特定の製品を製造するために60個、間接材料として20個消費している。

【解答】

①

直接材料費：@￥236×60個＝￥14,160

間接材料費：@￥236×20個＝￥　4,720

②

借　方　科　目	金　額	貸　方　科　目	金　額
仕　掛　品	14,160	材　料	18,880
製造間接費	4,720		

【考え方】

① 実際消費高の計算

平均法を採用しているため、実際価格は@￥236（＝￥23,600÷100個）となります。特定の製品のために消費した60個分は、直

接材料費になります。

直接材料費：@￥236×60個 ＝ ￥14,160

他方、間接材料として消費した20個分は、間接材料費になります。

間接材料費：@￥236×20個 ＝ ￥4,720

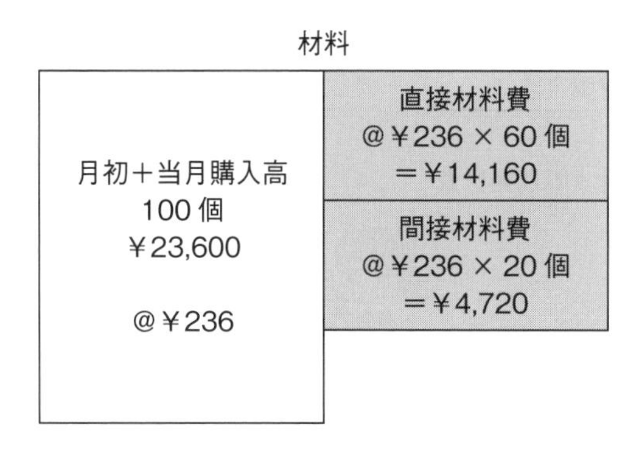

② 材料消費についての仕訳

原価計算によって求めた直接材料費￥14,160は材料勘定から仕掛品勘定へ、間接材料費￥4,720は材料勘定から製造間接費勘定へ振替えます。

【総勘定元帳】

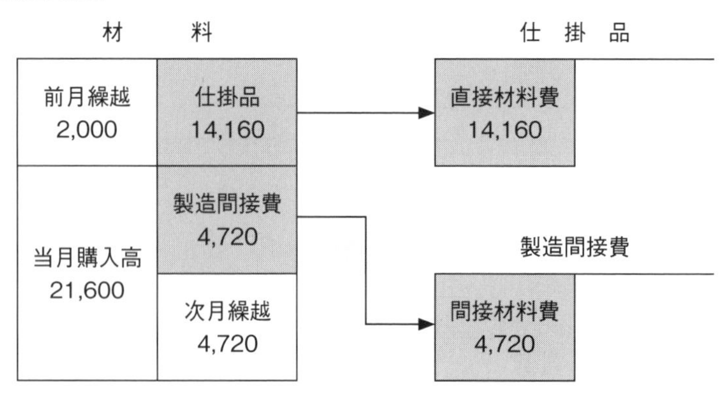

例2－4　材料の予定消費高の計算

問題　当工場では予定価格@￥220を用いて材料の予定消費高を計上している。次の資料に基づき、①材料消費についての仕訳、②材料消費価格差異を計上する仕訳を示しなさい。

前月繰越高	@￥200 × 10 個	＝￥　2,000
当月購入高	@￥240 × 90 個	＝￥21,600
合　計		￥23,600
当月実際消費数量	80 個	

当月実際消費数量80個の内訳は、A製品を製造するために60個、間接材料として20個消費している。なお、実際の消費単価は先入先出法による。

【解答】

① 材料消費についての仕訳

借方科目	金額	貸方科目	金額
仕掛品	13,200	材料	17,600
製造間接費	4,400		

② 材料消費価格差異を計上する仕訳

借方科目	金額	貸方科目	金額
材料消費価格差異	1,200	材料	1,200

【考え方】

① 材料消費についての仕訳

予定価格@￥220を利用し、直接材料費（60個分）および間接材料費（20個分）を計算します。

直接材料費：@￥220×60個 ＝ ￥13,200
間接材料費：@￥220×20個 ＝ ￥4,400

直接材料費￥13,200は材料勘定から仕掛品勘定へ、間接材料費￥4,400は材料勘定から製造間接費勘定へ振替えます。

② 材料消費価格差異を計上する仕訳

材料消費価格差異は、予定消費高と実際消費高との差額です。

材料消費価格差異：￥17,600－￥18,800 ＝ △￥1,200
￥1,200の不利差異（借方差異）が生じる。

予定消費高は、予め決めておいた消費価格により計算された金額なので、材料を80個消費したなら、本来的には￥17,600で抑える必要があると考えます。他方、実際消費高は、実際の消費価格により計算された金額なので、￥18,800は材料を80個消費したときのありのままの金額です。したがって、両者の金額の差額である材料消費価格差異￥1,200は、会社にとって不利な差異と考えられます。このような差異を不利差異といいます。

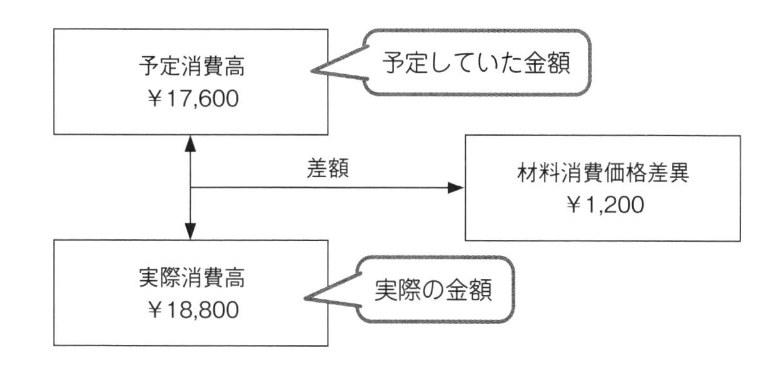

【総勘定元帳】

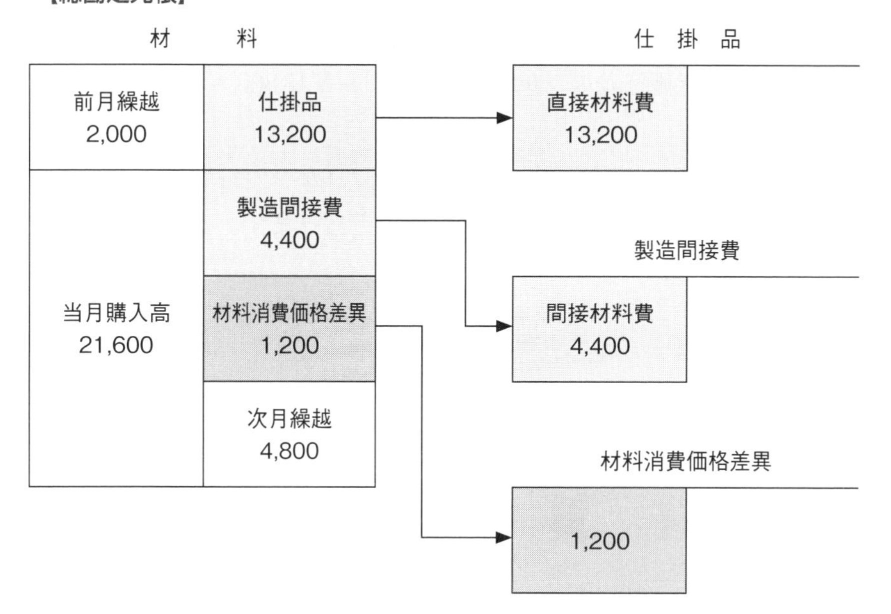

材料消費価格差異¥1,200は、材料消費価格差異勘定の借方に金額が記入されるため、借方差異ともいいます。原価差異については、会計年度末に売上原価に賦課します(売上原価勘定へ振替える)。借方差異は売上原価という費用を増加させるため、会社にとって不利な影響を与えます。

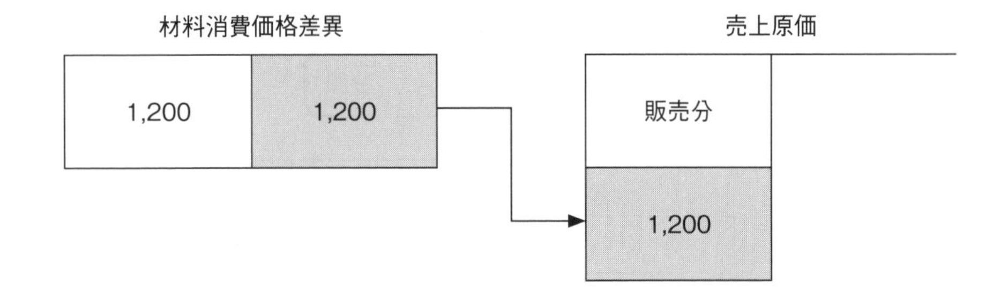

【有利差異の場合】

仮に、予定価格が@￥250の場合、材料消費価格差異を計算すると次の通りです。

材料消費価格差異：@￥250×80個－￥18,800 ＝ ￥1,200

材料消費価格差異￥1,200は、実際消費高が予定消費高よりも少ないので、会社にとって有利な差異と考えられます。このような差異を有利差異といいます。

借　方　科　目	金　額	貸　方　科　目	金　額
材　　料	1,200	材料消費価格差異	1,200

【総勘定元帳】

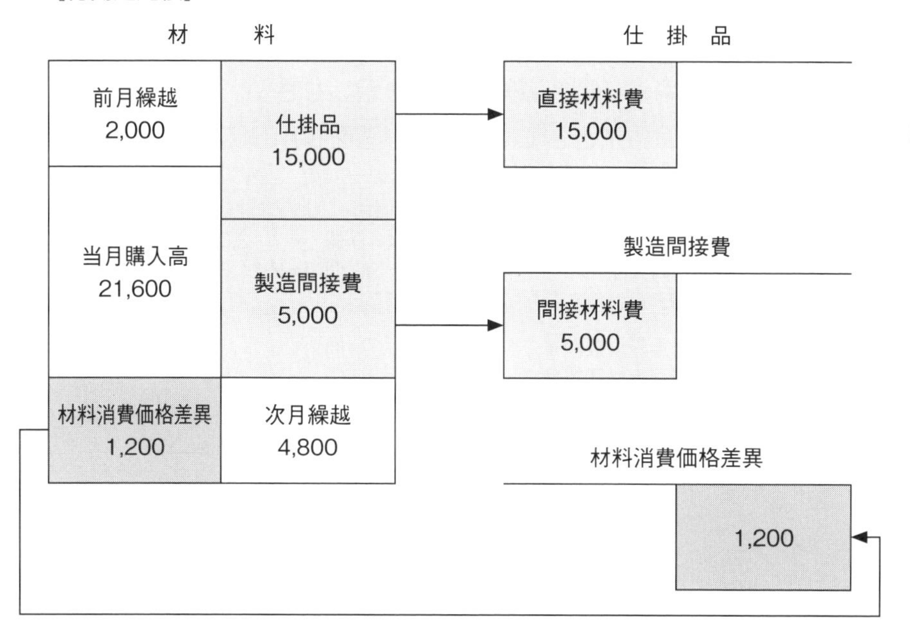

材料消費価格差異￥1,200は、材料消費価格差異勘定の貸方に金額が記入されるため、貸方差異ともいいます。原価差異については、会計年度末に売上原価に賦課します(売上原価勘定へ振替える)。貸方差異は売上原価という費用を減少させるため、会社にとって有利な影響を与えます。

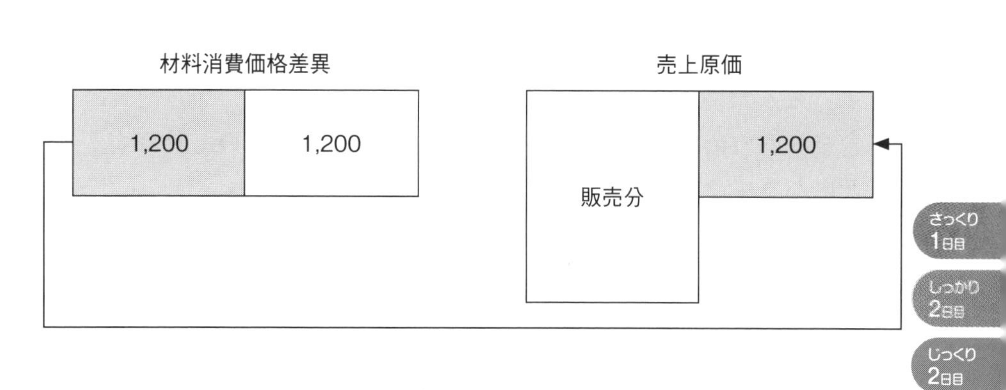

例２－５　棚卸減耗の計算

問題　次の資料から棚卸減耗の仕訳を示しなさい。なお、消費価格の計算方法として、先入先出法を採用しているものとする。

前月繰越高	@￥200 × 10 個	＝￥　2,000
当月購入高	@￥240 × 90 個	＝￥21,600
合　計		￥23,600
当月実際消費数量	70 個	
月末実地棚卸数量	20 個	

【解答】

借　方　科　目	金　額	貸　方　科　目	金　額
製　造　間　接　費	2,400	材　　　料	2,400

【考え方】

棚卸減耗は、棚卸資産の帳簿残高と実地棚卸高とのズレのことです。先入先出法で計算すると、月初材料有高はすべて当月消費高に含まれるため、棚卸減耗損は当月購入高@￥240を用いて計算することになります。

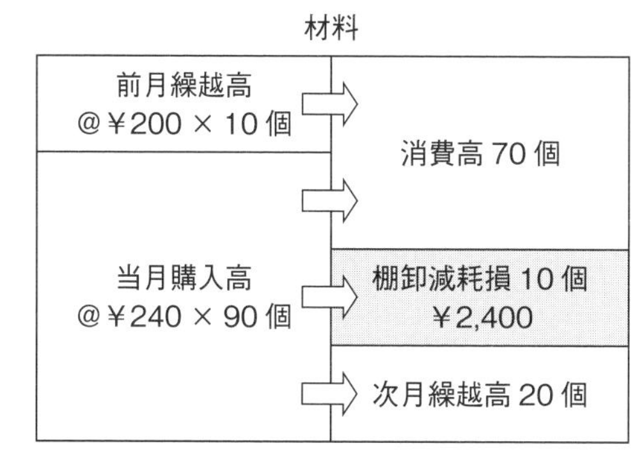

棚卸減耗損：@￥240×10個 ＝ ￥2,400

なお、**棚卸減耗損**は**間接経費**に該当するので、製造間接費勘定へ振替えます。

【総勘定元帳】

当月消費高がすべて直接材料費と仮定して総勘定元帳への転記を確認します。

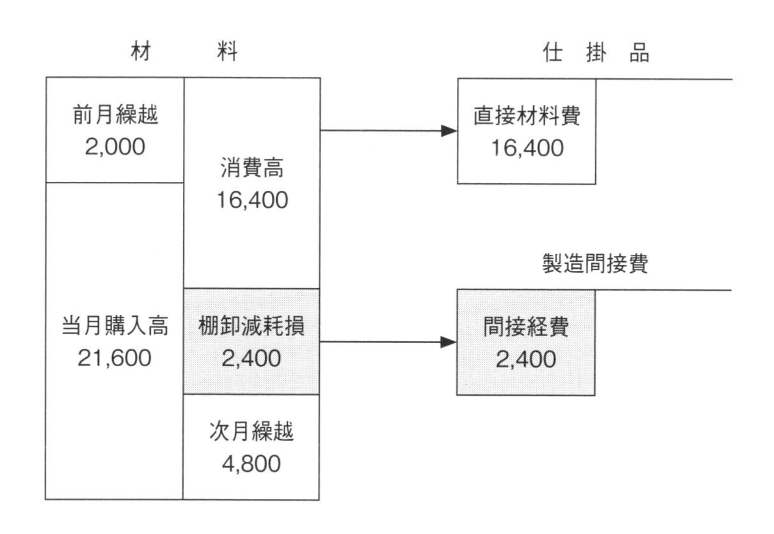

なお、消費時に予定価格を適用している場合でも棚卸減耗損は実際価格で計算することになるため、注意が必要です。

異常な棚卸減耗（参考）

例２－５の処理は、発生した棚卸減耗が正常なものであることが前提となります。ここで、正常とは、通常生じうるという意味であり、通常発生しないもの（火災や震災などにより生じたもの）は異常な棚卸減耗となり、その金額は特別損失（または営業外費用）として処理されることになります。

原価の要件（参考）

原価には次の４つの要件があります。

①経済価値消費性

経済的な価値のあるものを消費しないと原価になりません。例えば、空気を消費しても原価になりませんし、材料を買っただけでも原価は生じません。

②給付関連性

給付とは、製品や仕掛品などの製造したものを指します。原価はこれらの製造物に紐づいたものである必要があります。

③経営目的関連性

会社の目的は製品を製造し、販売することです。これ以外の活動である財務活動や投資活動から生じる経済価値の消費は原価になりません。

④正常性

正常なものでないと原価にはなりません。異常な原因に基づく価値の減少は特別損失または営業外費用になります。

3 労務費会計

イントロダクション

労務費会計では、製品を製造するのにどれだけの労働力がかかったのかを金額として計算します。労務費も材料費と同様に種々の費目があるので、まずは計算の全体像を確認してから中身に入っていきます。

1 労務費会計の全体像

労務費会計は、**支払賃金の計算**（賃金勘定の借方の計算）と**消費賃金の計算**（賃金勘定の貸方の計算）の２つに分類されます。

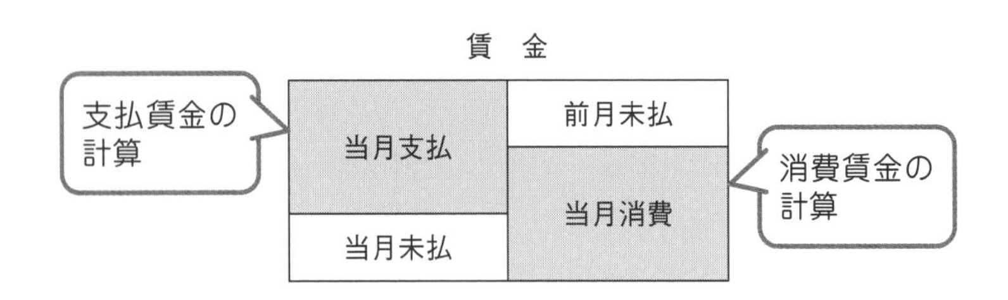

2 労務費の種類

従業員には、工員と職員（工員以外の従業員）がいます。工員は工場の現場で仕事を行うのに対し、職員は工場内の管理業務を行っています。工員には、直接工と呼ばれる製品製造に直接的に従事する人と、間接工と呼ばれる製品製造に間接的に従事する人とがいます。

工員に支払う給与のことを「賃金」と呼びます。他方、職員に支払う給与のことを「給料」と呼びます。また、「雑給」と呼ばれるパートタイマーに対する給与もあります。この他にも、「従業員賞与・手当」や「退職給付費用」、「法定福利費」などが労務費としてあります。

労務費	直接工賃金	直接工に対する給与のこと
	間接工賃金	間接工に対する給与のこと
	給料	職員に対する給与のこと
	雑給	パートタイマーに対する給与のこと
	従業員賞与・手当	工場の従業員に対するボーナスや各種手当（通勤手当や住宅手当など）のこと
	退職給付費用	工場の従業員に対する退職金の準備金のこと
	法定福利費	工場の従業員に対する社会保険料の会社負担額のこと

コトバ

直接工：製品製造に直接的に従事する人
間接工：製品製造に間接的に従事する人

3 支払賃金の計算

従業員に給与を支払うときに、支払賃金の計算が必要となります。支払賃金は、基本賃金（基本給）と加給金（残業手当など）の合計のことをいいます。

支払賃金 ＝ 基本賃金 ＋ 加給金

ここで、基本賃金は、支払賃率に就業時間を掛けることで算定できます。また、支払賃金に従業員賞与・手当を加算することで支給総額（額面の金額）を算定できます。

支給総額 ＝ 支払賃金 ＋ 従業員賞与・手当

さらに、支給総額から従業員が負担する社会保険料の金額や所得税や住民税などを控除して、従業員に現金として支給する金額である現金支給額（手取りの金額）を算定できます。

現金支給額 ＝ 支給総額 － 社会保険料・税金

<table>
<tr><td colspan="2">現金支給額</td><td>社会保険料控除額
所得税等控除額</td></tr>
<tr><td colspan="3">給与支給総額</td></tr>
<tr><td colspan="2">支払賃金</td><td>従業員賞与・手当</td></tr>
<tr><td>基本賃金</td><td>加給金</td><td></td></tr>
</table>

なお、給与の計算は、給与計算期間と呼ばれる一定の期間内の就業時間に基づき行われます。

しっかり
2日目

例2－6　支払賃金の計算

問題　仕訳を示しなさい。

時給@￥1,000の工員が160時間業務に従事した。また、通勤手当として￥5,000を支払った。なお、従業員立替金￥1,000、源泉所得税￥1,000、社会保険料の従業員負担分￥500を差引き、残額を現金で支払った。

【解答】

借方科目	金額	貸方科目	金額
賃金	160,000	立替金	1,000
従業員賞与手当	5,000	預り金	1,500
		現金	162,500

【考え方】

「賃金」、「従業員賞与手当」という費用の増加と、「立替金」、「現金」という資産の減少、「預り金」という負債の増加を記録します。この仕訳により、賃金勘定の借方に支払賃金として￥160,000が転記されます。

【総勘定元帳】

賃　　金

支払賃金 160,000	

従業員賞与手当

支給額 5,000	

なお、従業員賞与手当は、間接労務費として製造間接費勘定へ振替えます。

4 消費賃金の計算

消費賃金とは、原価計算期間において、どれだけ労働力が消費されたのかを意味します。例えば、先ほどまで確認してきた支払賃金が¥160,000と計算されても、これだけでは、どの製品にいくら労働力がかかったのかわからないので、消費賃金を計算する必要があります。つまり、消費賃金の計算とは、直接労務費と間接労務費を計算することです。

なお、直接工の直接作業賃金（直接製造作業を行ったことに対する賃金）以外はすべて間接労務費になります。直接工については、直接作業以外にも、間接作業も行っているので、直接工の就業時間に基づいて内訳を計算する必要があります。

コトバ

直接作業時間：直接工が製品を作っている時間
間接作業時間：材料を運んでくるなど製品を作るためのサポートをする時間
手待時間：仕事中に手のあいている時間

<table>
<tr><td rowspan="9">労務費</td><td rowspan="2">直接工賃金</td><td>直接作業賃金</td><td>直接労務費</td></tr>
<tr><td>間接作業賃金</td><td rowspan="7">間接労務費</td></tr>
<tr><td>間接工賃金</td><td rowspan="6"></td></tr>
<tr><td>給　料</td></tr>
<tr><td>雑　給</td></tr>
<tr><td>従業員賞与・手当</td></tr>
<tr><td>退職給付費用</td></tr>
<tr><td>法定福利費</td></tr>
</table>

コトバ

直接作業賃金：直接工の直接作業時間に対する賃金
間接作業賃金：直接工の間接作業時間に対する賃金

また、給与計算期間と原価計算期間がズレる場合があります。例えば、給与計算期間は毎月20日を締め日として、前月の21日から今月20日までの労働時間に応じて給与を計算することがあります。原価計算期間はあくまで月初から月末までの1ヶ月なので、両者で期間的なズレが生じてしまいます。このズレを調整するために、前月未払、当月未払という経過勘定が生じます。

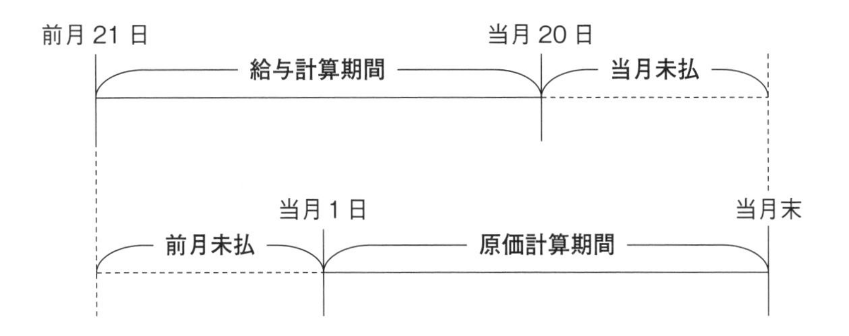

支払賃金は給与計算期間に基づいて計算しますが、消費賃金（直接労務費と間接労務費）は原価計算期間に基づいて計算します。当月未払とは、原価計算期間には含まれるが、給与計算期間には含まれない部分です。すなわち、当月21日から当月末までは、製品製造を行っているため、直接労務費と間接労務費が生じるはずですが、支払賃金には含まれていないため、当月未払という形で処理を行います。また、前月未払はその逆で、支払賃金には含まれますが、消費賃金には含まれないものです。

コトバ

消費賃金：1日から月末までの作業時間に基づく賃金の消費高のこと

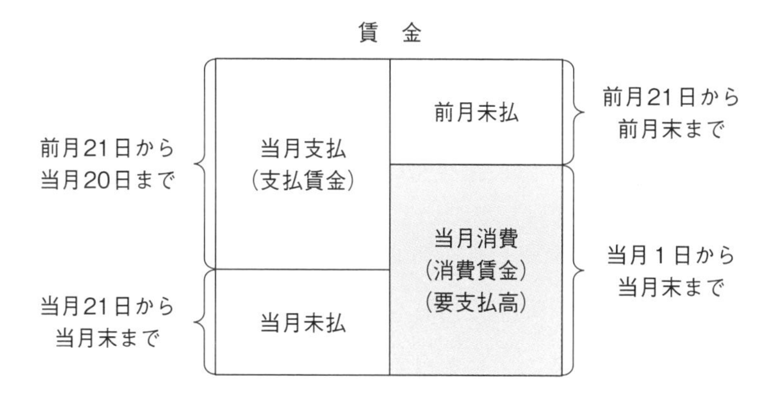

消費賃金の計算は、消費賃率に作業時間を掛けることで求めます。

消費賃金	直接労務費	消費賃率　×　直接作業時間
	間接労務費	消費賃率　×　間接作業時間

消費賃率として、**実際賃率**を用いる場合と**予定賃率**を用いる場合があります。実際賃率は、要支払高を就業時間で割ることで求まります。また、予定賃率を用いると、**賃率差異**という原価差異が計算されます。

コトバ

実際賃率：要支払高に基づいて計算した1時間あたりの金額
予定賃率：事前に会社の中で決めておいた1時間あたりの金額
賃率差異：賃金の予定消費高と実際消費高との差額
予定賃率と実際賃率が異なることが原因で生じます

例2－7　消費賃金の計算

問題　仕訳を示しなさい。

① 7月1日、直接工賃金の前月未払高￥3,000（6月21日～6月30日）について再振替を行う。

② 7月25日、給与支給日につき、直接工賃金￥9,500（6月21日～7月20日）を現金で支払った。

③ 7月31日、直接工賃金の当月未払高￥3,500（7月21日～7月31日）を未払計上する。

【解答】

① 前月未払賃金の再振替仕訳

借方科目	金額	貸方科目	金額
未払賃金	3,000	賃金	3,000

② 賃金の支払い

借方科目	金額	貸方科目	金額
賃金	9,500	現金	9,500

③ 当月未払賃金の未払計上

借方科目	金額	貸方科目	金額
賃金	3,500	未払賃金	3,500

【考え方】

① 前月未払賃金の再振替仕訳

「未払賃金」という負債の減少を記録します。

② 賃金の支払い

「賃金」という費用の増加を記録します。

③ 当月未払賃金の未払計上

「賃金」という費用の増加と「未払賃金」という負債の増加を記録します。

【総勘定元帳】

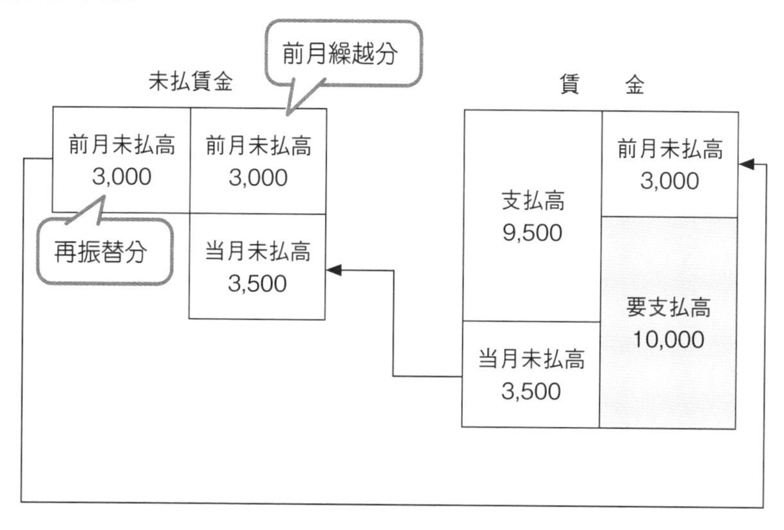

例２－８　直接工賃金の実際消費高

問題　仕訳を示しなさい。

７月の直接工賃金の要支払高は￥10,000、直接工の就業時間は８時間であり、当工場では要支払高を就業時間で割って実際賃率を計算し、直接工賃金の実際消費高を計上している。直接工の実際作業時間は、直接作業時間５時間、間接作業時間３時間であった。直接工の賃金消費額を計上する。

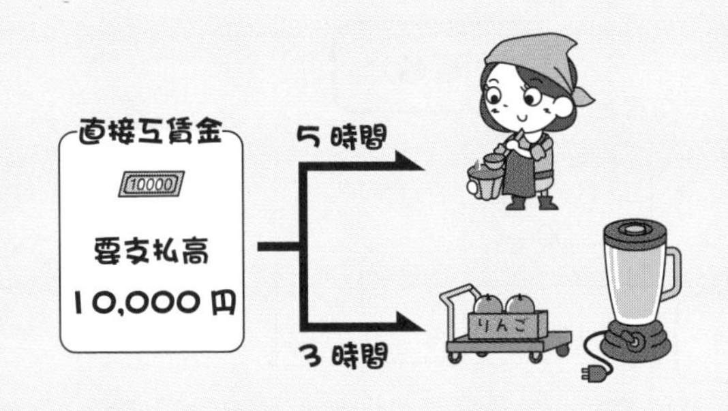

【解答】

借方科目	金額	貸方科目	金額
仕掛品	6,250	賃金	10,000
製造間接費	3,750		

【考え方】

実際賃率@￥1,250（＝￥10,000÷８時間）を算定し、直接作業時間５時間を掛けることで直接労務費を、間接作業時間３時間を掛けることで間接労務費を計算します。なお、直接労務費は仕掛品勘定へ、間接労務費は製造間接費勘定へ振替えます。

【総勘定元帳】

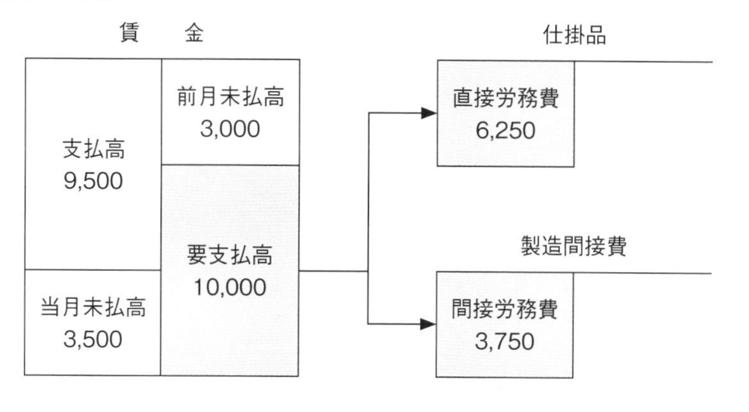

第2章
材料費・労務費・経費

さっくり 2日目
しっかり 2日目
じっくり 3日目

例2－9　直接工賃金の予定消費高

問題　当工場では予定賃率@￥1,200を用いて直接工賃金の予定消費高を計上している。以下の仕訳を示しなさい。

① 直接工の実際作業時間は直接作業時間5時間、間接作業時間3時間であった。直接工の賃金消費額を計上する。

② 直接工賃金の実際消費高は￥10,000であった。賃率差異を計上する。

【解答】

① 賃金消費の仕訳

借方科目	金額	貸方科目	金額
仕掛品	6,000	賃金	9,600
製造間接費	3,600		

② 賃率差異を計上する仕訳

借方科目	金額	貸方科目	金額
賃率差異	400	賃金	400

【考え方】

① 賃金消費の仕訳

予定賃率@￥1,200に、直接作業時間5時間を掛けることで直接労務費を、間接作業時間3時間を掛けることで間接労務費を計算します。なお、直接労務費は仕掛品勘定へ、間接労務費は製造間接費勘定へ振替えます。

② 賃率差異を計上する仕訳

予定消費高￥9,600と実際消費高￥10,000との差額を計算し、賃率差異を求めます。予定消費高￥9,600は予定していた労務費の金額であるのに対して、実際消費高￥10,000は実際に消費された金額なので予定よりも実際は￥400多く労務費がかかったと考えられるため、会社にとっては不利差異（借方差異）となります。

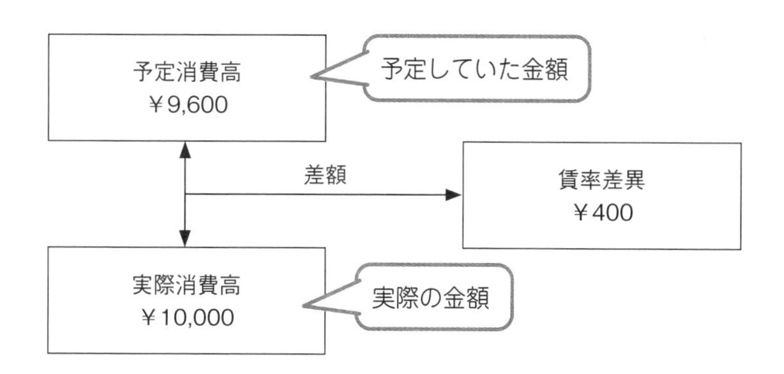

コトバ

不利差異（借方差異）：実際消費高が予定消費高よりも多いときの差異
原価差異の勘定の借方に転記されます

有利差異（貸方差異）：実際消費高が予定消費高よりも少ないときの差異
原価差異の勘定の貸方に転記されます

【総勘定元帳】

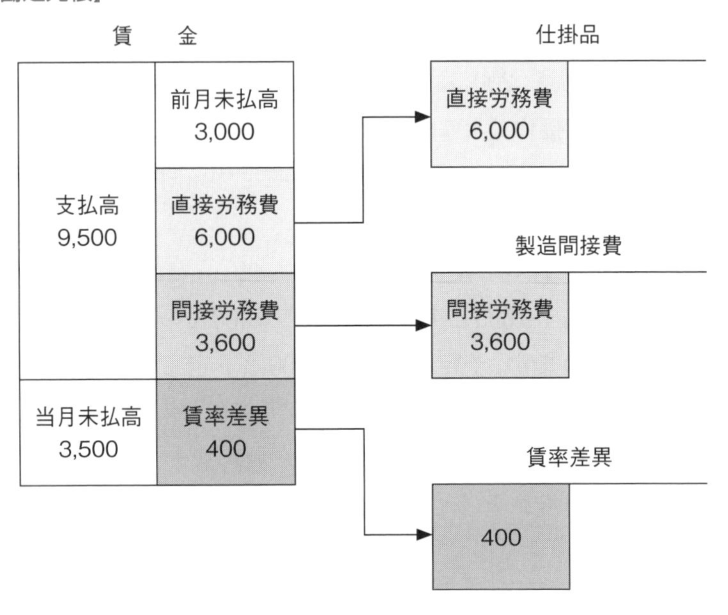

【有利差異の場合】

仮に予定賃率が@￥1,500だとすると、直接作業時間５時間を掛けることで直接労務費￥7,500を、間接作業時間３時間を掛けることで間接労務費￥4,500を求めることができます。その結果、実際消費高￥10,000と比較すると、賃率差異は￥2,000（有利差異）となります。

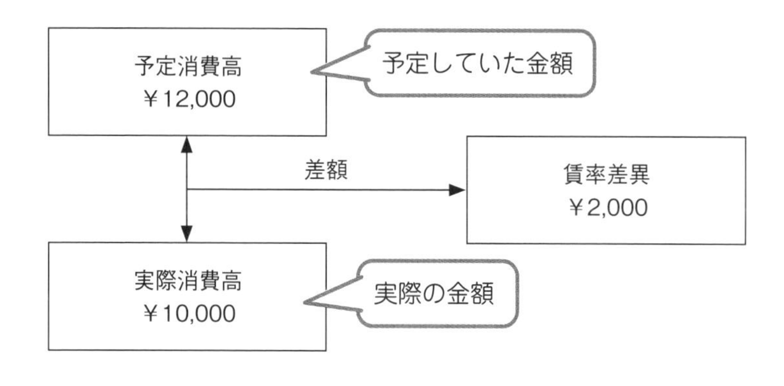
予定消費高
¥12,000
予定していた金額
差額
賃率差異
¥2,000
実際消費高
¥10,000
実際の金額

【総勘定元帳】

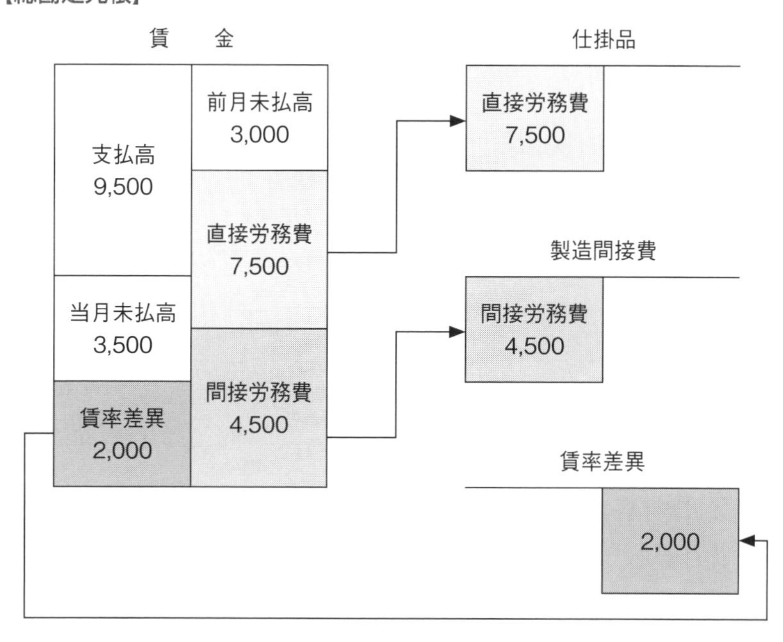
賃　金
支払高
9,500
前月未払高
3,000
直接労務費
7,500
当月未払高
3,500
賃率差異
2,000
間接労務費
4,500
仕掛品
直接労務費
7,500
製造間接費
間接労務費
4,500
賃率差異
2,000

4 経費会計

イントロダクション

製品を製造するためには、材料と労働力以外にも経費がかかります。具体的には、旅費交通費、電気・ガス・水道などの光熱費、建物・機械の減価償却費など色々なものがあります。

1 経費会計の全体像

経費とは、材料費、労務費以外のその他の製造原価のことです。種々雑多な費目がありますが、ほとんどの経費は間接経費に分類され、直接経費となるのは外注加工賃と特許権使用料の２つです。

経費	外注加工賃	直接経費
	特許権使用料	
	減価償却費	間接経費
	電力費	
	保険料	
	棚卸減耗損	
	⋮	⋮

コトバ

外注加工賃：他の企業に材料を渡して、加工してもらったときに支払う代金

特許権使用料：他の人が特許をとっている技術などを利用したときに支払う代金

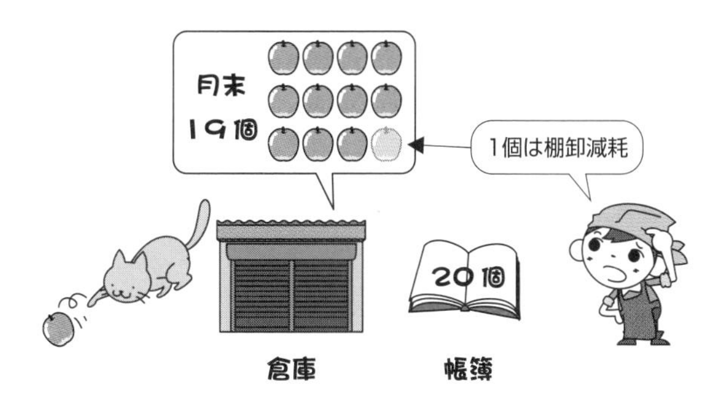

経費はその金額をどのように算定するのかによって、「支払経費」、「月割経費」、「測定経費」、「発生経費」の4つに分類できます。

複合経費（複合費）

複合経費とは、修繕費や動力費といった特定の目的のためにいくら原価がかかったのかを表すもので、材料費、労務費、経費のすべて、あるいはその2つを総括することで計算します。例えば、修繕費という複合経費は、修繕という特定の目的のために、いくら材料費、労務費、経費がかかったのかを表すものです。後述する部門別計算を行わない会社はこのような計算を行います。なお、複合経費は間接経費として処理されます。

2 支払経費の計算

支払経費とは、実際の支払額または請求額をもって消費した金額とする経費のことです。具体的には、旅費交通費や通信費、保管料などが挙げられます。

当月消費額＝当月支払額－前月未払額＋前月前払額＋当月未払額－当月前払額

経　費

前月前払額	前月未払額
当月支払額	当月消費額
当月未払額	当月前払額

3 月割経費の計算

一定期間の発生額の月割額をもって消費額とする経費をいいます。減価償却費が代表的なものとして挙げられます。

$$当月消費額 = \frac{年間発生額}{12ヶ月}$$

4　測定経費の計算

測定経費とは、消費量を測定することによって消費額を計算する経費のことです。具体的には、電力料、ガス代、水道代などが挙げられます。

当月消費額　＝　基本料金＋単価×当月分の測定量

5　発生経費の計算

発生経費とは､実際の発生額をもって消費額とする経費のことです。棚卸減耗損が代表的なものとして挙げられます。

当月消費額　＝　当月発生額

例2－10　経費の計算

問題　次の経費に関する資料から各経費の当月消費高を計算しなさい。

① 外注加工賃：　前月未払高　¥　222,000
　　　　　　　　当月支払高　¥3,000,000
　　　　　　　　当月未払高　¥　430,000

② 保険料：　　　前月前払高　¥　　30,600
　　　　　　　　当月支払高　¥　250,000
　　　　　　　　当月前払高　¥　　20,000

③ 減価償却費：　年額　　　　¥1,036,800

④ 電力料：

　毎月20日の検針に基づいて1ヶ月分の電力料を月末に支払っており、当月の支払額は¥64,500である。なお、当月1日から当月末までに380kwh消費しており、1kwh当たり¥150、基本料金は月額¥6,000である。

【解答①】　外注加工賃を計算する。
当月消費額＝¥3,000,000＋¥430,000－¥222,000
＝¥3,208,000

【考え方】

外注加工賃は支払経費であり、当月に支払った金額¥3,000,000に当月未払¥430,000（当月に消費したが当月に支払っていない分）を加算し、前月未払¥222,000（当月に消費していないが当月に支払った分）を減算することで当月消費額を求めることができます。

外注加工賃

当月支払額 ¥3,000,000	前月未払 ¥222,000
当月未払 ¥430,000	当月消費額 ¥3,208,000

なお、外注加工賃の消費額¥3,208,000は直接経費であり、仕掛品勘定へ振替えます。

【解答②】　保険料を計算する。
当月消費額＝¥250,000＋¥30,600－¥20,000
＝¥260,600

【考え方】

保険料は支払経費であり、当月に支払った金額¥250,000に前月前払¥30,600（前月に支払って当月に消費した分）を加算し、当月前払¥20,000（当月に支払って翌月に消費される分）を減算することで当月消費額を求めることができます。

保険料

前月前払 ¥30,600	当月消費額 ¥260,600
当月支払額 ¥250,000	当月前払 ¥20,000

なお、保険料の消費額¥260,600は間接経費であり、製造間接費勘定へ振替えます。

【解答③】　減価償却費を計算する。

当月消費額＝¥1,036,800÷12ヶ月＝¥86,400

【考え方】

減価償却費は月割経費であり、当月消費額を計算するにあたり、年間の減価償却費¥1,036,800を12ヶ月で割ることで計算することができます。なお、減価償却費の消費額¥86,400は間接経費であり、製造間接費勘定へ振替えます。

【解答④】　電力料を計算する。

当月消費額＝@¥150×380kwh＋¥6,000＝¥63,000

【考え方】

電力料は測定経費であり、当月消費額を計算するにあたり、使用量380kwhに対して@¥150を掛け、基本料金¥6,000を合算することで消費額を計算することができます。なお、電力料の消費額¥63,000は間接経費であり、製造間接費勘定へ振替えます。

例2－11　直接経費の処理

問題　当月分の外注加工賃￥1,000を現金で支払った。そこで、次の①から③の処理方法による仕訳をしなさい。

① 経費勘定を用いる場合

② 外注加工賃勘定を用いる場合

③ 仕掛品勘定のみを用いる場合

【解答】

① 経費勘定を用いる場合

借方科目	金額	貸方科目	金額
経費	1,000	現金	1,000
仕掛品	1,000	経費	1,000

② 外注加工賃勘定を用いる場合

借方科目	金額	貸方科目	金額
外注加工賃	1,000	現金	1,000
仕掛品	1,000	外注加工賃	1,000

③ 仕掛品勘定のみを用いる場合

借方科目	金額	貸方科目	金額
仕掛品	1,000	現金	1,000

【考え方】

① 経費勘定を用いる場合

まず、外注加工賃の支払額を「経費」という費用の増加として記録します。次に、外注加工賃は直接経費なので、経費勘定から仕掛品勘定へ振替えます。

② 外注加工賃勘定を用いる場合

まず、外注加工賃の支払額を「外注加工賃」という費用の増加として記録します。次に、外注加工賃は直接経費なので、外注加工賃勘定から仕掛品勘定へ振替えます。

③ 仕掛品勘定のみを用いる場合

経費に関する勘定を使わずに処理します。外注加工賃は直接経費なので、外注加工賃の支払額を「仕掛品」という資産の増加を記録します。

例2－12　間接経費の処理

問題　当月分の修繕費￥1,000を現金で支払った。そこで、次の①から③の処理方法による仕訳をしなさい。

① 経費勘定を用いる場合

② 修繕費勘定を用いる場合

③ 製造間接費勘定のみを用いる場合

【解答】

① 経費勘定を用いる場合

借方科目	金額	貸方科目	金額
経費	1,000	現金	1,000
製造間接費	1,000	経費	1,000

② 修繕費勘定を用いる場合

借方科目	金額	貸方科目	金額
修繕費	1,000	現金	1,000
製造間接費	1,000	修繕費	1,000

③ 仕掛品勘定のみを用いる場合

借方科目	金額	貸方科目	金額
製造間接費	1,000	現金	1,000

【考え方】

① 経費勘定を用いる場合

まず、修繕費の支払額を「経費」という費用の増加として記録します。次に、修繕費は間接経費なので、経費勘定から製造間接費勘定へ振替えます。

② 修繕費勘定を用いる場合

まず、修繕費の支払額を「修繕費」という費用の増加として記録します。次に、修繕費は間接経費なので、修繕費勘定から製造間接費勘定へ振替えます。

③ 製造間接費勘定のみを用いる場合

経費に関する勘定を使わずに処理します。修繕費は間接経費なので、修繕費の支払額を「製造間接費」という費用の増加として記録します。

確認テスト

問題

次の仕訳をしなさい。解答にあたっては以下の勘定科目を用いること。なお、①〜④は連続した取引である。

材　　料	仕 掛 品	製造間接費
現　　金	買 掛 金	材料消費価格差異

① 材料￥55,000（1,000kg）を購入し、代金は月末に支払うこととした。なお、引取費用￥5,000は現金で支払った。

② 材料を直接材料として1,100kg、間接材料として50kg消費した。なお、材料の消費高の計算は予定価格@￥58を用いて行う。

③ 材料の月末実地棚卸数量は240kgであった。棚卸減耗損を計上する。なお、材料の月初有高は400kg（@￥61）であり、材料の実際消費高の計算は先入先出法を用いて行う。

④ 材料消費価格差異を計上する。

	借方科目	金額	貸方科目	金額
①				
②				
③				
④				

解答

	借方科目	金額	貸方科目	金額
①	材料	60,000	買掛金	55,000
			現金	5,000
②	仕掛品	63,800	材料	66,700
	製造間接費	2,900		
③	製造間接費	600	材料	600
④	材料消費価格差異	2,700	材料	2,700

解説

① 材料を買ってきた時は、購入原価で記帳します。

購入原価：￥55,000＋￥5,000＝￥60,000

材料1kgあたりの購入原価：￥60,000÷1,000kg＝@￥60

② 予定価格￥58に実際消費数量をかけて、材料の予定消費高を計算します。1,100kg分は直接材料費、50kg分は間接材料費です。

直接材料費：@￥58×1,100kg＝￥63,800

間接材料費：@￥58×50kg＝￥2,900

③ 先入先出法により、月初有高400kgすべてと、当月購入分のうち750kgを使ったと考えます。使わずに残っているのは当月購入分のうち250kgのはずですが、そのうち10kgが無くなり、実地棚卸数量は240kgとなっています。

棚卸減耗損：@￥60×10kg＝￥600

④　先入先出法によると、当月に使った1,150kgのうち400kgの実際価格は@￥61、残り750kgの実際価格は@￥60です。

材料の実際消費高：@￥61×400kg＋@￥60×750kg
＝￥69,400

材料消費価格差異：￥66,700－￥69,400
＝△￥2,700（借方差異）

材　　料

借方	貸方	
月初有高 @￥61×400kg	予定消費高 @￥58×1,100kg @￥58×50kg	実際消費高 @￥61×400kg @￥60×750kg
当月購入 @￥60×1,000kg	材料消費価格差異 ￥2,700	
	棚卸減耗損 @￥60×10kg	月末帳簿棚卸高 @￥60×250kg
	月末実地棚卸高 @￥60×240kg	

第3章 個別原価計算

学習進度目安

さっくり 7日間	しっかり 10日間	じっくり 15日間
2日目	3日目	4日目
		5日目

◉第3章で学習すること

① 個別原価計算

② 仕損が出る場合

③ 製造間接費会計

④ 固定予算と変動予算

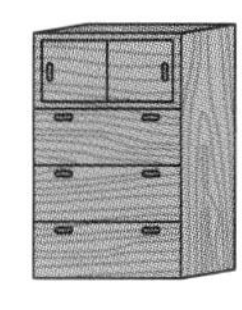
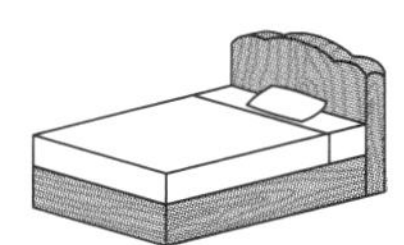
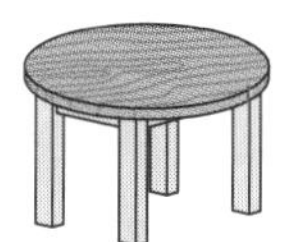

1 個別原価計算

イントロダクション

費目別計算が終わると、直接材料費や間接材料費の金額が確定します。これを会社が製造している製品へ割り当てていきます。

1 受注生産とは

受注生産とは、お客さんから注文を受けてから製品製造を行うことです。具体的には、スーツやバッグの製造をイメージすればよいです。自分の体格、好みの生地や材質を用いて細かな要求を出してオリジナルのものを作ってもらうことができます。このような受注生産を行う会社が適用する原価計算が個別原価計算です。これは、製品別計算として行われるものです。

この章で学習する内容は以下の【勘定連絡図】の、網掛け部分の金額計算です。

【勘定連絡図】

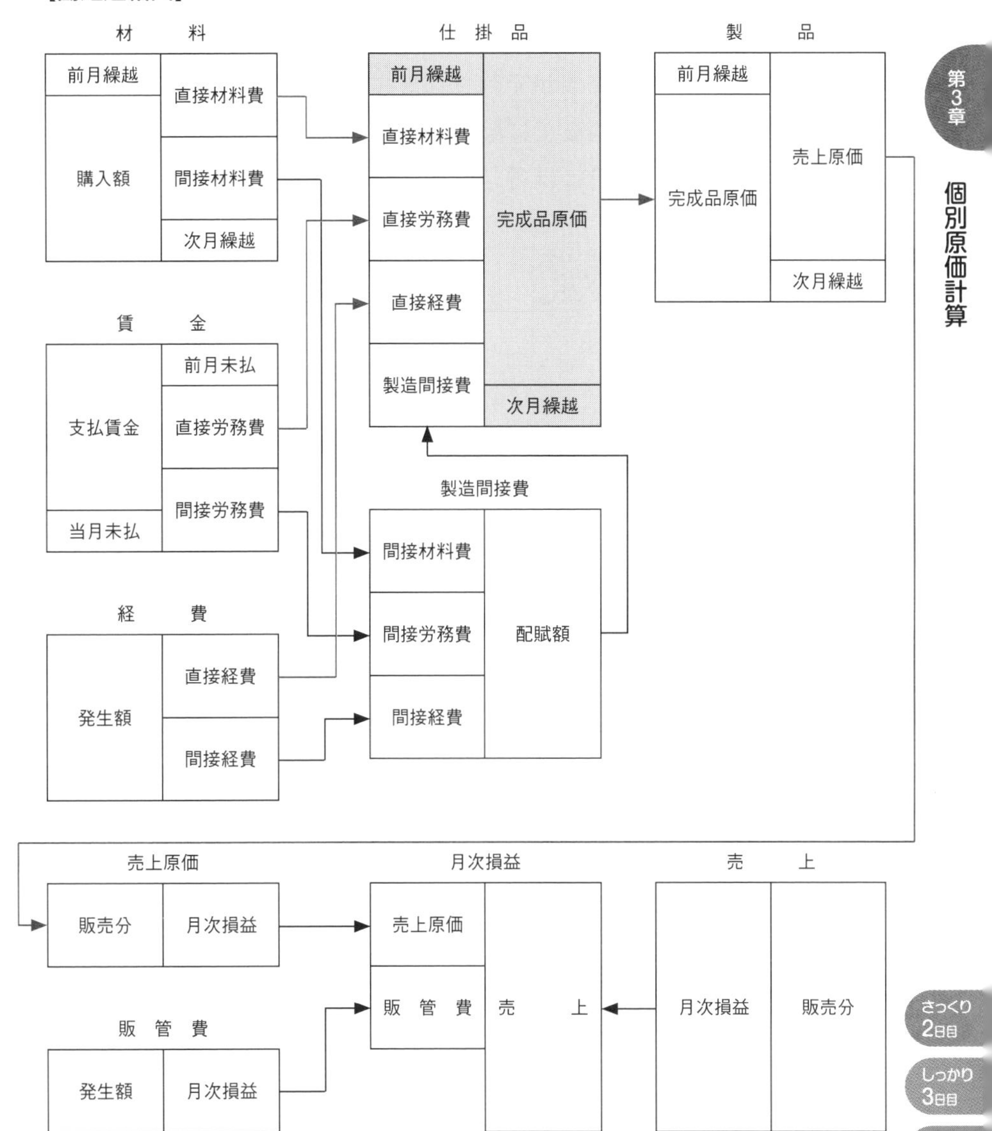

2 製造指図書とは

受注生産を行う会社では、お客さんから注文が入った際に、**(特定)製造指図書**と呼ばれる書類が発行されます。これは、お客さんからの注文内容をまとめ、いつまでに製造するのかを製造現場に伝えるための書類です。製造指図書には番号が振られ、管理されます。

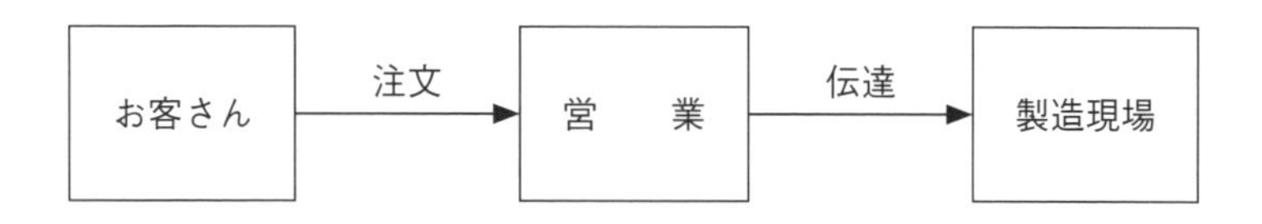

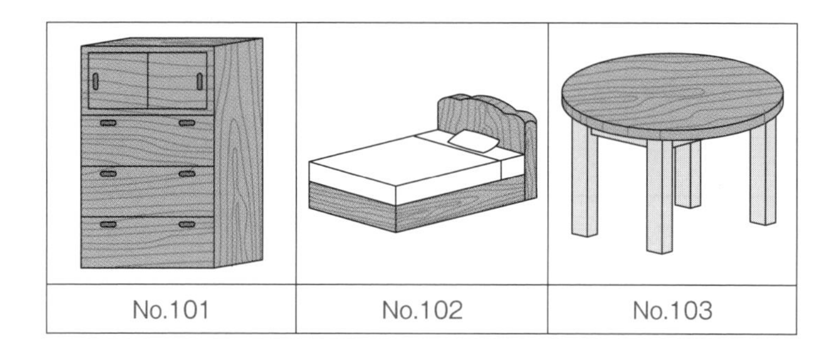

コトバ
個別原価計算：受注生産を行う会社が適用する原価計算
製造指図書：注文内容などをまとめた指示書

製造指図書のひな形として以下のようなものが作られます。

<table>
<tr><td colspan="3">製　造　指　図　書　　　指図書No.＿＿＿＿
平成　年　月　日
＿＿＿＿殿
＿＿＿＿㊞
注文書No.＿＿＿＿　製造着手日　製品引渡
納入先　××　株式会社　完成年月日　予　定　日
（住所）　完成要求日　材料所要
数　　量</td></tr>
<tr><td>品名・規格</td><td>製造数量</td><td>備考</td></tr>
<tr><td></td><td></td><td></td></tr>
</table>

第3章

個別原価計算

さっくり 2日目

しっかり 3日目

じっくり 4日目

3 原価計算表とは

個別原価計算では、製造指図書ごとに原価を集計することになります。そのため、別名、指図書別原価計算といいます。個別原価計算の計算手続は単純明快で、どの製造指図書にいくらかかったのかがわかる**製造直接費は直課（賦課）**、わからない**製造間接費は配賦**という手続を原価計算表と呼ばれるワークシートを用いて行います。

原価計算表

	No.101	No.102	No.103	合　計
前月繰越				
直接材料費				
直接労務費				
直接経費				
製造間接費				
合　計				
備　考				

備考欄には、各製造指図書の製造および販売状況が記入され、完成して販売済なのか、まだ販売されていないのか、まだ完成していないのかなどが記入されます。なお、特に記入の仕方に決まりはありません。

このワークシートを用いて、各製造指図書の原価を計算し、工業簿記上、必要な仕訳を行います。

仕掛品勘定と原価計算表は密接なつながりがあり、原価計算表の各行の合計は仕掛品勘定の借方に記入され、各列の合計は仕掛品勘定の貸方に記入されます。

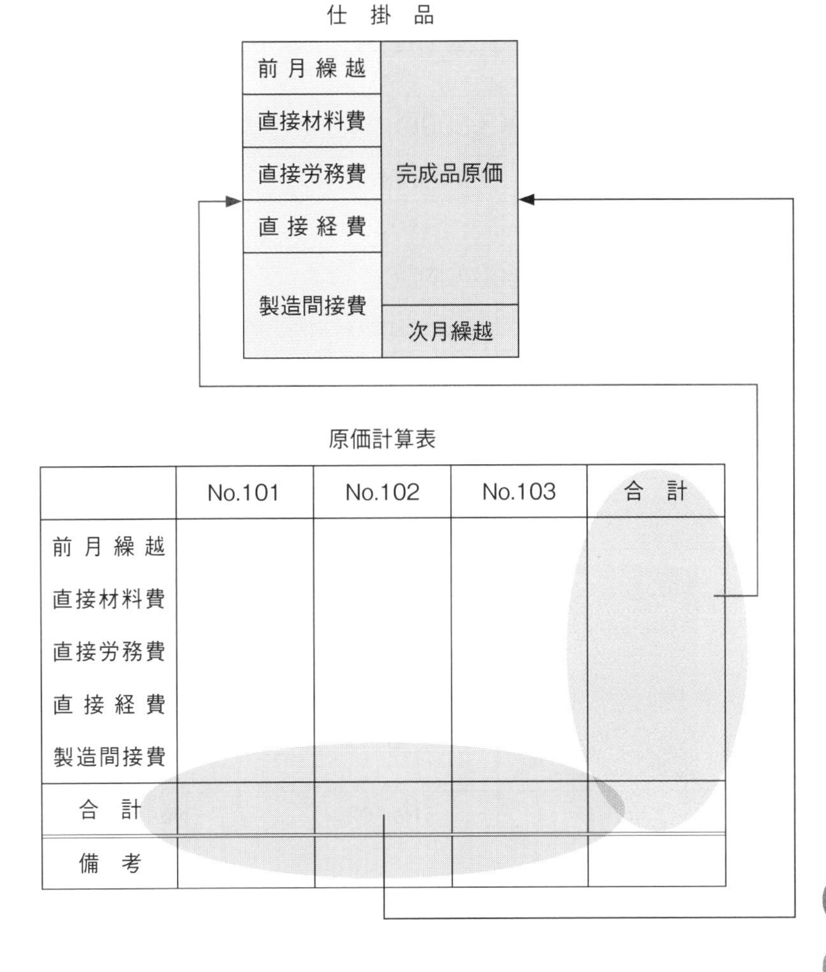

例3－1　製造直接費の直課

問題　原価計算表の一部を作成しなさい。No.101 ～ No.103までの注文品のうち、No.101だけは前月に製造に着手した製品であり、前月から原価￥1,000が繰り越されている。

① 直接材料費￥2,000の内訳

製造指図書 No.101	製造指図書 No.102	製造指図書 No.103
￥800	￥700	￥500

② 直接労務費￥3,500の内訳

製造指図書 No.101	製造指図書 No.102	製造指図書 No.103
￥2,100	￥1,050	￥350

③ 直接経費￥400の内訳

製造指図書 No.101	製造指図書 No.102	製造指図書 No.103
￥200	￥130	￥70

④ 製造間接費（間接材料費、間接労務費、間接経費の合計）は￥5,000

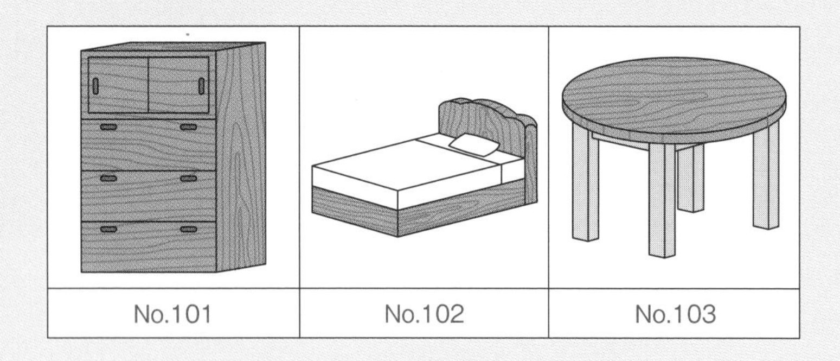

【解答】

原価計算表

	No.101	No.102	No.103	合　計
前月繰越	1,000	－	－	1,000
直接材料費	800	700	500	2,000
直接労務費	2,100	1,050	350	3,500
直接経費	200	130	70	400
製造間接費				5,000
合　計				11,900
備　考				

【考え方】

製造直接費は各製造指図書へ直課（賦課）、製造間接費は各製造指図書へ配賦します。製造直接費は資料として与えられた金額を転記します。製造間接費は合理的な基準を設けて配賦します。

4 製造間接費の実際配賦

製造間接費の配賦を行うには、配賦基準を設ける必要があります。配賦基準は、大きく分けると**金額基準**と**物量基準**の２つがあります。

金額基準とは、金額で表されるものを配賦基準とする方法で、**直接材料費**、**直接労務費**、**素価**などが利用されます。

⑴ 直接材料費基準

消費された**直接材料費**を配賦基準として、各製品に製造間接費を配賦する方法です。この方法は、製造間接費が**直接材料費**に比例して発生するような場合に適しています。

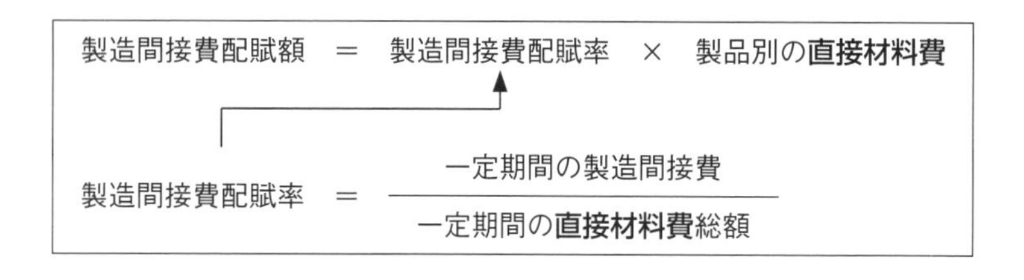

⑵ 直接労務費基準

消費された**直接労務費**を配賦基準として、各製品に製造間接費を配賦する方法です。この方法は、製造間接費が**直接労務費**に比例して発生するような場合に適しています。

⑶ 素価基準

消費された**素価**を配賦基準として、各製品に製造間接費を配賦する方法です。この方法は、製造間接費が**素価**に比例して発生するような場合に適しています。ここで、素価とは、直接材料費と直接労務費の合計額のことです。

次に、物量基準とは、物量で表されるものを配賦基準とする方法で、**直接作業時間**、**機械作業時間**、**生産量**などを基準として利用します。

(4) 直接作業時間基準

各製品の**直接作業時間**を配賦基準として、各製品に製造間接費を配賦する方法です。この方法は、製造間接費が**直接作業時間**に比例して発生するような場合に適しています。

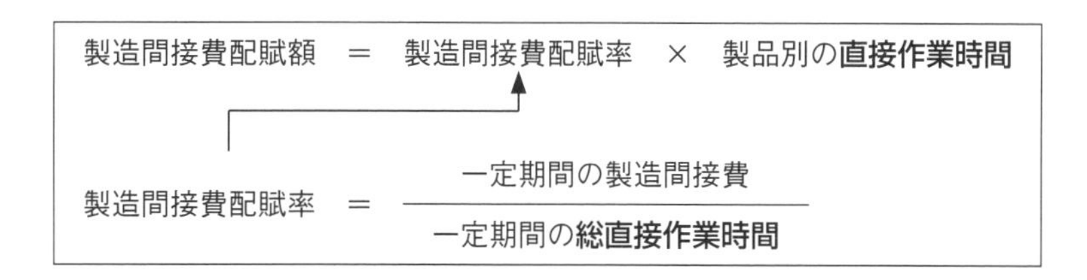

(5) 機械作業時間基準

各製品の**機械作業時間**を配賦基準として、各製品に製造間接費を配賦する方法です。この方法は、製造間接費が**機械作業時間**に比例して発生するような場合に適しています。

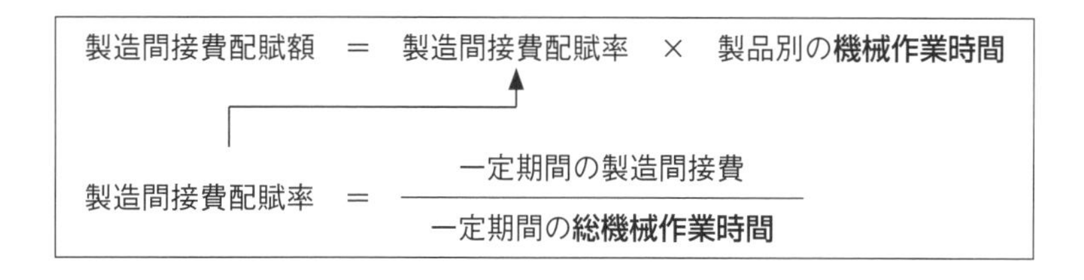

(6) 生産量基準

各製品の**生産量**を配賦基準として、各製品に製造間接費を配賦する方法です。この方法は、製造間接費が**生産量**に比例して発生するような場合に適しています。

例3－2　物量基準

問題　各製造指図書への製造間接費配賦額を算定しなさい。

　製造間接費￥5,000を機械作業時間基準に基づいて製造指図書No.101～103へ配賦する。

① 各製造指図書の直接作業時間

製造指図書 No.101	製造指図書 No.102	製造指図書 No.103
30 時間	15 時間	5 時間

② 各製造指図書の機械作業時間

製造指図書 No.101	製造指図書 No.102	製造指図書 No.103
50 時間	30 時間	20 時間

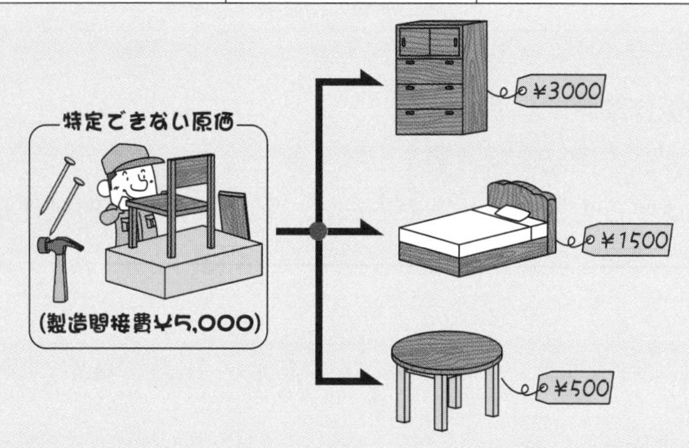

【解答】

機械作業時間基準

No.101	@￥50 × 50 時間＝￥2,500
No.102	@￥50 × 30 時間＝￥1,500
No.103	@￥50 × 20 時間＝￥1,000

【考え方】

製造間接費￥5,000を機械作業時間の合計100時間で割り、製造間接費配賦率@￥50を計算します。その後、各製造指図書の機械作業時間を掛けることで各製品への製造間接費配賦額が求まります。

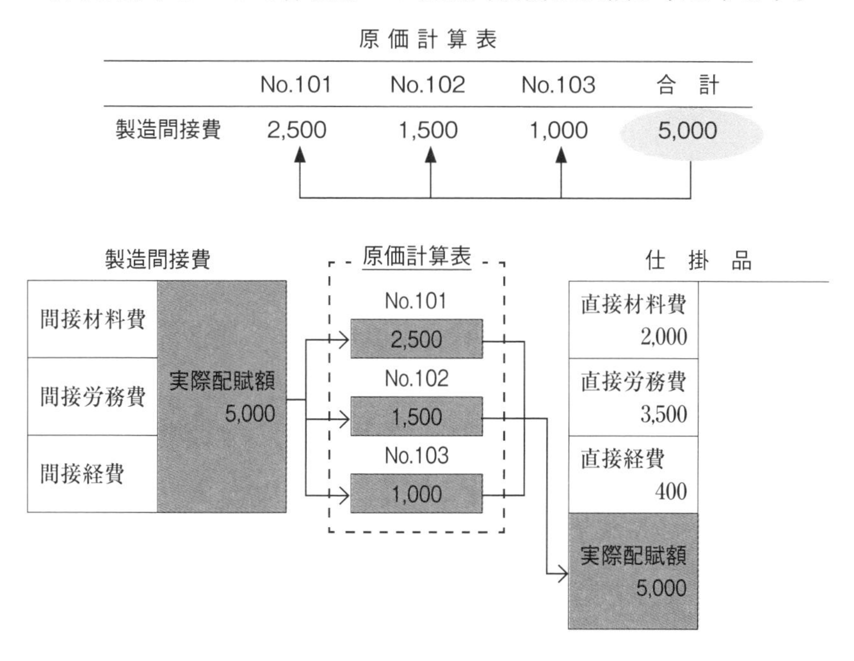

借　方　科　目	金　額	貸　方　科　目	金　額
仕　　掛　　品	5,000	製　造　間　接　費	5,000

仮に、No.101が完成して販売済み、No.102が完成してまだ販売していない、No.103が製造途中の場合、機械作業時間基準で製造間接費を配賦した結果とともに原価計算表の記入を行うと次の通りです。

第3章
個別原価計算
さっくり 2日目
しっかり 3日目
じっくり 4日目

原価計算表

	No.101	No.102	No.103	合　計
前月繰越	1,000	－	－	1,000
直接材料費	800	700	500	2,000
直接労務費	2,100	1,050	350	3,500
直接経費	200	130	70	400
製造間接費	2,500	1,500	1,000	5,000
合　計	6,600	3,380	1,920	11,900
備　考	販売済み	完成	仕掛中	

配賦基準として何を基準とするのかは、製造間接費の発生と関係が深いかどうかという観点から決めます。例えば、手作業による製品製造が中心であれば、直接作業時間や直接労務費を配賦基準として利用するのが合理的と考えます。また、機械による製品製造が中心であれば機械作業時間を配賦基準として利用するのが合理的と言えます。

2 仕損が出る場合

イントロダクション

製造作業の途中で工員がミスをしてしまうことがあります。ここでは、そのようなミスが生じた場合に不良品が発生することになりますが、その金額をどのように計算し、どのように処理するのかを学習します。

1 仕損とは

仕損とは、製造作業の途中で何かしらミスをすることで、不良品を生む行為のことです。日常会話においても、「仕損じる」という言葉を使うことがあるかと思いますが、何かミスをした時に使います。仕損により生じる不良品のことを**仕損品**といいます。また、仕損品を製造することにより会社が被る損失のことを**仕損費**といいます。

コトバ

仕損：製品を作っている途中で作業に失敗すること
仕損品：作業に失敗した不合格品
仕損費：仕損が発生したことで無駄にかかった原価

仕損品には、通常生じうる仕損品である**正常仕損品**と通常では生じない仕損品である異常仕損品があります。それぞれから生じる損失を**正常仕損費**、異常仕損費と呼びます。

しっかり 3日目

2 仕損費の計算処理

仕損品が発生した場合、これに手直しをして合格品にします。この手直しにかかる原価が仕損費です。本来、仕損が生じなければ発生することのない余分な原価です。

個別原価計算では、**補修製造指図書**と呼ばれるものが発行され、合格品と同じようにこの製造指図書に原価を集計し、仕損費を計算します。計算された仕損費は、その発生原因である元の製造指図書へ負担させることになります。

工場の停電や火災などにより発生する仕損品が異常仕損品です

例3－3　仕損に関する計算処理

問題　製造指図書No.101に仕損が生じ、補修指図書No.101-1を発行して補修を行った。補修指図書No.101-1には直接材料費￥100、直接労務費￥200、直接経費￥80、製造間接費￥250が集計された。次の①～③の仕訳を示しなさい。

① 原価の集計
② 仕損費勘定への振替
③ 仕損費の処理

【解答】

① 原価の集計

借方科目	金額	貸方科目	金額
仕掛品	630	材料	100
		賃金	200
		経費	80
		製造間接費	250

② 仕損費勘定への振替

借方科目	金額	貸方科目	金額
仕損費	630	仕掛品	630

③ 仕損費の処理

借方科目	金額	貸方科目	金額
仕掛品	630	仕損費	630

【考え方】

① 原価の集計

仕損品を製造するのにかかった原価を仕掛品勘定へ集計します。合格品と同じように、補修製造指図書に集計された金額を仕掛品勘定へ転記すればよいのです。

② 仕損費勘定への振替

仕損が発生した場合、仕損費という勘定科目を用いて、計算された仕損費を仕掛品勘定から仕損費勘定へ振替えます。

③ 仕損費の処理

計算された仕損費をその発生原因である製造指図書へ負担させます。工業簿記上は、仕掛品勘定へ振替える仕訳を行います。

原価計算表では、No.101-1に集計された原価はNo.101へ振替えられます。

原価計算表

	No.101	No.101-1	合　計
前月繰越	—	—	—
直接材料費	800	100	900
直接労務費	2,100	200	2,300
直接経費	200	80	280
製造間接費	2,000	250	2,250
小　計	5,100	630	5,730
仕損費	630	△630	0
合　計	5,730	0	5,730
備　考	完成	No.101 へ振替	

3 製造間接費会計

イントロダクション

製造間接費の実際配賦を前節で簡単に行いましたが、実は製造間接費の配賦はもっと奥深い話があります。というのも、製造間接費は配賦基準として何を選択するのかによって配賦額が異なるのに加え、本節で学習する予定配賦という方法を採用することができます。

1 予定配賦とは

製造間接費の配賦方法には、**実際配賦**と**予定配賦**の２つのやり方があります。実際配賦とは、製造間接費の**実際発生額**を**実際の操業度**を基準に配賦する方法です。ここで、操業度とは、会社がどれくらい活動したのかを数字にしたものであり、具体的には直接作業時間や機械作業時間などの前節で配賦基準として用いてきたものです。実際配賦を行うためには、実際の発生額と操業度を確定させる必要があり、月末にならないとそれは確定しません。そのため、月末にならないと製造間接費を配賦することができません。これでは、月の途中に製品が完成しても配賦することができないため、製品原価の計算が遅くなるという問題が生じます。

コトバ

実際配賦：実際配賦率を使って配賦すること
実際配賦率：実際に発生した製造間接費の操業度1単位あたりの金額
操業度：生産設備の利用度

そこで、あらかじめ会社の中で製造間接費の配賦率を決めておき、製品に製造間接費を配賦する予定配賦という方法が登場します。具体的には、製造間接費の**発生予定額**（**予算額**と呼びます）を**予定操業度**（**基準操業度**と呼びます）で割り、**予定配賦率**を出します。その予定配賦率に各製品の実際操業度を掛けて、予定配賦額を求めます。

コトバ

予定配賦：予定配賦率を使って配賦すること
予定配賦率：あらかじめ見積もっておいた製造間接費の操業度
1単位あたりの金額

【実際配賦額】

$$\text{実際配賦額} = \frac{\text{実際発生額}}{\text{実際操業度}} \times \text{各製品の実際操業度}$$

【予定配賦額】

$$\text{予定配賦額} = \frac{\text{予算額}}{\text{基準操業度}} \times \text{各製品の実際操業度}$$

コトバ

実際発生額：製造間接費勘定の借方に集計された金額の合計
基準操業度：期首に操業度が１年間でどのくらいになるかを見積もったもの

予定配賦を行う場合、製造間接費の実際発生額との間にズレが生じます。これは**製造間接費配賦差異**という原価差異になります。

例えば、予定配賦額が￥4,800、実際発生額が￥5,000だとすると、不利な製造間接費配賦差異が￥200生じます。

コトバ

製造間接費配賦差異：予定配賦額と実際発生額との差額
不利差異（借方差異）：実際発生額が予定配賦額よりも多いときの差異
原価差異の勘定の借方に転記されます
有利差異（貸方差異）：実際発生額が予定配賦額よりも少ないときの差異
原価差異の勘定の貸方に転記されます

2 基準操業度とは

基準操業度とは、特定の期間においてあらかじめ想定した操業度のことです。予算は月単位（もしくは年単位）で作られるもので、基準操業度をまずは設定し､その際の製造間接費の発生額を見積もります。

基準操業度にはいくつか種類があり、理論的生産能力、実際的生産能力、平均操業度、期待実際操業度（予定操業度）などがあります。

理論的生産能力	理論的に考えられる最大の操業水準。達成することが現実的には不可能。
実際的生産能力	現実的に達成できる最大の操業水準。フル操業とも呼ばれる。
平均操業度	3～5年の期間の生産・販売状況から算出した1年当たりの平均的な操業水準。
期待実際操業度	向こう1年間の予想される操業水準。

コトバ

基準操業度：あらかじめ見積もっておいた操業度（工場の利用具合）のこと

3 予算とは

製造間接費の予定配賦を行うためには、予算が必要となります。予算とは、特定の期間や特定の活動量を想定して、いくらお金がかかるのか見積もったものです。

期首に
基準操業度を決めて、
製造間接費がいくらに
なるか予想するよ

ミキサー

この予算には2つの使い方があります。

1つは予定配賦率を算定するための基礎データとなります。基準操業度における製造間接費の発生予定額が予算となり、ここから予定配賦率を計算することができます。これは言い方を変えれば、**製品の原価を計算するため**と言えます。

もう1つは製造間接費の発生目標額として使うことができます。私たちが買い物や旅行に行く際に予算を立てるのはこの使い方です。これは言い方を変えれば、**原価管理（原価を低く抑える活動）のため**と言えます。後述しますが、この場合、次節で扱う固定予算と変動予算という2つの予算が登場します。

例3－4　予定配賦率の算定

問題　当工場の製造間接費年間予算額は、①実際的生産能力（年間の機械作業時間が1,200時間）のとき￥69,600、②期待実際操業度（年間の機械作業時間が1,020時間）のとき￥61,200である。それぞれの場合の予定配賦率を計算しなさい。

【解答】

①

$$\frac{￥69,600}{1,200時間} = @￥58$$

②

$$\frac{￥61,200}{1,020時間} = @￥60$$

【考え方】

① 実際的生産能力を基準操業度にした場合

　1年間フル稼働すれば1,200時間機械を運転することができ、そのときの製造間接費発生予定額が¥69,600と考えます。¥69,600÷1,200時間で、操業度1単位あたり（機械作業時間あたり）@¥58の製造間接費予定配賦率を計算できます。

② 期待実際操業度を基準操業度にした場合

　向こう1年間で機械作業が1,020時間生じると予想されており、そのときの製造間接費発生予定額が¥61,200と考えます。¥61,200÷1,020時間で、操業1単位あたり（機械作業時間あたり）@¥60の製造間接費予定配賦率を計算できます。

例3－5　製造間接費の予定配賦

問題　当工場では、製造間接費を機械作業時間を基準として予定配賦しており、製造間接費年間予算額は¥61,200、年間予定機械作業時間は1,020時間である。また、当月の製造間接費の実際発生額は¥5,000である。各製造指図書の機械作業時間が以下のとき、①製造間接費の予定配賦額を計算し、②予定配賦に関する仕訳および③製造間接費配賦差異を計上する仕訳をしなさい。

製造指図書 No.101	製造指図書 No.102	製造指図書 No.103
50 時間	20 時間	10 時間

【解答】

① 製造間接費の予定配賦額

No.101	@¥60 × 50 時間＝¥3,000
No.102	@¥60 × 20 時間＝¥1,200
No.103	@¥60 × 10 時間＝¥600

② 予定配賦に関する仕訳

借方科目	金額	貸方科目	金額
仕掛品	4,800	製造間接費	4,800

③ 製造間接費配賦差異を計上する仕訳

借方科目	金額	貸方科目	金額
製造間接費配賦差異	200	製造間接費	200

【考え方】

まず、予定配賦率を計算すると、¥61,200÷1,020時間 = @¥60と求まります。この予定配賦率@¥60に各製造指図書の実際操業度を掛けることで予定配賦額を算定できます。

なお、製造間接費の実際発生額は、予定配賦額の計算には無関係です。

原価計算表

	No.101	No.102	No.103	合　計
製造間接費	3,000	1,200	600	4,800

予定配賦の仕訳を表すと次の通りです。

借　方　科　目	金　額	貸　方　科　目	金　額
仕　掛　品	4,800	製 造 間 接 費	4,800

予定配賦額¥4,800と実際発生額¥5,000との間に¥200のズレが生じるため、不利な製造間接費配賦差異として認識します。

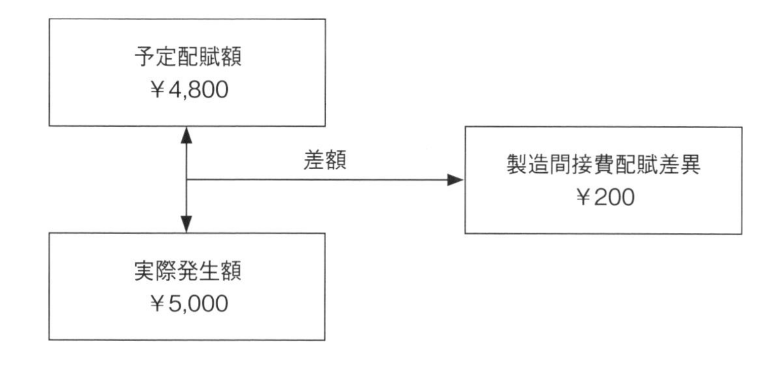

第3章 個別原価計算

さっくり2日目
しっかり3日目
じっくり4日目

製造間接費配賦差異の仕訳を表すと次の通りです。

借方科目	金額	貸方科目	金額
製造間接費配賦差異	200	製造間接費	200

【総勘定元帳】

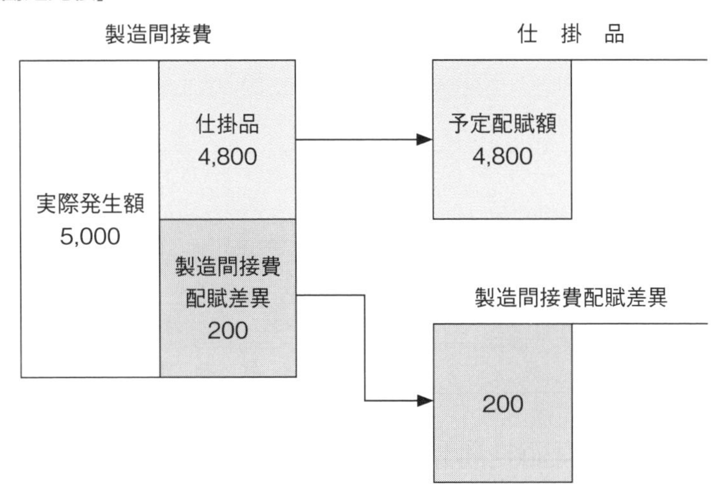

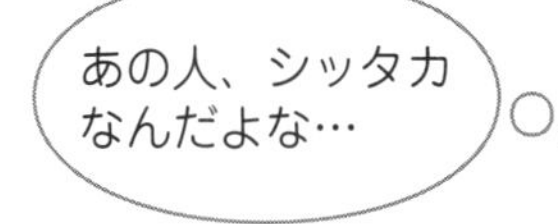

4 固定予算と変動予算

イントロダクション

ここでは製造間接費の管理に注目します。会社の中では、なるべく原価を低く抑えて製品を作る努力が日々行われています。そのための手段として予算が用いられます。

期首に
基準操業度を決めて、
製造間接費がいくらに
なるか予想するよ

1 予算差異と操業度差異

前述の通り、製造間接費を管理するためには予算が用いられます。製造間接費の実際発生額が予算内におさまるように会社内で日々原価管理活動が行われています。皆さんも旅行や買い物に行く際に、予算として事前に決めた金額で代金がおさまるように気をつけるかと思いますが、これが原価管理活動です。会社内でも同様に、事前に目標を定めることで、従業員は目標を意識して業務に取り組みます。

製造間接費の予定配賦を行うと、実際発生額との差額として製造間接費配賦差異が生じました。原価管理を行うためには、なぜ製造間接費配賦差異が生じたのか原因を確かめる必要があります。そこで、製造間接費配賦差異を、「**予算差異**」と「**操業度差異**」に分けて原因を確かめます。

予算差異	製造間接費の浪費や節約がいくら生じたのかを表します。 予算許容額と実際発生額の差額として計算します。 **予算差異 ＝ 予算許容額－実際発生額**
操業度差異	基準操業度と実際操業度のズレを表します。 予定配賦額と予算許容額の差額として計算します。 **操業度差異 ＝ 予定配賦額－予算許容額**

ここで、予算許容額とは、実際操業度を前提とした予算のことであり、「あるべき製造間接費の発生予定額」を表します。予算許容額を計算する方法には、**固定予算**を利用する方法と**変動予算**を利用する方法があります。

コトバ

予算許容額：実際操業度のときに発生すると予想される製造間接費のこと

2 固定予算

固定予算とは、予算許容額を算定するにあたり、基準操業度の製造間接費発生予定額（当初の予算）をそのまま実際操業度の予算許容額として分析する方法です。

すると、以下の図のように、基準操業度の製造間接費発生予定額から横に一本線が描かれ、実際発生額がこの金額をいくら超えたのか、もしくは、下回ったのかを表す予算差異が計算されます。また、予定配賦額と予算許容額との差額をとることで操業度差異が求まります。

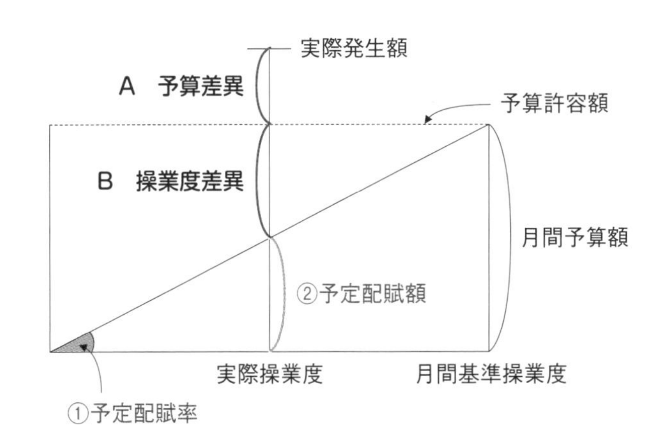

なお、固定予算における操業度差異の計算は、予定配賦額と予算許容額の差額をとる以外にも、次のように計算することができます。

操業度差異　＝　予定配賦率×（実際操業度－基準操業度）

例3－6　固定予算による分析

問題　当工場では、製造間接費を機械作業時間を基準として予定配賦しており、製造間接費年間予算額は¥61,200、年間予定機械作業時間は1,020時間である。また、当月の製造間接費実際発生額は¥5,000であった。

製造指図書 No.101	製造指図書 No.102	製造指図書 No.103
50時間	20時間	10時間

固定予算を前提として、①製造間接費配賦差異を予算差異と操業度差異に分析しなさい。また、②予定配賦および製造間接費配賦差異を仕掛品勘定から製造間接費配賦差異勘定へ振り替える仕訳と、③予算差異、操業度差異を製造間接費配賦差異勘定から各原価差異の勘定へ振り替える仕訳をしなさい。

【解答】

① 製造間接費配賦差異の分析

製造間接費配賦差異	¥200（不利差異）
予算差異	¥100（有利差異）
操業度差異	¥300（不利差異）

② 予定配賦および製造間接費配賦差異の振替

借方科目	金額	貸方科目	金額
仕掛品	4,800	製造間接費	5,000
製造間接費配賦差異	200		

③ 予算差異、操業差異の振替

借方科目	金額	貸方科目	金額
操業度差異	300	製造間接費配賦差異	200
		予算差異	100

【考え方】

固定予算を前提とした分析が求められているため、以下のような図表を下書きとして描いて原価差異を計算します。なお、分析は月単位で行うので、年間予算額¥61,200と年間基準操業度1,020時間を12ヶ月で割り、月間予算額¥5,100（¥61,200÷12ヶ月）と月間基準操業度85時間（1,020時間÷12ヶ月）を計算する必要があります。

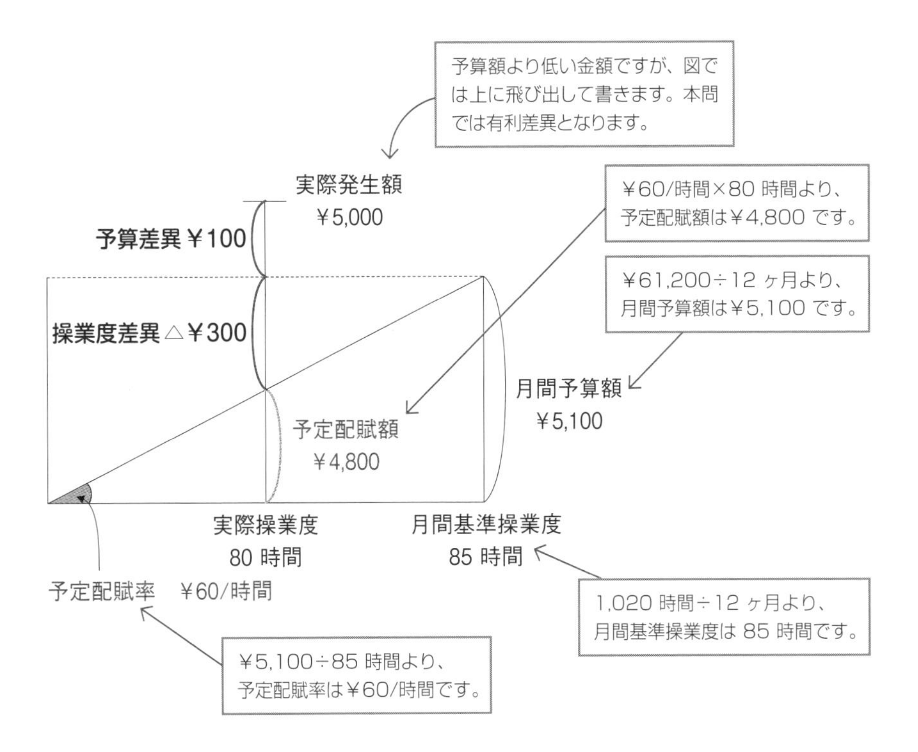

予定配賦率 ＝ 予算額÷基準操業度

＝ ¥5,100÷85時間（or ¥61,200÷1,020時間）

＝ @¥60

【製造間接費配賦差異】

予定配賦額－実際発生額

＝ ¥4,800（@¥60×80時間） − ¥5,000

＝ △¥200（不利差異）

これを仕訳として表すと、次のようになります。

借　方　科　目	金　額	貸　方　科　目	金　額
仕　掛　品	4,800	製　造　間　接　費	5,000
製造間接費配賦差異	200		

【総勘定元帳】

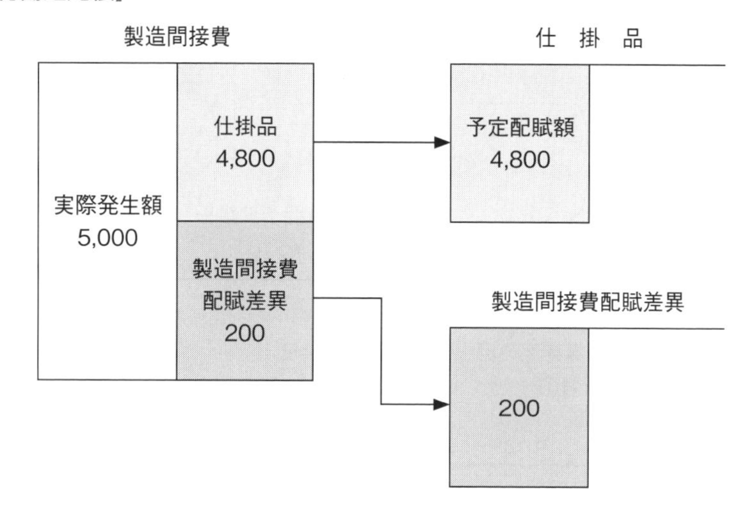

【予算差異】

予算許容額－実際発生額

＝ ¥5,100－¥5,000

＝ ¥100（有利差異）

【操業度差異】

予定配賦額－予算許容額

＝ ¥4,800－¥5,100

＝ △¥300（不利差異）

または

予定配賦率×（実際操業度－基準操業度）

＝ @¥60×（80時間－85時間）

＝ △¥300（不利差異）

これは、実際操業度が基準操業度に満たなかったことによる損失を表すため、実際操業度が基準操業度を下回っている場合、必ず操業度差異は不利差異となります。

予算差異と操業度差異の計算結果を仕訳として表すと、次のようになります。

借　方　科　目	金　額	貸　方　科　目	金　額
操　業　度　差　異	300	製造間接費配賦差異	200
		予　算　差　異	100

固定予算は、予算許容額（実際操業度を前提とした予算）として予算額（基準操業度を前提とした予算）が固定的に適用されるため、固定予算といいます

第3章 個別原価計算

さっくり2日目 しっかり3日目 じっくり5日目

【総勘定元帳】

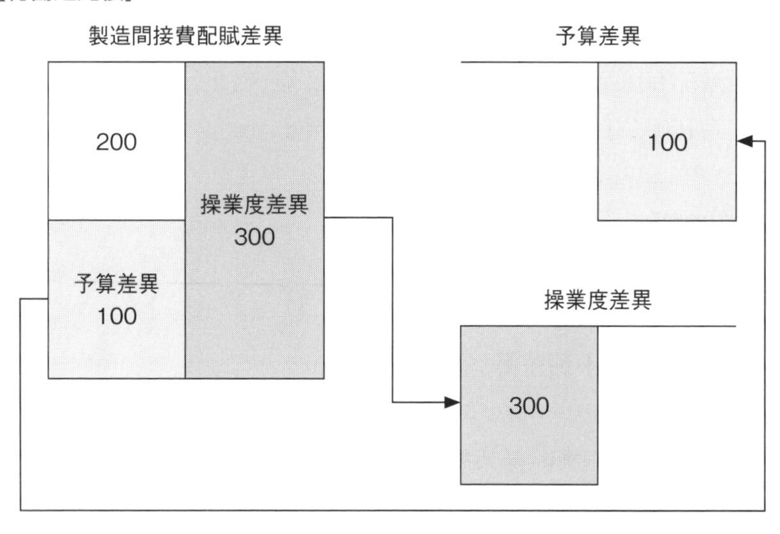
製造間接費配賦差異
200
操業度差異
300
予算差異
100
予算差異
100
操業度差異
300

お疲れさまでした
ハイボール
飲みたいな
八百源
神山さん
(退職者)

3 変動予算

変動予算（公式法変動予算）とは、製造間接費を変動費と固定費に分類し、予算許容額を算定するにあたり、実際操業度の製造間接費発生予定額を求め、分析を行う方法です。

ここで、変動費とは、燃料費やアルバイトとして雇用している従業員の間接労務費など操業度に応じて増減する原価のことであるのに対し、固定費とは、減価償却費や保険料など操業度にかかわらず一定額生じる原価のことです。

変動費と固定費について、基準操業度における発生予定額を見積もり、基準操業度で割ることで、変動費率と固定費率を算定することができます。変動費率と固定費率の合計が予定配賦率になります。

コトバ

変動費率：操業度１単位あたりの変動費の金額
固定費率：操業度１単位あたりの固定費の金額

変動予算を前提とした差異分析では、以下のような図表を描いて予算差異と操業度差異を計算することで、固定予算よりも正確に原価差異を計算することができます。

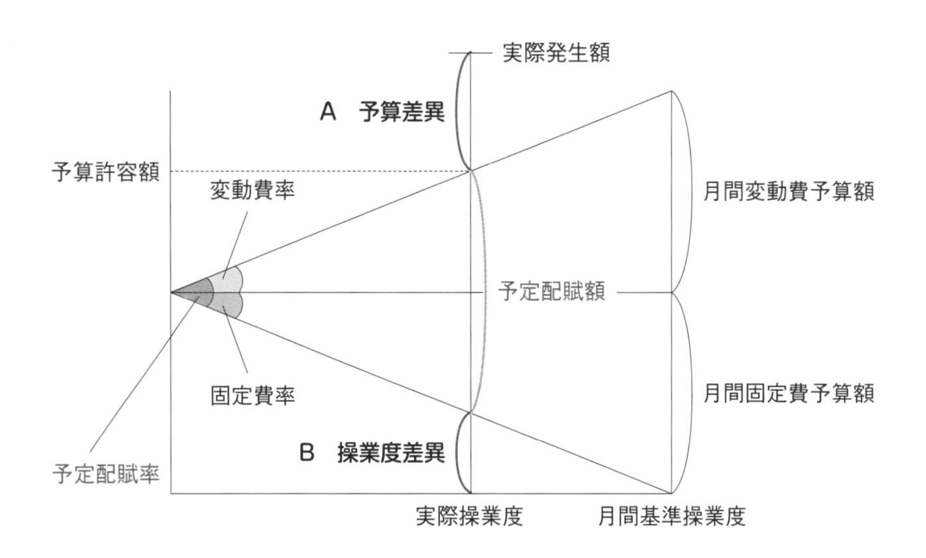

前記の図表は、予算線と固定費の配賦線に着目して2つの図表に分解すると見やすいです。

① 予算線

各操業度に対応した製造間接費の発生予定額を表す直線を予算線といいます。予算許容額を求め、予算差異を算定する際にはこの直線に着目します。

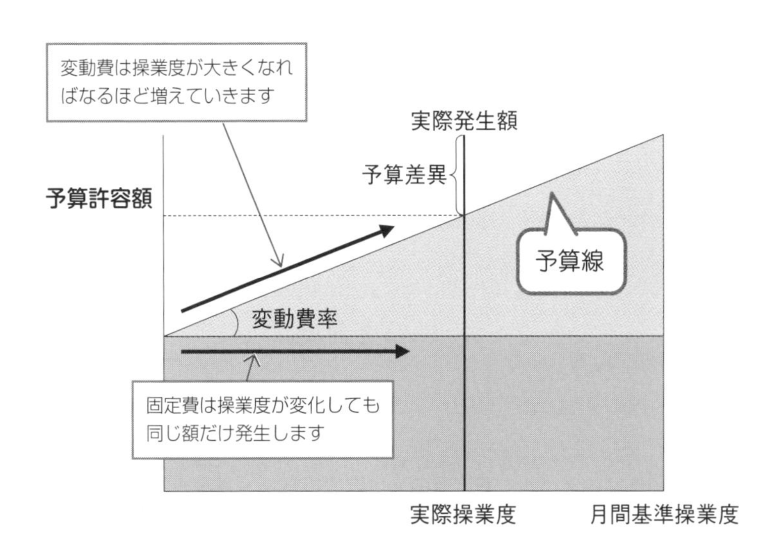

予算許容額は、実際操業度における製造間接費の発生予定額を表すものです。変動費は操業度によって発生額が増減するため、基準操業度における発生額と実際操業度における発生額は、通常、ズレます。そのため、予算許容額は次のように計算します。

予算許容額 ＝ 変動費率×実際操業度＋固定費予算額

② 固定費の配賦線

操業度ゼロの地点における固定費発生予定額から基準操業度に向かって描いた線分を固定費配賦線と呼びます。操業度差異を算定する際には、この直線に着目します。

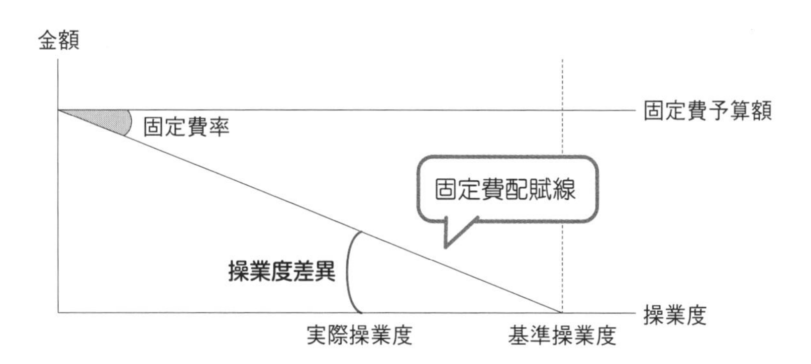

操業度差異は固定予算と同様に予定配賦額と予算許容額の差額として計算することもできますが、もっと簡単に次のように計算することができます。

操業度差異 ＝ 固定費率×（実際操業度－基準操業度）

例3－7　変動予算による分析

問題　当工場では、製造間接費を機械作業時間を基準として予定配賦しており、製造間接費年間予算額は￥61,200（このうち変動費は￥25,500、固定費は￥35,700）、年間予定機械作業時間は1,020時間である。また、当月の製造間接費実際発生額は￥5,000であった。

製造指図書 No.101	製造指図書 No.102	製造指図書 No.103
50 時間	20 時間	10 時間

変動予算を前提として、①製造間接費配賦差異を予算差異と操業度差異に分析しなさい。また、②予定配賦および製造間接費配賦差異を製造間接費配賦差異勘定へ振り替える仕訳と、③予算差異、操業度差異を各原価差異の勘定へ振り替える仕訳を表しなさい。

【解答】

① 製造間接費配賦差異の分析

製造間接費配賦差異	￥200（不利差異）
予算差異	￥25（不利差異）
操業度差異	￥175（不利差異）

② 予定配賦および製造間接費配賦差異の振替

借方科目	金額	貸方科目	金額
仕掛品	4,800	製造間接費	5,000
製造間接費配賦差異	200		

③ 予算差異、操業差異の振替

借方科目	金額	貸方科目	金額
予算差異	25	製造間接費配賦差異	200
操業度差異	175		

【考え方】

変動予算を前提とした分析が求められているため、以下のような図表を下書きとして描いて原価差異を計算します。なお、分析は月単位で行うので、年間予算額¥61,200と基準操業度1,020時間を12ヶ月で割り、月間予算額¥5,100（変動費予算¥2,125、固定費予算¥2,975）と基準操業度85時間（1,020時間÷12ヶ月）を計算する必要があります。

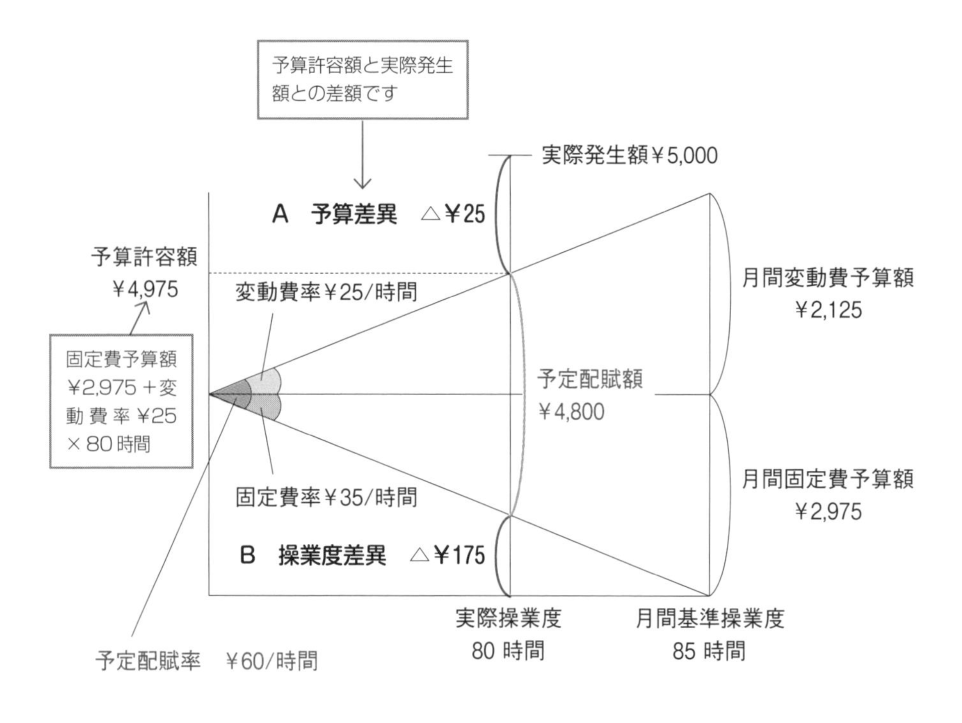

$$\text{変動費率} = \frac{\text{変動費予算額}}{\text{基準操業度}} = \frac{¥2,125}{85\text{時間}} = @¥25$$

$$\text{固定費率} = \frac{\text{固定費予算額}}{\text{基準操業度}} = \frac{¥2,975}{85\text{時間}} = @¥35$$

【製造間接費配賦差異】

予定配賦額－実際発生額

＝ ¥4,800（@¥60×80時間）－¥5,000

＝ △¥200（不利差異）

固定予算でも、変動予算でも、製造間接費配賦差異は必ず同じになります。異なるのは、その内訳である予算差異と操業度差異です。

これを仕訳として表すと、次のようになります。

借方科目	金額	貸方科目	金額
仕掛品	4,800	製造間接費	5,000
製造間接費配賦差異	200		

【総勘定元帳】

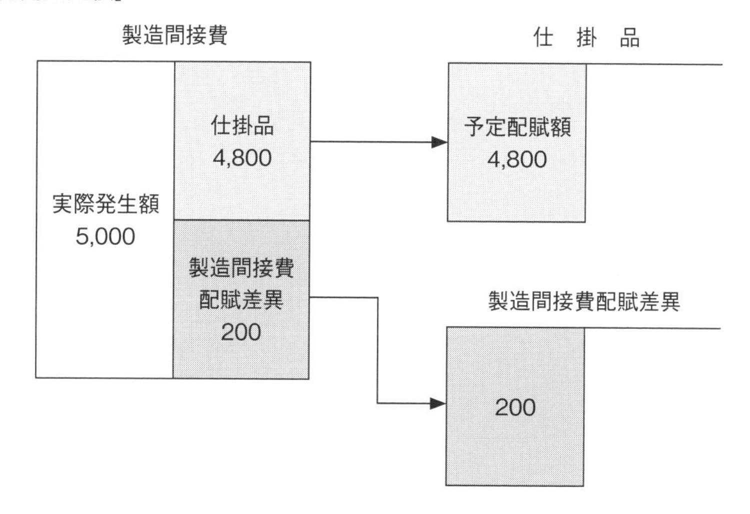

【予算差異】

予算許容額－実際発生額

＝ ¥4,975（@25円×80時間＋¥2,975）－¥5,000

＝ △¥25（不利差異）

80時間操業した際の変動費の発生予定額は@¥25×80時間、固定費は操業度にかかわらず一定額生じるため、¥2,975が発生し、両者の合計が予算許容額となります。

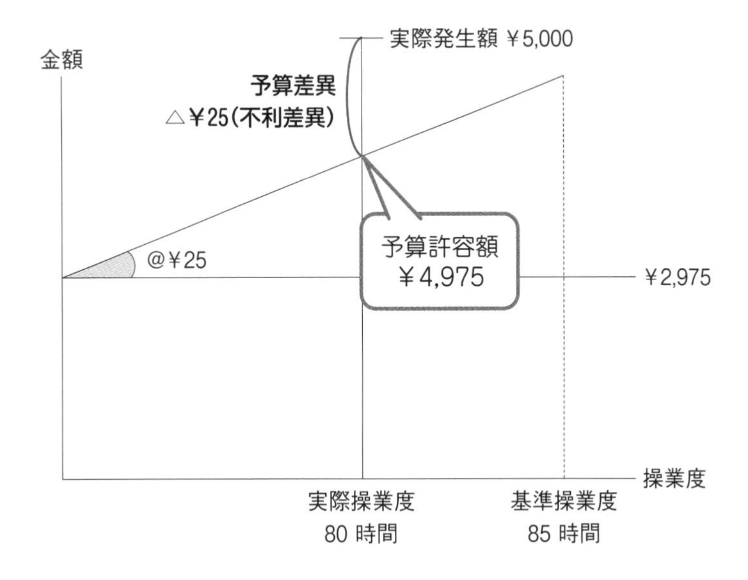

【操業度差異】

予定配賦額－予算許容額
＝ ￥4,800－￥4,975
＝ △￥175（不利差異）
または
固定費率×（実際操業度－基準操業度）
＝ @￥35×（80時間－85時間）
＝ △￥175（不利差異）

これは、実際操業度が基準操業度に満たなかったことによる損失を表すため、実際操業度が基準操業度を下回っている場合、必ず操業度差異は不利差異となります。

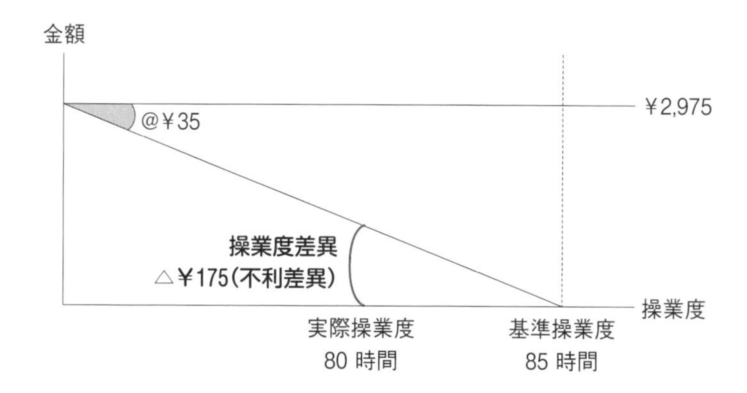

予算差異と操業度差異の計算結果を仕訳として表すと、次のようになります。

借　方　科　目	金　額	貸　方　科　目	金　額
予　算　差　異	25	製造間接費配賦差異	200
操　業　度　差　異	175		

【総勘定元帳】

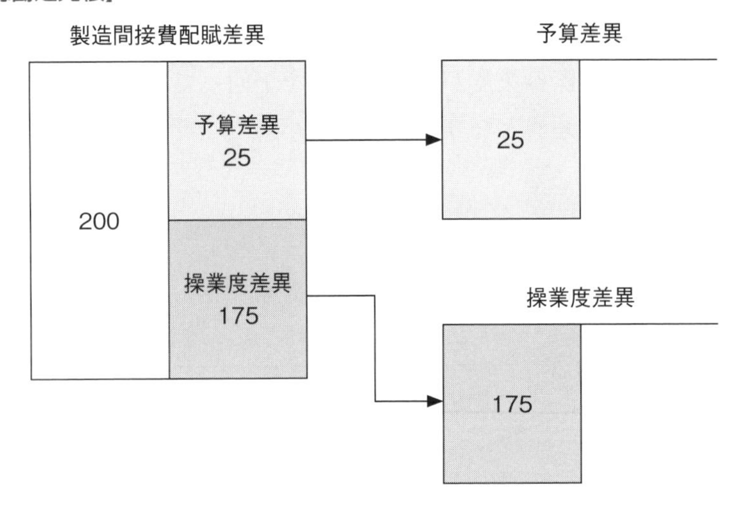

固定予算の欠点

実は、固定予算を使った予算差異と操業度差異の計算には問題があります。まず、予算差異から検討しますが、固定予算では基準操業度における製造間接費の発生予定額（当初の予算）と実際発生額を比べています。この計算では、予算差異が製造間接費の浪費や節約を表しません。なぜかといいますと、例えば皆さんが服を買いに行こうと考えて、次のように予算を立てたとします。

ジャケット	¥10,000
スニーカー	¥4,000
カバン	¥6,000
合　計	¥20,000

しかしながら、実際に買い物に行ったところ、気に入るカバンがなく、とりあえずジャケットとスニーカーだけを買い、後日カバンを買うことにしました。一旦は買い物が済んだため、使ったお金を集計したところ¥16,000かかっていましたが、当初の予算¥20,000よりも¥4,000安く済んだため、固定予算では予算差異¥4,000（有利）と計算され、節約できたと判断します。

果たしてこの判断は正しいでしょうか。違和感を覚えた人もいるかと思いますが、これは正しいとは言えません。なぜかというと、本来買う必要のあるカバンを買わなかった結果、安く済んだだけで決して節約の結果ではないからです。むしろ、ジャケットとスニーカーだけを買ったならば、その２点だけを買った時の予算額¥14,000と実際の代金¥16,000を比べ、予算差異¥2,000（不利）と計算し、浪費が生じたと考えるのが正しい判断と言えます。

また、固定予算による操業度差異の計算にも問題があります。操業度差異は、「生産能力を遊休化したことによる損失」と考えられますから、固定費のみから本来的には計算すべきものであるにもかかわらず、固定予算に基づく分析では操業度差異の中に変動費も含まれるという問題が生じます。

ここで、生産能力とは、一定期間において最大でどれだけ製品製造を行うことができるのかを表すもので、設備や人員がどれだけあるのかに依存しますが、設備や人員を一定数確保しておくと固定費が生じます。例えば、月間で1,000時間の生産能力を確保するために、正社員一人あたり月給¥200,000で５人雇用したとします。５人分の月間の人件費¥1,000,000は固定費として生じるもので、実際に月間で何時間業務に従事しようが必ず一定額生じるものです。つまり、実際は800時間しか労働しなくとも必ず¥1,000,000が生じるということです。操業度差異とは、1,000時間と800時間の差として計算される生産能力の遊休時間を表す200時間から生じるものです。製品に配賦される金額は、実際操業度に基づき配賦されますから、800時間分の固定費（¥1,000,000 ÷ 1,000時間 × 800時間）が配賦されますが、残り200時間分の固定費は配賦されずに操業度差異として把握されます。つまり、発生額と配賦額の間にズレが生じ、これが操業度差異と捉えることができます。以上の説明は人件費が固定費である場合に限り、正しくなります。

仮に人件費がすべて変動費であれば、800時間操業した時の人件費総額は¥800,000（¥1,000,000 ÷ 1,000時間 × 800時間）になり、製品に対してもこの金額が配賦されます。そのため、発生額と配賦額との間にズレが生じません。変動費は生産能力を遊休化すればその分の費用が発生しないため、固定費のようにズレが生じません。つまり、生産能力を遊休化したことによる損失は固定費のみから計算すべきなのです。

確認テスト

問 題

　原価計算表、製造間接費勘定、仕掛品勘定を完成させなさい。なお、当工場では、製造間接費を直接作業時間を基準として予定配賦しており、製造間接費年間予算額は￥720,000、年間予定直接作業時間は480時間である。また、当月の実際直接作業時間は、製造指図書No.101は21時間、製造指図書No.102は18時間であった。

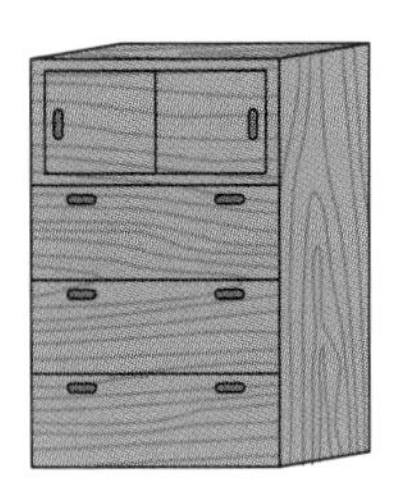

原価計算表

	No.101	No.102	合計
直接材料費	10,000	8,000	18,000
直接労務費	12,000	10,000	22,000
直接経費	300	200	500
製造間接費	(　　)	(　　)	(　　)
合計	(　　)	(　　)	(　　)
備考	完成	仕掛中	

製造間接費

借方		貸方	
材料	19,000	仕掛品	(　　)
賃金	17,000	製造間接費配賦差異	(　　)
経費	25,000		
	61,000		(　　)

仕掛品

借方		貸方	
材料	18,000	製品	(　　)
賃金	22,000	次月繰越	(　　)
経費	500		
製造間接費	(　　)		
	(　　)		(　　)

解答

原価計算表

	No.101	No.102	合　計
直接材料費	10,000	8,000	18,000
直接労務費	12,000	10,000	22,000
直接経費	300	200	500
製造間接費	(31,500)	(27,000)	(58,500)
合　計	(53,800)	(45,200)	(99,000)
備　考	完　成	仕掛中	

製造間接費

借方	金額	貸方	金額
材　料	19,000	仕掛品	(58,500)
賃　金	17,000	製造間接費配賦差異	(2,500)
経　費	25,000		
	61,000		(61,000)

仕掛品

借方	金額	貸方	金額
材　料	18,000	製　品	(53,800)
賃　金	22,000	次月繰越	(45,200)
経　費	500		
製造間接費	(58,500)		
	(99,000)		(99,000)

解説

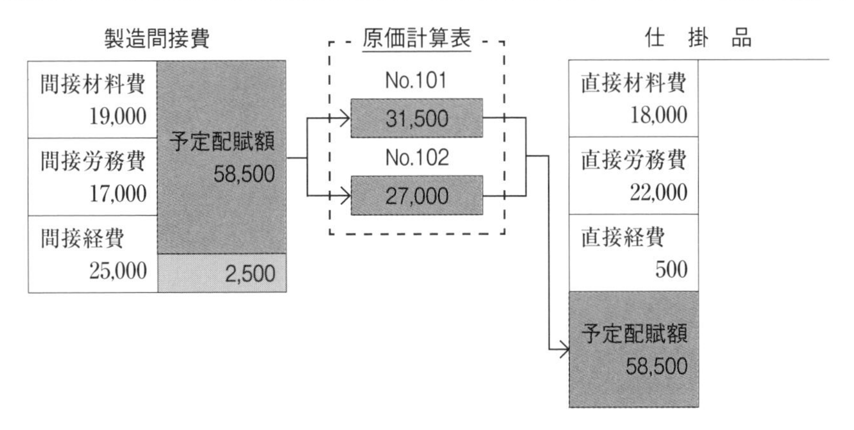

予定配賦率：￥720,000÷480時間＝￥1,500
No.101への予定配賦額：￥1,500×21時間＝￥31,500
No.102への予定配賦額：￥1,500×18時間＝￥27,000
製造間接費配賦差異：￥58,500－￥61,000＝△￥2,500（借方差異）

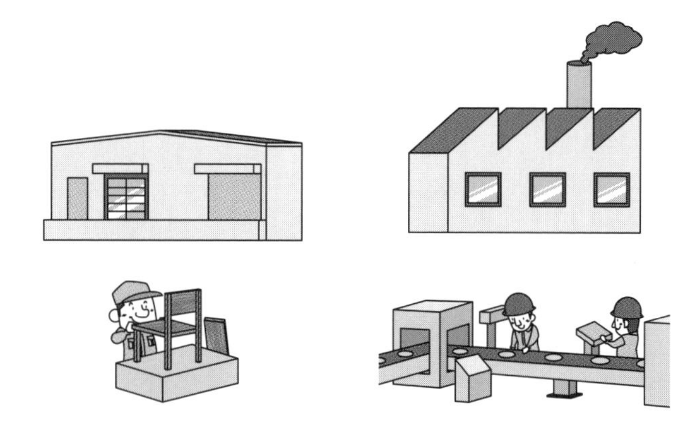

第4章 部門別計算

学習進度目安

◉第4章で学習すること

さっくり 7日間	しっかり 10日間	じっくり 15日間
3日目	4日目	6日目

① 部門別原価計算

② 第一次集計

③ 第二次集計

④ 第三次集計

工場はいろんな部門にわかれているんだ！

切削部門　組立部門

1 部門別原価計算

イントロダクション

　前章で製造間接費の配賦について実際配賦と予定配賦があることを学習しましたが、そこでは「工場全体」の製造間接費をどう配賦するのかに着目してきました。ここでは、「部門」と呼ばれる単位（1つの工場をいくつかに細かく分けた組織単位）に製造間接費をいったん集計して、その後に部門から製品へ製造間接費を配賦する手続を学習します。

1 部門とは

　部門（厳密には原価部門と呼びます）とは、工場をいくつかの細かな組織単位に分けたもののことで、一般的には作業内容に応じて部門を作ります。例えば、今皆さんが使っている机を作っている工場では、いきなり机という製品が出来上がるわけでなく、買ってきた材料を切る作業、切った材料を組み立てる作業、塗装を施す作業など、種々の作業を経て製品が出来上がります。このような作業内容に応じて、部門というグループを作ります。具体的には、切削部門、組立部門、塗装部門といった具合です。

2 部門別計算とは

部門別計算とは、部門単位で**製造間接費**を集計し、部門から製品に対して製造間接費を配賦する計算手続のことです。このような計算をすることで、より正確に製造間接費を製品に配賦することができるだけでなく、どの部門でいくら製造間接費が発生したのかわかるため、製造間接費を管理するのにも役立てることができます。

この部門別計算をするかしないかは会社が選択することになりますから、試験問題においても部門別計算をしている問題、していない問題があります。

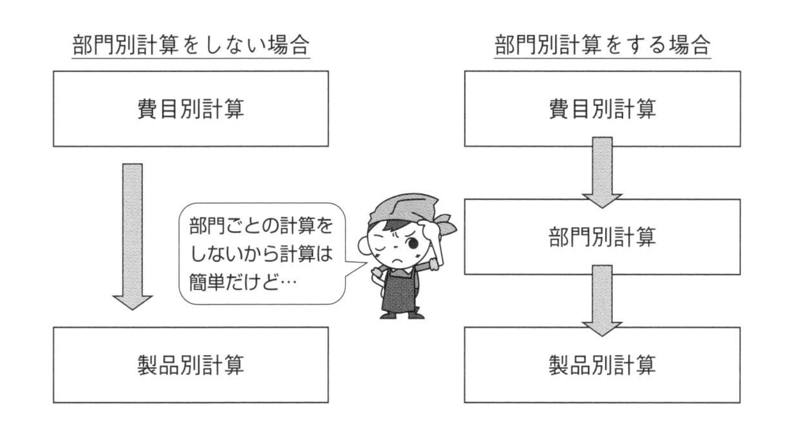

部門別計算のメリット

部門別計算を行うと、製造間接費を製品へ正確に配賦することができるということと、製造間接費を管理するのに役立つという２つの利点が得られます。この理由について検討してみましょう。

まず、製造間接費を製品へ正確に配賦することができる理由ですが、ズバリ製造間接費の発生原因にその理由があります。製造間接費は種々雑多な費目で構成されており、それぞれの費目はその発生原因が違うのです。例えば、減価償却費と燃料費とでは発生原因が違いますよね。製造間接費の配賦を正確にするためには発生原因に基づいて製品へ配賦する必要があるのです。部門別計算をしていない場合、単一の配賦基準に基づき配賦計算するため、製造間接費を構成するどの費目も同じ原因で発生したものでない限り、不正確な計算となります。その点、部門別計算では、いくつかの部門に製造間接費をいったん集計しそれぞれの部門から製品へ部門別の配賦基準を用いて配賦しますので、複数の配賦基準を用いることができて、正確な計算をすることができます。

ここでの説明が難しいと感じた方は以下のような状況をイメージしてみてください。例えば、10人で居酒屋にいった際に、会計が¥50,000でした。これを１人あたり¥5,000と単純に人数で参加者に配賦することは正確でしょうか。たくさんお酒を飲んだ人もいれば飲んでいない人もいますから、正確な計算とはいえません。チャージ料などは人数に応じて発生しますから、人数という基準で配賦するのが合理的ですが、お酒は厳密には飲んだ杯数に応じて参加者に配賦するのが合理的といえます。このことからもわかる通り色々な費目で構成されているものを単一の基準で配賦するのはよくないのです。発生原因ごとに費目をまとめ、それぞれの配賦基準を適用するのが合理的な計算につながります。したがって、複数の配賦基準を用いる部門別計算では正確な製造間接費の配賦計算を行うことができます。

次に製造間接費の管理につながる理由ですが、これは単純で、各部門には責任者がいます。切削部門の管理者、組立部門の管理者といったように、それぞれの部門の管理者はより低い原価で製品製造を行うことに責任を持っています。そのため、部門別に製造間接費を集計することで、責任の所在を明らかにする必要があります。つまり、工場全体で¥1,000,000の製造間接費が発生したという情報だけでは誰も責任をとることができませんが、切削部門で¥400,000、組立部門で¥600,000とわかれば、責任の所在が明らかとなり、部門の責任者は次からはもっと低く済むように頑張ろうという意欲が湧くのです。したがって、部門別計算を行うことで製造間接費の管理に役立つといえます。

3 製造部門と補助部門

部門には、大別して**製造部門**と**補助部門**があります。製造部門とは、製品の製造に直接従事している部門であり、具体的には切削部門や組立部門などが登場します。他方、補助部門とは、製造部門の活動をサポートしている部門であり、具体的には動力部門、修繕部門、工場事務部門などが登場します。

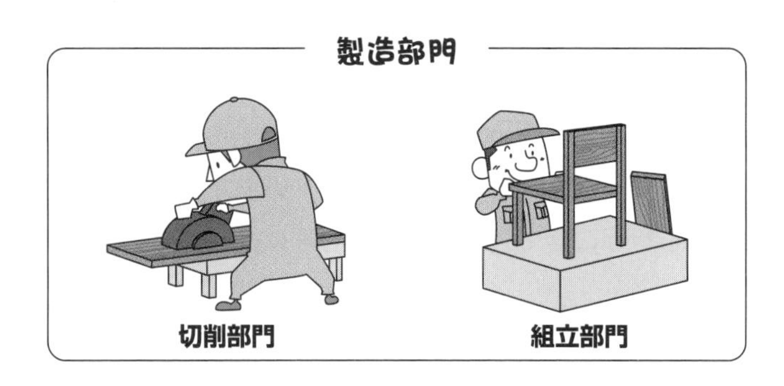

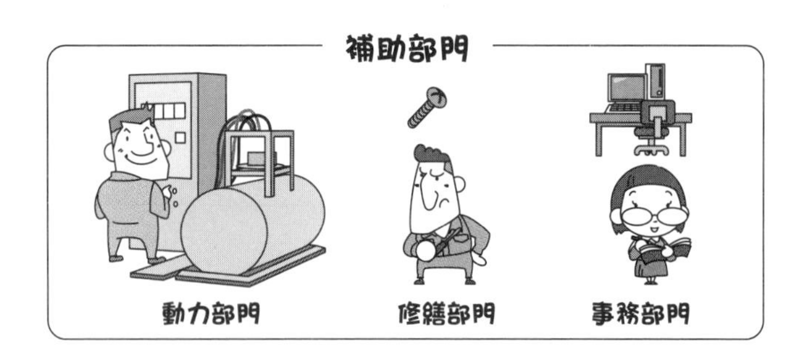

コトバ

製造部門：製品の製造に直接従事している部門
補助部門：製造部門の活動をサポートしている部門

4 部門別計算の全体像

部門別計算は、三段階の計算手続から構成されます。まず、部門別計算の第一段階の計算（**第一次集計**と呼びます）では、各部門にいくらの製造間接費が発生したのかを計算します。次に、部門別計算の第二段階の計算（**第二次集計**と呼びます）では、補助部門に集計された製造間接費を製造部門へ配賦します。そして最後に、部門別計算の第三段階の計算（**第三次集計**と呼びます）では、製造部門に集計された製造間接費を製品に対して配賦します。それぞれの計算の趣旨、具体的な手続については、後述しますが、まずは全体像を掴んでください。

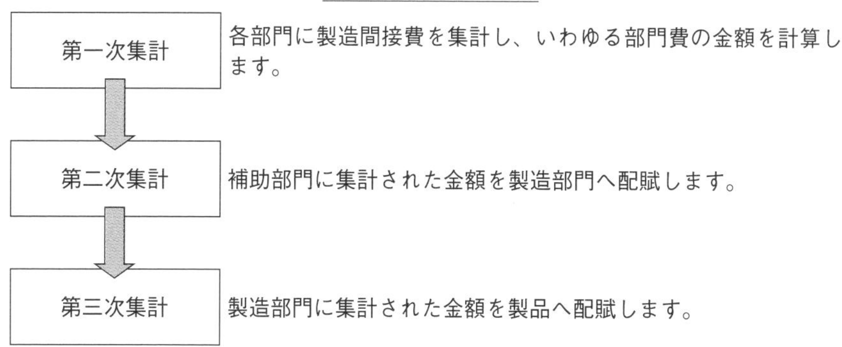

2 第一次集計

イントロダクション

ここでは部門別計算の第一次集計について学習します。第一次集計を行うことで、各部門でいくらの製造間接費が生じたのか把握することができます。

1 部門個別費と部門共通費

部門別計算の第一次集計を行うためには、まず、**部門個別費**と**部門共通費**に製造間接費を大別する必要があります。部門個別費とは、特定の部門でいくら発生したのかわかる製造間接費のことであり、例えば、機械の修繕のために材料を消費した時の間接材料費は修繕部門における部門個別費になります。他方、部門共通費とは、特定の部門でいくら発生したのかわからない製造間接費のことであり、例えば、工場の建物減価償却費や工場長の給与などが挙げられます。

コトバ

部門個別費：特定の部門でいくら発生したのかわかる製造間接費のこと
部門共通費：特定の部門でいくら発生したのかわからない製造間接費のこと

2 計算手続

部門別計算の第一次集計は、**部門個別費の直課（賦課）**と**部門共通費の配賦**という計算手続からなります。この計算手続を行うことで、各部門に製造間接費が集計されますが、これを**第一次集計額（部門費）**と呼びます。

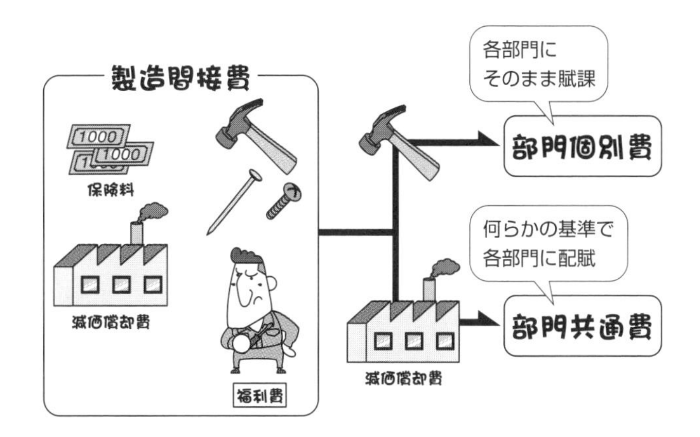

コトバ

部門別配賦表：金額を部門別に集計するために作成する表のこと
この表は以下のように様々な名称で呼ばれることがある
ex）部門費配賦表、部門費集計表、部門費振替表、部門費配分表など

例4－1　部門個別費と部門共通費

問題　部門別配賦表を作成し、製造間接費勘定から各原価部門費勘定へ振替える仕訳を行いなさい。

①　部門個別費

部門個別費	切削部門	組立部門	動力部門	修繕部門	事務部門
間接材料費	¥33,000	¥29,870	¥15,000	¥7,000	－
間接労務費	¥18,200	¥11,750	¥13,100	¥16,665	¥14,315
その他個別費	¥16,685	¥24,643	¥10,140	¥2,507	¥12,005

②　部門共通費

建物減価償却費　¥20,000　　福利費　¥5,120
建物火災保険料　¥12,000　　水道料　¥8,000

③　部門共通費の配賦基準

建物減価償却費と建物火災保険料は占有面積、福利費は作業員数、水道料は消費量を基準として各原価部門に配賦する。

部門共通費	切削部門	組立部門	動力部門	修繕部門	事務部門
建物減価償却費	$35m^2$	$35m^2$	$10m^2$	$12m^2$	$8m^2$
建物火災保険料	$35m^2$	$35m^2$	$10m^2$	$12m^2$	$8m^2$
福　利　費	10人	15人	2人	3人	2人
水　道　料	$135m^3$	$162m^3$	$90m^3$	$63m^3$	$50m^3$

【解答】

部門別配賦表

	製造部門		補助部門		
	切削部門	組立部門	動力部門	修繕部門	事務部門
部門個別費					
間接材料費	33,000	29,870	15,000	7,000	―
間接労務費	18,200	11,750	13,100	16,665	14,315
その他個別費	16,685	24,643	10,140	2,507	12,005
部門共通費					
建物減価償却費	7,000	7,000	2,000	2,400	1,600
建物火災保険料	4,200	4,200	1,200	1,440	960
福利費	1,600	2,400	320	480	320
水道料	2,160	2,592	1,440	1,008	800
部門費合計	82,845	82,455	43,200	31,500	30,000

【考え方】

部門個別費については、どの部門でいくら生じたのかわかっているため、各部門に直課（賦課）します。したがって、資料で与えられている金額を部門別配賦表に転記すればよいのです。

他方、部門共通費については、どの部門でいくら生じたのかわからないため、配賦基準を用いて各部門に配賦します。

建物減価償却費￥20,000を配賦基準100m^2（35m^2＋35m^2＋10m^2＋12m^2＋８m^2）を基準に各部門へ配賦します。

建物減価償却費の配賦率 ＝ ￥20,000÷100m^2 ＝ @￥200

切削部門への配賦額：@￥200×35m^2 ＝ ￥7,000

組立部門への配賦額：@￥200×35m^2 ＝ ￥7,000

動力部門への配賦額：@￥200×10m^2 ＝ ￥2,000

修繕部門への配賦額：@￥200×12m^2 ＝ ￥2,400

事務部門への配賦額：@￥200×８m^2 ＝ ￥1,600

建物火災保険料￥12,000を配賦基準100m^2（35m^2＋35m^2＋10m^2＋12m^2＋８m^2）を基準に各部門へ配賦します。

建物火災保険料の配賦率 ＝ ￥12,000÷100m^2 ＝ @￥120

切削部門への配賦額：@￥120×35m^2 ＝ ￥4,200

組立部門への配賦額：@￥120×35m^2 ＝ ￥4,200

動力部門への配賦額：@￥120×10m^2 ＝ ￥1,200

修繕部門への配賦額：@￥120×12m^2 ＝ ￥1,440

事務部門への配賦額：@￥120×８m^2 ＝ ￥960

福利費￥5,120を配賦基準32人（10人＋15人＋２人＋３人＋２人）を基準に各部門へ配賦します。

福利費の配賦率 ＝ ￥5,120÷32人 ＝ @￥160

切削部門への配賦額：@￥160×10人 ＝ ￥1,600

組立部門への配賦額：@￥160×15人 ＝ ￥2,400

動力部門への配賦額：@￥160×２人 ＝ ￥320

修繕部門への配賦額：@￥160×３人 ＝ ￥480

事務部門への配賦額：@￥160×２人 ＝ ￥320

水道料￥8,000を配賦基準500m^3（135m^3＋162m^3＋90m^3＋63m^3＋50m^3）を基準に各部門へ配賦します。

水道料の配賦率 ＝ ￥8,000÷500m^3 ＝ @16

切削部門への配賦額：@16×135m^3 ＝ ￥2,160

組立部門への配賦額：@16×162m^3 ＝ ￥2,592

動力部門への配賦額：@16×90m^3 ＝ ￥1,440

修繕部門への配賦額：@16×63m^3 ＝ ￥1,008

事務部門への配賦額：@16×50m^3 ＝ ￥800

次に仕訳を表すと以下のようになります。

【解答】

借方科目	金額	貸方科目	金額
切削部門費	82,845	製造間接費	270,000
組立部門費	82,455		
動力部門費	43,200		
修繕部門費	31,500		
事務部門費	30,000		

製造間接費勘定から、各部門費勘定へ部門個別費と部門共通費の合計額が振替えられます。

【総勘定元帳】

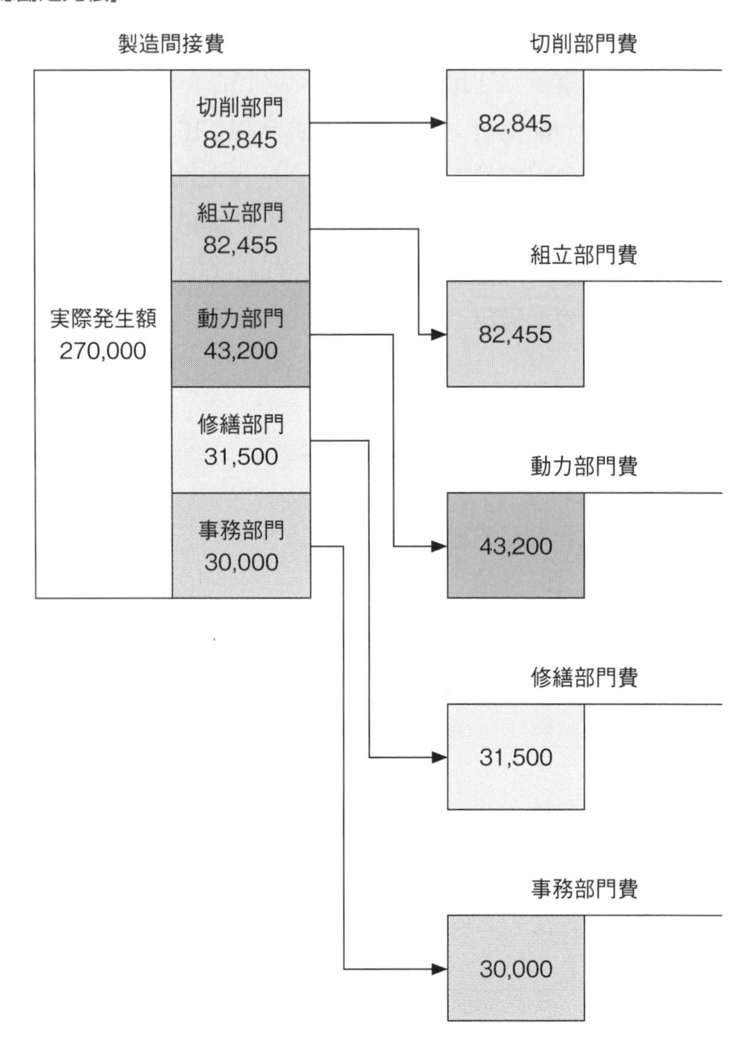

製造間接費
実際発生額
270,000
切削部門
82,845
組立部門
82,455
動力部門
43,200
修繕部門
31,500
事務部門
30,000
切削部門費
82,845
組立部門費
82,455
動力部門費
43,200
修繕部門費
31,500
事務部門費
30,000

3 第二次集計

イントロダクション

ここでは部門別計算の第二次集計について学習します。第二次集計では、第一次集計によって求められた補助部門における第一次集計額（部門費）を製造部門へ振替えるという計算を行います。

1 第二次集計とは

部門別計算における第二次集計とは、第一次集計によって計算された補助部門費の金額を製造部門へ振替える計算手続です。なぜこのような計算をするのかというと、補助部門は製品に対して直接用役（サービス）を提供していないため、補助部門費を製品へ配賦しようと考えても合理的な配賦基準を入手することが困難だからです。

それに対して、補助部門は製造部門へ用役提供を行っているため、各製造部門へどれだけ用役を提供したのかという事実に基づき、補助部門費を配賦することができます。また、製造部門は直接、製品製造に従事している部門なので、製造部門費を製品へ配賦するための合理的な配賦基準を入手することができます。

したがって、補助部門費を製造部門へいったん配賦し、製造部門を経由する形で製品へ配賦するという計算が必要となります。

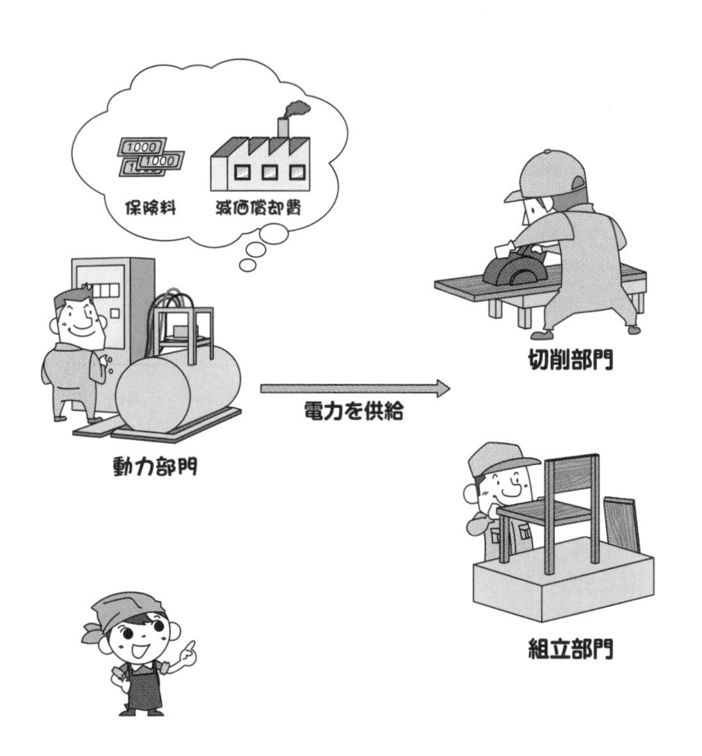

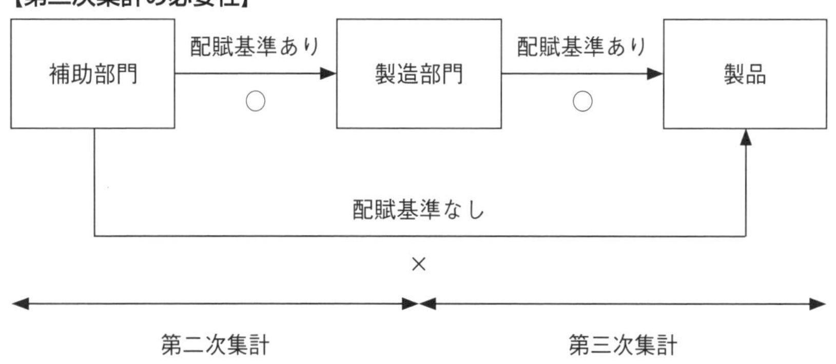

なお、第二次集計が終わり、製造部門に集計された製造間接費を製品へ配賦する計算手続が部門費の第三次集計になります。

2 計算方法

部門別計算における第二次集計の具体的な計算方法として、**直接配賦法**と**相互配賦法**があります。

直接配賦法とは、補助部門間の用役授受を計算に一切反映させずに補助部門費を製造部門へ配賦する方法です。補助部門から補助部門へは相互に用役提供がなされており、それを計算に反映させると一向に計算が終わらなくなります。そこで、直接配賦法では補助部門は製造部門にしか用役提供をしていない（他の補助部門へ用役提供をしていない）と仮定して補助部門費の配賦計算を行います。

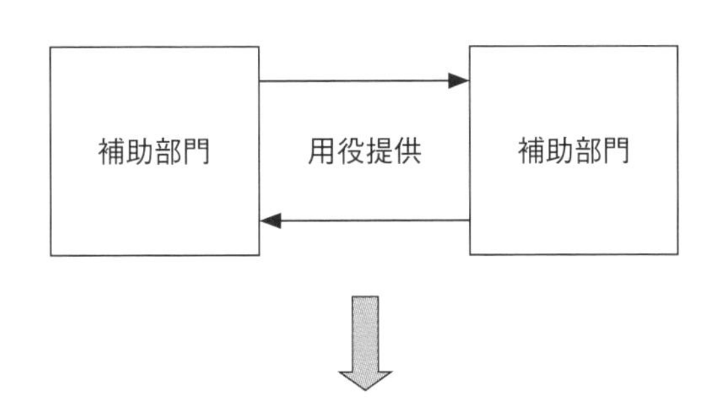

> **計算に反映していると、補助部門費の金額がいつまでたってもゼロにならないため、計算上無視します。**

コトバ

直接配賦法：補助部門間の用役授受を計算に一切反映させずに補助部門費を製造部門へ配賦する方法

相互配賦法：補助部門間の用役授受を計算に反映させながら、補助部門費を製造部門へ配賦する方法

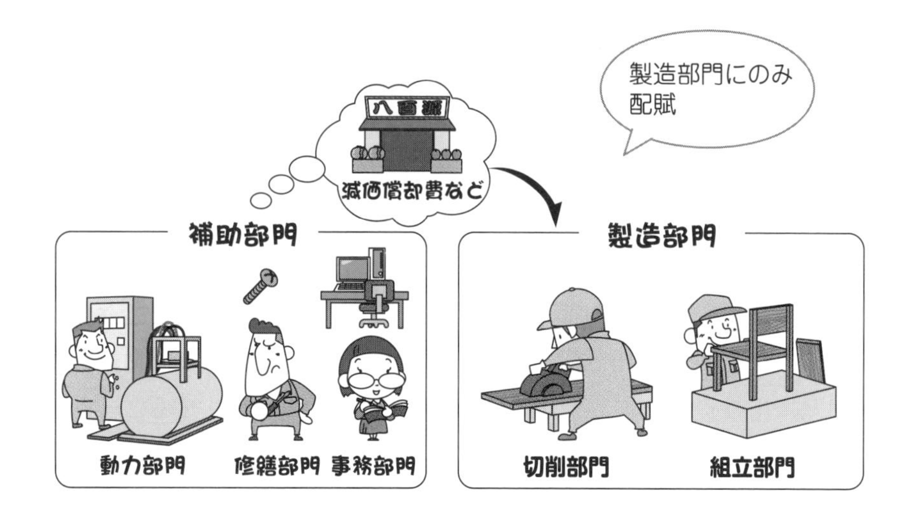

他方、相互配賦法とは、補助部門間の用役授受を計算に反映させながら、補助部門費を製造部門へ配賦する方法です。いくつかの計算方法がありますが、２級の学習では簡便法としての相互配賦法を取り扱います。このやり方は、計算手続を二段階に分けます。まず１回目の補助部門費の配賦において、補助部門間の用役授受を配賦計算に反映させます。次に他の補助部門から補助部門に配賦されてきた金額を直接配賦法により製造部門へ配賦します。

例4－2　直接配賦法

問題　部門別配賦表を作成し、各補助部門費勘定から各製造部門費勘定へ振替える仕訳を行いなさい。なお、補助部門費の配賦は直接配賦法による。

① 部門共通費配賦後の各部門費（第一次集計額）

切削部門	組立部門	動力部門	修繕部門	事務部門
¥82,845	¥82,455	¥43,200	¥31,500	30,000

② 補助部門費の配賦基準

動力部門費は電力消費量、修繕部門費は修繕回数、事務部門費は作業員数を基準として各部門に配賦する。

補助部門費	切削部門	組立部門	動力部門	修繕部門	事務部門
動力部門費	10kwh	15kwh	－	5 kwh	－
修繕部門費	2回	6回	1回	－	－
事務部門費	10人	15人	2人	3人	2人

【解答】

部門別配賦表

	製造部門		補助部門		
	切削部門	組立部門	動力部門	修繕部門	事務部門
部門費合計	82,845	82,455	43,200	31,500	30,000
補助部門費配賦額					
動力部門費	17,280	25,920			
修繕部門費	7,875	23,625			
事務部門費	12,000	18,000			
製造部門費合計	120,000	150,000			

【考え方】

直接配賦法は、補助部門間の用役授受を計算上無視する方法であるため、動力部門から修繕部門、修繕部門から動力部門、事務部門から動力部門、修繕部門への用役提供を配賦計算から除外しなければいけません。つまり、以下のように資料で与えられた配賦基準を読みかえて計算します。

補助部門費	切削部門	組立部門	動力部門	修繕部門	事務部門
動力部門費	10kwh	15kwh	－	5kwh	－
修繕部門費	2回	6回	1回	－	－
事務部門費	10人	15人	2人	3人	2人

補助部門間の用役授受を配賦基準から除外し、あたかも製造部門にだけ補助部門が用役提供しているかのように計算を行います。

動力部門費¥43,200を配賦基準25kwh（10kwh＋15kwh）を基準に各製造部門へ配賦します。

動力部門費の配賦率 ＝ ¥43,200÷25kwh ＝ @¥1,728

切削部門への配賦額：@¥1,728×10kwh ＝ ¥17,280

組立部門への配賦額：@¥1,728×15kwh ＝ ¥25,920

修繕部門費¥31,500を配賦基準８回（２回＋６回）を基準に各製造部門へ配賦します。

修繕部門費の配賦率 ＝ ¥31,500÷８回 ＝ @¥3,937.5

切削部門への配賦額：@¥3,937.5×２回 ＝ ¥7,875

組立部門への配賦額：@¥3,937.5×６回 ＝ ¥23,625

事務部門費¥30,000を配賦基準25人（10人＋15人）を基準に各製造部門へ配賦します。

事務部門費の配賦率 ＝ ￥30,000÷25人 ＝ @￥1,200

　切削部門への配賦額：@￥1,200×10人 ＝ ￥12,000

　組立部門への配賦額：@￥1,200×15人 ＝ ￥18,000

次に仕訳を表すと以下のようになります。

【解答】

借方科目	金額	貸方科目	金額
切削部門費	37,155	動力部門費	43,200
組立部門費	67,545	修繕部門費	31,500
		事務部門費	30,000

【総勘定元帳】

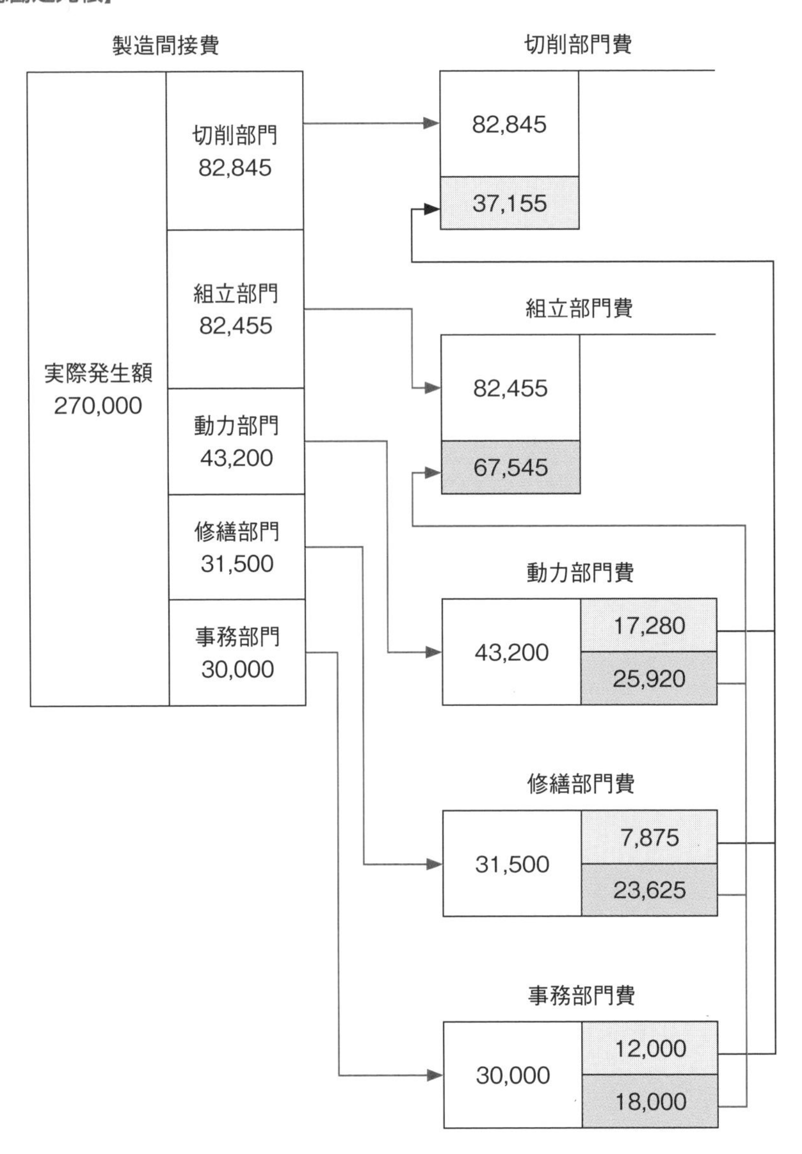

製造間接費
実際発生額
270,000
切削部門
82,845
組立部門
82,455
動力部門
43,200
修繕部門
31,500
事務部門
30,000
切削部門費
82,845
37,155
組立部門費
82,455
67,545
動力部門費
43,200
17,280
25,920
修繕部門費
31,500
7,875
23,625
事務部門費
30,000
12,000
18,000

例4－3　相互配賦法

問題　部門別配賦表を作成し、各補助部門費勘定から各製造部門費勘定へ振替える仕訳を第1次配賦と第2次配賦に分けて行いなさい。なお、補助部門費の配賦は相互配賦法による。

① 部門共通費配賦後の各部門費（第一次集計額）

切削部門	組立部門	動力部門	修繕部門	事務部門
¥82,845	¥82,455	¥43,200	¥31,500	30,000

② 補助部門費の配賦基準

動力部門費は電力消費量、修繕部門費は修繕回数、事務部門費は作業員数を基準として各部門に配賦する。

補助部門費	切削部門	組立部門	動力部門	修繕部門	事務部門
動力部門費	10kwh	15kwh	—	5kwh	—
修繕部門費	2回	6回	1回	—	—
事務部門費	10人	15人	2人	3人	2人

【解答】

部門別配賦表

	製造部門		補助部門		
	切削部門	組立部門	動力部門	修繕部門	事務部門
部門費合計	82,845	82,455	43,200	31,500	30,000
補助部門費第１次配賦額					
動力部門費	14,400	21,600	−	7,200	−
修繕部門費	7,000	21,000	3,500	−	−
事務部門費	10,000	15,000	2,000	3,000	−
			5,500	10,200	−
補助部門費第２次配賦額					
動力部門費	2,200	3,300			
修繕部門費	2,550	7,650			
製造部門費合計	118,995	151,005			

【考え方】

相互配賦法は、補助部門間の用役授受を配賦計算に反映させる計算方法であり、二段階の計算手続からなります。まず、第一段階の計算では、補助部門間の用役授受を計算に反映させ、補助部門費を各部門へ配賦します。なお、自家消費（自部門の用役消費）は配賦計算から除外するので、事務部門の２人は無視します。

補助部門費	切削部門	組立部門	動力部門	修繕部門	事務部門
動力部門費	10kwh	15kwh	−	５kwh	−
修繕部門費	２回	６回	１回	−	−
事務部門費	10人	15人	２人	３人	~~２人~~

動力部門費¥43,200を配賦基準30kwh（10kwh＋15kwh＋５kwh）を基準に各部門へ配賦します。

動力部門費の配賦率 ＝ ¥43,200÷30kwh ＝ @¥1,440

切削部門への配賦額：@¥1,440×10kwh ＝ ¥14,400

組立部門への配賦額：@¥1,440×15kwh ＝ ¥21,600

修繕部門への配賦額：@¥1,440×５kwh ＝ ¥7,200

修繕部門費¥31,500を配賦基準９回（２回＋６回＋１回）を基準に各製造部門へ配賦します。

修繕部門費の配賦率 ＝ ¥31,500÷９回 ＝ @¥3,500

切削部門への配賦額：@¥3,500×２回 ＝ ¥7,000

組立部門への配賦額：@¥3,500×６回 ＝ ¥21,000

動力部門への配賦額：@¥3,500×１回 ＝ ¥3,500

事務部門費¥30,000を配賦基準30人（10人＋15人＋２人＋３人）を基準に各製造部門へ配賦します。

事務部門費の配賦率 ＝ ¥30,000÷30人 ＝ @¥1,000

切削部門への配賦額：@¥1,000×10人 ＝ ¥10,000

組立部門への配賦額：@¥1,000×15人 ＝ ¥15,000

動力部門への配賦額：@¥1,000×２人 ＝ ¥2,000

修繕部門への配賦額：@¥1,000×３人 ＝ ¥3,000

事務部門から事務部門への用役提供は無視するのでアル！

ここまでの計算で、部門別配賦表を次のように埋めることができます。

	製造部門		補助部門		
	切削部門	組立部門	動力部門	修繕部門	事務部門
部門費合計	82,845	82,455	43,200	31,500	30,000
補助部門費第１次配賦額					
動力部門費	14,400	21,600	−	7,200	−
修繕部門費	7,000	21,000	3,500	−	−
事務部門費	10,000	15,000	2,000	3,000	−
	↑	↑	5,500	10,200	−

製造部門費については、第２次配賦まで行ってから合計を計算するので、ここでは空欄にしておきます

次に第１次配賦の仕訳を表すと以下のようになります。

【解答】

借方科目	金額	貸方科目	金額
切削部門費	31,400	動力部門費	43,200
組立部門費	57,600	修繕部門費	31,500
動力部門費	5,500	事務部門費	30,000
修繕部門費	10,200		

【総勘定元帳】

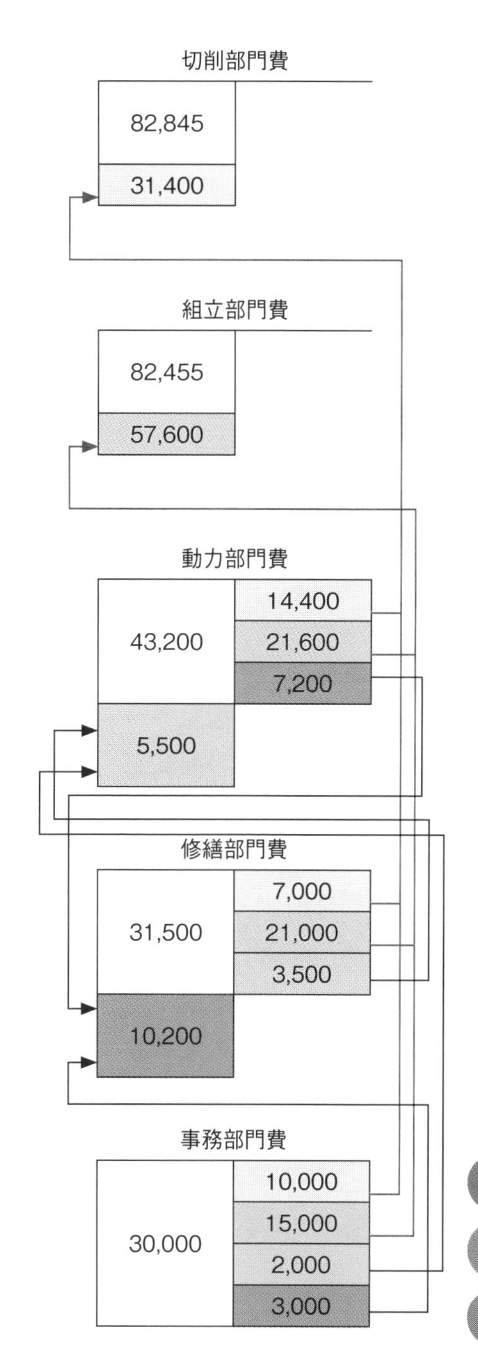

第4章
部門別計算

さっくり 3日目
しっかり 4日目
じっくり 6日目

次に相互配賦法における第二段階の計算ですが、まだ動力部門と修繕部門に製造間接費が残っているので、ゼロになるまで配賦計算を行う必要があります。ここで、再び第一段階の計算と同様に補助部門間の用役授受を計算に反映すると、いつまでたっても補助部門費はゼロにならず、計算が一向に終わらなくなってしまいます。そこで、第二段階の計算では、補助部門間の用役授受を計算に反映しない、つまり直接配賦法を使って計算します。

補助部門費	切削部門	組立部門	動力部門	修繕部門	事務部門
動力部門費	10kwh	15kwh	−	~~5kwh~~	−
修繕部門費	2回	6回	~~1回~~	−	−

動力部門費￥5,500を配賦基準25kwh（10kwh＋15kwh）を基準に各製造部門へ配賦します。

動力部門費の配賦率 ＝ ￥5,500÷25kwh ＝ @￥220

切削部門への配賦額：@￥220×10kwh ＝ ￥2,200

組立部門への配賦額：@￥220×15kwh ＝ ￥3,300

修繕部門費￥10,200を配賦基準８回（２回＋６回）を基準に各製造部門へ配賦します。

動力部門費の配賦率 ＝ ￥10,200÷８回 ＝ @￥1,275

切削部門への配賦額：@￥1,275×２回 ＝ ￥2,550

組立部門への配賦額：@￥1,275×６回 ＝ ￥7,650

ここまでの計算で、部門別配賦表を次のように埋めることができます。

部門別配賦表

	製造部門		補助部門		
	切削部門	組立部門	動力部門	修繕部門	事務部門
部門費合計	82,845	82,455	43,200	31,500	30,000
補助部門費第1次配賦額					
動力部門費	14,400	21,600	－	7,200	－
修繕部門費	7,000	21,000	3,500	－	－
事務部門費	10,000	15,000	2,000	3,000	－
			5,500	10,200	－
補助部門費第2次配賦額					
動力部門費	2,200	3,300			
修繕部門費	2,550	7,650			
製造部門費合計	118,995	151,005			

次に第2次配賦の仕訳を表すと以下のようになります。

【解答】

借方科目	金額	貸方科目	金額
切削部門費	4,750	動力部門費	5,500
組立部門費	10,950	修繕部門費	10,200

第4章
部門別計算

さっくり 3日目
しっかり 4日目
じっくり 6日目

【総勘定元帳】

製造間接費
実際発生額
270,000
切削部門
82,845
組立部門
82,455
動力部門
43,200
修繕部門
31,500
事務部門
30,000

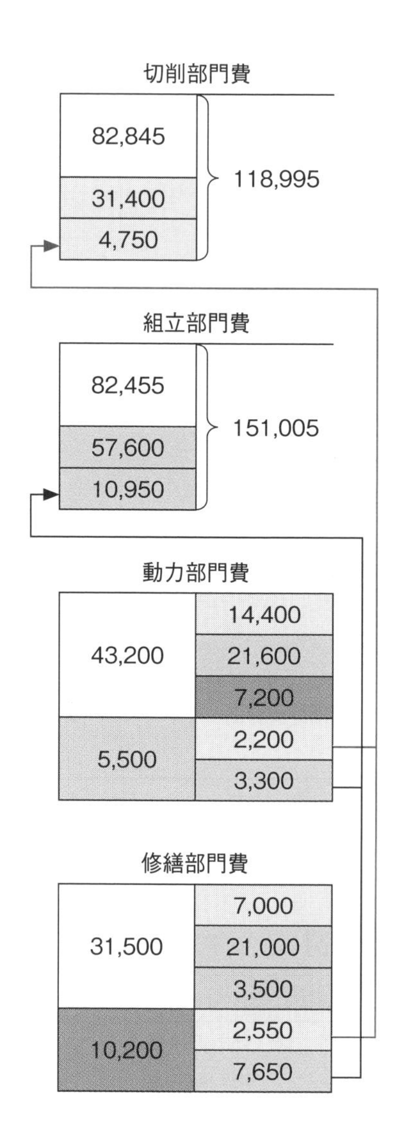
切削部門費
82,845
31,400
4,750
118,995
組立部門費
82,455
57,600
10,950
151,005
動力部門費
43,200
14,400
21,600
7,200
5,500
2,200
3,300
修繕部門費
31,500
7,000
21,000
3,500
10,200
2,550
7,650
事務部門費
30,000
10,000
15,000
2,000
3,000

4 第三次集計

イントロダクション

部門別計算の節もいよいよ最後です。ここでは、第三次集計を取り扱います。第三次集計では、製造部門に集計されている製造間接費を製品へ配賦する計算を学習します。配賦の方法には実際配賦と予定配賦があります。

1 第三次集計とは

第三次集計とは、製造部門に集計された製造間接費を製品へ配賦する計算手続です。部門別計算の最後の計算手続になります。この第三次集計には、製造部門に集計された実際の製造間接費を配賦する**実際配賦**と、予め製造部門で見積もられた予算に基づき配賦する**予定配賦**の2つの方法があります。第三次集計を予定配賦で計算する場合、第二次集計も予算に基づき製造部門へ予定配賦することもあります。

2 実際配賦

第三次集計の具体的な計算手続として、実際配賦を行う場合は製造間接費の実際発生額（第二次集計額）と製造部門の実際操業度から、実際配賦率を算定します。計算された実際配賦率に各製品の実際操業度を掛けると実際配賦額が求まります。

実際配賦額 ＝ 実際配賦率 × 実際操業度

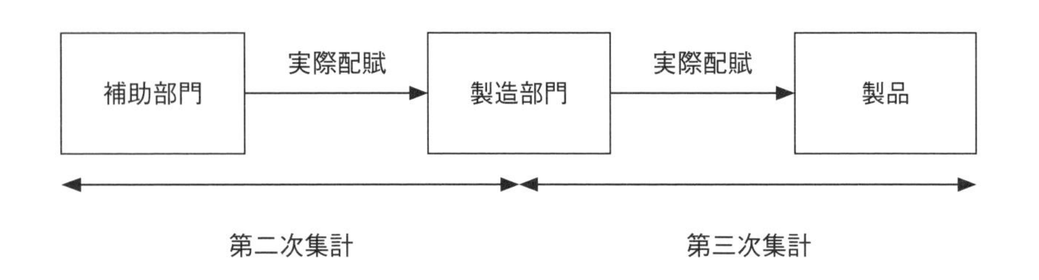

しかしながら、この実際配賦は前章で学習した通り、各製造部門における製造間接費の実際発生額が確定しないと配賦計算を行うことができないため、予定配賦の方が便利です。

3 予定配賦

予定配賦を行う場合は、第三次集計の具体的な計算手続として、製造間接費の予算額と基準操業度から算出される予定配賦率に各製品の実際操業度を掛けると予定配賦額が求まります。

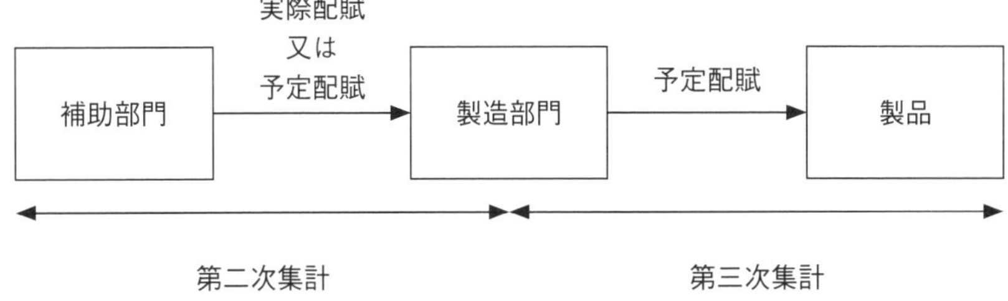

ただし、予定配賦を行った場合、実際発生額との差額として、**製造部門費配賦差異**が認識されます。

製造部門費配賦差異 ＝ 予定配賦額 － 実際発生額

例4－4　実際配賦

問題　当工場では切削部門費、組立部門費ともに直接作業時間を基準として実際配賦している。各製造部門費の配賦の仕訳を示しなさい。

① 切削部門での当月の実際直接作業時間

製造指図書 No.101	製造指図書 No.102
7時間	8時間

② 組立部門での当月の実際直接作業時間

製造指図書 No.101	製造指図書 No.102
15時間	10時間

③ 当月の製造部門費実際発生額

切削部門費：¥120,000

組立部門費：¥150,000

【解答】

借方科目	金額	貸方科目	金額
仕掛品	270,000	切削部門費	120,000
		組立部門費	150,000

【考え方】

切削部門と組立部門から製造指図書No.101とNo.102への実際配賦額を算定します。

切削部門費￥120,000を配賦基準15時間（7時間＋8時間）を基準に各製品へ配賦します。

切削部門費の配賦率 ＝ ￥120,000÷15時間 ＝ @￥8,000

製造指図書No.101への配賦額：@￥8,000×7時間 ＝ ￥56,000

製造指図書No.102への配賦額：@￥8,000×8時間 ＝ ￥64,000

原価計算表

	No.101	No.102	合　計
前月繰越	×××	×××	×××
直接材料費	×××	×××	×××
直接労務費	×××	×××	×××
直接経費	×××	×××	×××
切削部門費	56,000	64,000	120,000
組立部門費			
合　計			
備　考			

切削部門費の配賦の仕訳

借方科目	金額	貸方科目	金額
仕掛品	120,000	切削部門費	120,000

第4章 部門別計算

さっくり3日目 しっかり4日目 じっくり6日目

【総勘定元帳】

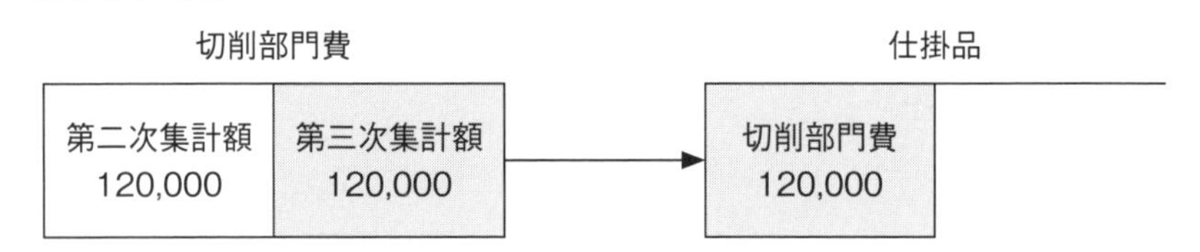

次に、組立部門費￥150,000を配賦基準25時間（15時間＋10時間）を基準に各製品へ配賦します。

組立部門費の配賦率 ＝ ￥150,000÷25時間 ＝ @￥6,000

製造指図書No.101への配賦額：@￥6,000×15時間 ＝ ￥90,000

製造指図書No.102への配賦額：@￥6,000×10時間 ＝ ￥60,000

原価計算表

	No.101	No.102	合　計
前月繰越	×××	×××	×××
直接材料費	×××	×××	×××
直接労務費	×××	×××	×××
直接経費	×××	×××	×××
切削部門費	56,000	64,000	120,000
組立部門費	90,000	60,000	150,000
合　計			
備　考			

組立部門費の配賦の仕訳

借方科目	金額	貸方科目	金額
仕掛品	150,000	組立部門費	150,000

【総勘定元帳】

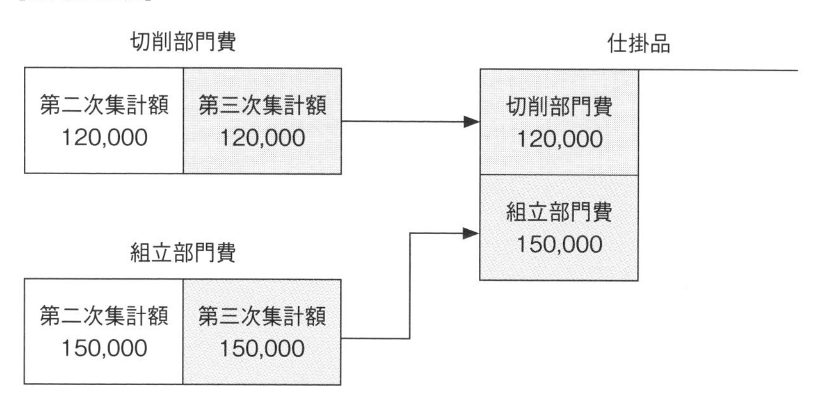

第4章 部門別計算

さっくり 3日目
しっかり 4日目
じっくり 6日目

例4－5　予定配賦

問題　当工場では切削部門費、組立部門費ともに年間予算額・年間予定直接作業時間を基準として予定配賦している。切削部門費勘定および組立部門費勘定を完成させなさい。

① 製造部門費年間予算額

切削部門費：￥1,300,000

組立部門費：￥1,830,000

② 年間予定直接作業時間

切削部門：200時間　組立部門：300時間

③ 切削部門での当月の実際直接作業時間

製造指図書 No.101	製造指図書 No.102
7時間	8時間

④ 組立部門での当月の実際直接作業時間

製造指図書 No.101	製造指図書 No.102
15時間	10時間

⑤ 当月の製造部門費実際発生額

切削部門費：￥120,000　組立部門費：￥150,000

【解答】

切削部門費

諸　　口	120,000	仕　掛　品	97,500
		切削部門費配賦差異	22,500
	120,000		120,000

組立部門費

諸　　口	150,000	仕　掛　品	152,500
組立部門費配賦差異	2,500		
	152,500		152,500

【考え方】

① 切削部門の処理

まず、切削部門から製造指図書No.101とNo.102への予定配賦額を算定します。予定配賦額は、予定配賦率を求めた後、各製造指図書の実際操業度を掛けて求めます。

切削部門費年間予算額¥1,300,000を基準操業度（年間予定直接作業時間）200時間で割り、予定配賦率@¥6,500を求め、実際操業度を掛けて各製品へ配賦します。

切削部門費の予定配賦率 ＝ ¥1,300,000÷200時間
＝ @¥6,500

製造指図書No.101への配賦額：@¥6,500× 7 時間
＝ ¥45,500

製造指図書No.102への配賦額：@¥6,500× 8 時間
＝ ¥52,000

原価計算表

	No.101	No.102	合　計
前月繰越	×××	×××	×××
直接材料費	×××	×××	×××
直接労務費	×××	×××	×××
直接経費	×××	×××	×××
切削部門費	45,500	52,000	97,500
組立部門費			
合　計			
備　考			

切削部門費の配賦の仕訳

切削部門費の予定配賦額の合計￥97,500を、切削部門費勘定から仕掛品勘定に振替えます。

借方科目	金額	貸方科目	金額
仕掛品	97,500	切削部門費	97,500

切削部門費配賦差異の仕訳

切削部門費配賦差異を、切削部門費の予定配賦額と実際発生額との差額により求めます。

切削部門費配賦差異：￥97,500－￥120,000
＝△￥22,500（借方差異）

切削部門費配賦差異が借方差異（不利差異）なので、切削部門費勘定から切削部門費配賦差異勘定の借方に振替えます。

借方科目	金額	貸方科目	金額
切削部門費配賦差異	22,500	切削部門費	22,500

【総勘定元帳】

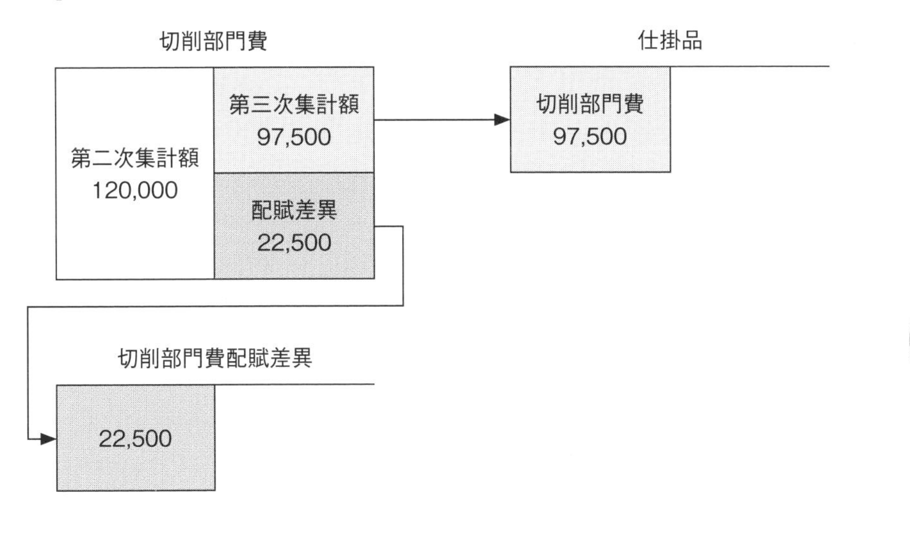

第4章
部門別計算

② 組立部門の処理

まず、組立部門から製造指図書No.101とNo.102への予定配賦額を算定します。予定配賦額は、予定配賦率を求めた後、各製造指図書の実際操業度を掛けて求めます。

組立部門費年間予算額¥1,830,000を基準操業度（年間予定直接作業時間）300時間で割り、予定配賦率@¥6,100を求め、実際操業度を掛けて各製品へ配賦します。

組立部門費の予定配賦率 ＝ ¥1,830,000÷300時間
＝ @¥6,100

製造指図書No.101への配賦額：@¥6,100×15時間
＝ ¥91,500

製造指図書No.102への配賦額：@¥6,100×10時間
＝ ¥61,000

原価計算表

	No.101	No.102	合　計
前月繰越	×××	×××	×××
直接材料費	×××	×××	×××
直接労務費	×××	×××	×××
直接経費	×××	×××	×××
切削部門費	45,500	52,000	97,500
組立部門費	91,500	61,000	152,500
合　計			
備　考			

組立部門費の配賦の仕訳

組立部門費の予定配賦額の合計￥152,500を、組立部門費勘定から仕掛品勘定に振替えます。

借方科目	金額	貸方科目	金額
仕掛品	152,500	組立部門費	152,500

組立部門費配賦差異の仕訳

組立部門費配賦差異を、組立部門費の予定配賦額と実際発生額との差額により求めます。

組立部門費配賦差異：￥152,500－￥150,000
＝￥2,500（貸方差異）

組立部門費配賦差異が貸方差異（有利差異）なので、組立部門費勘定から組立部門費配賦差異勘定の貸方に振替えます。

借方科目	金額	貸方科目	金額
組立部門費	2,500	組立部門費配賦差異	2,500

【総勘定元帳】

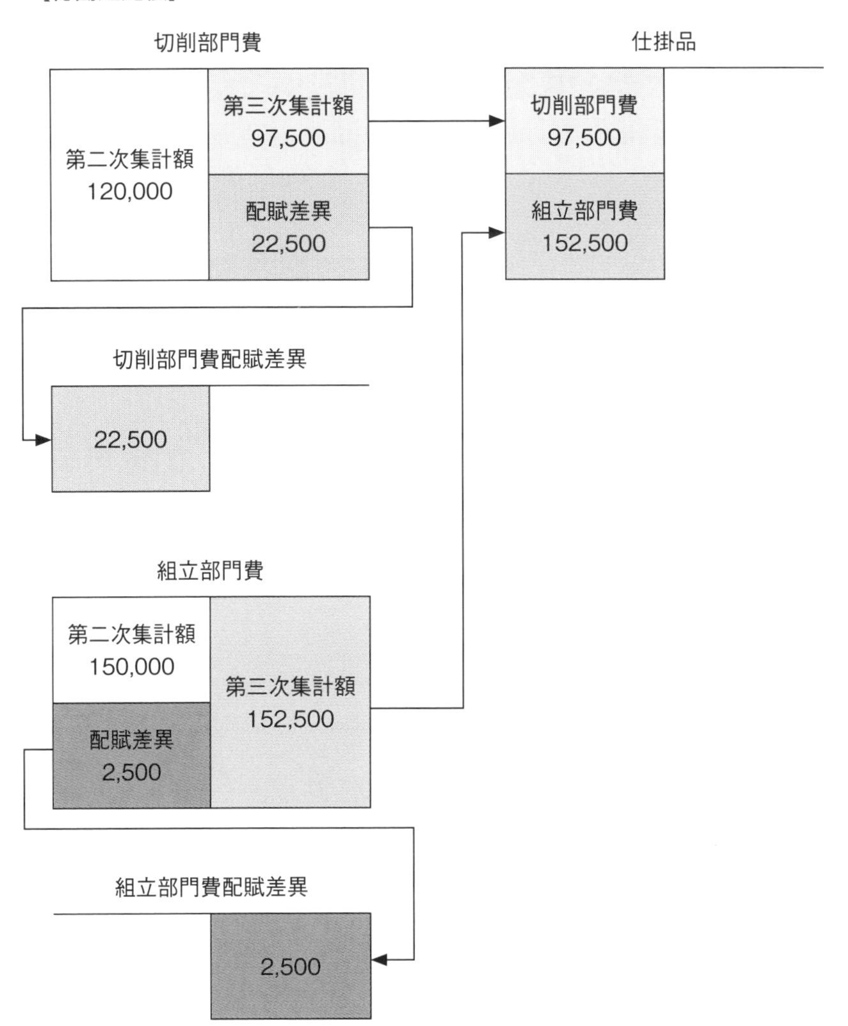

第4章 部門別計算

さっくり3日目
しっかり4日目
じっくり6日目

確認テスト

問題

①切削部門費の配賦の仕訳と、②組立部門費の配賦の仕訳をしなさい。なお、切削部門費、組立部門費ともに年間予算額・年間予定直接作業時間を基準として予定配賦しており、解答にあたっては以下の勘定科目を用いること。

仕　掛　品　　切削部門費　　組立部門費

製造部門費年間予算額：切削部門費　¥1,200,000
　　　　　　　　　　　組立部門費　¥1,000,000
年間予定直接作業時間：切削部門　1,500時間
　　　　　　　　　　　組立部門　1,000時間
切削部門での当月の実際直接作業時間
　　　　　　　　　　：製造指図書No.101　100時間
　　　　　　　　　　　製造指図書No.102　30時間
組立部門での当月の実際直接作業時間
　　　　　　　　　　：製造指図書No.101　60時間
　　　　　　　　　　　製造指図書No.102　20時間

	借方科目	金額	貸方科目	金額
①				
②				

解答

	借方科目	金額	貸方科目	金額
①	仕掛品	104,000	切削部門費	104,000
②	仕掛品	80,000	組立部門費	80,000

第4章

部門別計算

解説

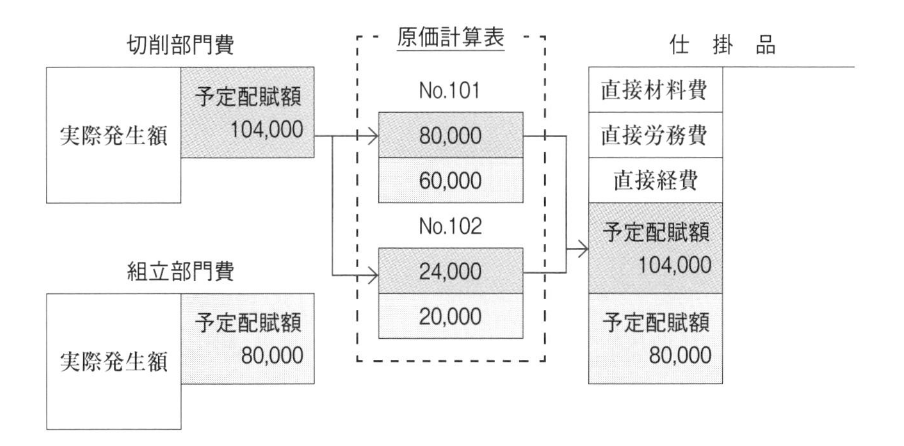

切削部門費の予定配賦率：￥1,200,000÷1,500時間＝￥800

No.101への切削部門費の予定配賦額：￥800×100時間＝￥80,000

No.102への切削部門費の予定配賦額：￥800×　30時間＝￥24,000

組立部門費の予定配賦率：￥1,000,000÷1,000時間＝￥1,000

No.101への組立部門費の予定配賦額：￥1,000×60時間＝￥60,000

No.102への組立部門費の予定配賦額：￥1,000×20時間＝￥20,000

しっかり
4日目

だまって
おくよ！
出張に
行くんだ！
Kazu

第5章

総合原価計算Ⅰ

学習進度目安

さっくり 7日間	しっかり 10日間	じっくり 15日間
3日目	5日目	7日目
4日目	6日目	8日目

◉第5章で学習すること

① 総合原価計算の基礎

② 月初仕掛品がある場合

③ 材料を追加投入する場合

1 総合原価計算の基礎

イントロダクション

第３章で製品別計算の１つである個別原価計算について学習しました。本章では、もう１つの製品別計算である総合原価計算について学習します。これは個別原価計算と異なり、皆さんが日常的に使用している文房具や家電製品などの大量生産品を製造している会社を想定した原価計算です。

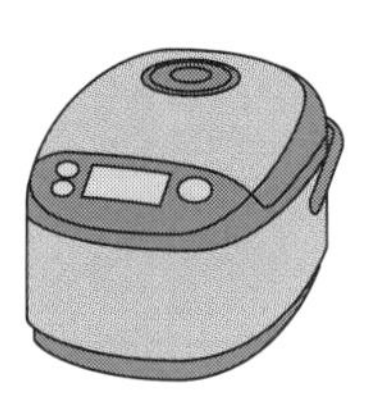

1 見込生産とは

見込生産とは、将来的にこのくらい売れるだろうという見積りを行って、製品製造を行うことです。普段、皆さんが使用しているような物品は一人一人の希望に応じて製造されているものではなく、標準的なものを大量生産したものとなります。

見込生産をしている会社の場合、個別原価計算の時のように、製品1つ1つの原価を計算するのは手間がかかる上にあまり意味がありません。すべて同じ材料、同じ製造方法で作られている何万単位の製品を1単位ずつ原価計算することは現実的に不可能でもあります。このような場合、製造にかかった全体の金額を製造した数量で割ることで、製品1単位あたりの原価を求めます。これを総合原価計算といいます。

2 原価分類

個別原価計算では、製造直接費と製造間接費に原価を分類することが計算を行うために必要でしたが、総合原価計算は個別原価計算のように製品１単位ずつの原価を別々に計算するものではないので、製造直接費と製造間接費という原価の分類はあまり重要ではありません。

総合原価計算では、原料費（直接材料費）と加工費に原価を分類することが重要です。原料費とは、製品製造に直接的に要した材料費のことであり、加工費とは、原料費以外のものをすべて含んだものです。

		個別原価計算	総合原価計算
製造原価	材料費	直接材料費	原料費
		間接材料費	加工費
	労務費	直接労務費	
		間接労務費	
	経　費	直接経費	
		間接経費	

総合原価計算では、当月に生じた製造原価を完成品と月末仕掛品とに按分するにあたって、原料費と加工費を別々に計算します。

コトバ

原料費（直接材料費）：製品製造に直接的に要した材料費
加工費：製造原価のうち、原料費以外のもの

【勘定連絡図】

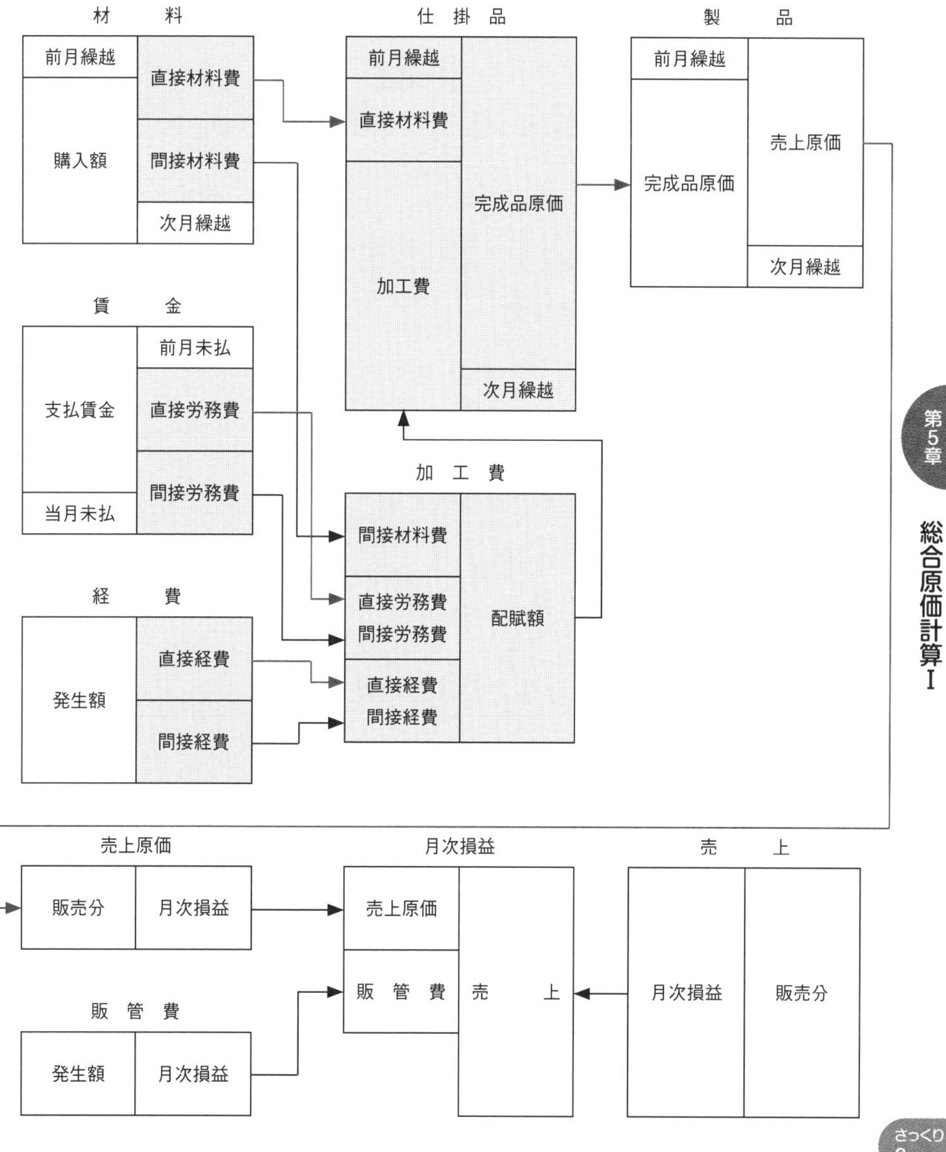
材　料
前月繰越
購入額
直接材料費
間接材料費
次月繰越
仕掛品
前月繰越
直接材料費
加工費
完成品原価
次月繰越
製　品
前月繰越
完成品原価
売上原価
次月繰越
賃　金
支払賃金
当月未払
前月未払
直接労務費
間接労務費
加工費
間接材料費
直接労務費
間接労務費
直接経費
間接経費
配賦額
経　費
発生額
直接経費
間接経費
売上原価
販売分
月次損益
月次損益
売上原価
販管費
売　上
売　上
月次損益
販売分
販管費
発生額
月次損益

例5－1　月末仕掛品がある場合

問題　次のような生産データと原価データが与えられている時、完成品原価と月末仕掛品原価を計算しなさい。

① 生産データ

完成品1個

月末仕掛品1個

② 原価データ

直接材料費：@¥100×2個＝¥200

（完成品と月末仕掛品へ1個ずつ直接材料が投入されている）

間接材料費：なし

直接労務費：@¥1,000×3時間＝¥3,000

（完成品1個作るのに2時間かかる）

間接労務費：なし

直接経費　：なし

間接経費　：@¥200×3時間＝¥600

（完成品1個作るのに2時間かかる）

【解答】

完成品原価	：¥ 2,500
月末仕掛品原価	：¥ 1,300

【考え方】

原価データとして与えられている各費目を、原料費と加工費に分類します。直接材料費¥200が原料費となるため、原料費は¥200、直接材料費以外のものが加工費となるため、加工費は¥3,600となります。したがって、当月の総製造費用（原料費と加工費の合計）が¥3,800となります。

完成品原価と月末仕掛品に対して、当月の総製造費用¥3,800を按分するにあたって非常に単純化した計算を行うとするならば、完成品も月末仕掛品も個数合計が2個であるため、次のような計算も考えられます。

完成品原価　　　：¥3,800÷2個 = ¥1,900
月末仕掛品原価：¥3,800÷2個 = ¥1,900

この計算はどこかおかしいように感じる方がいるかと思いますが、まさに不合理な計算を行っています。この計算では完成品1個と月末仕掛品1個が同じ金額となってしまいますが、完成品の方が月末仕掛品よりも製造するのにより多くの原価が掛かっているはずです。完成したものと作りかけのものが同じ原価というのはどう考えてもおかしいでしょう。そこで、当月の総製造費用を完成品と月末仕掛品へ按分するにあたり、**原価の発生の仕方**に着目します。

①　原料費の発生と計算

材料は「工程の始点」で投入されるため、**原料費は工程の始点で生じる**ことになります。製品を製造するにあたって、まずは材料を始めに投入して、その材料に加工をほどこすことで製品が出来上がります。つまり、始点で投入した材料を終点まで加工すれば完成品が出来上がり、終点まで加工していないものが仕掛品となるのです。

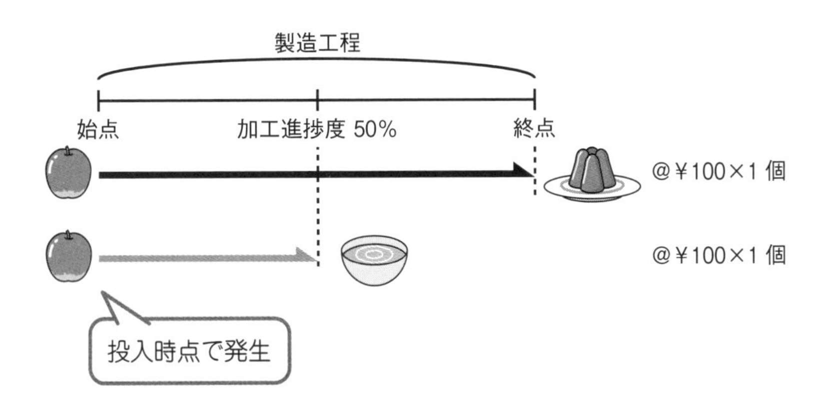

ここで、原料費に着目すると、完成品1個でも月末仕掛品1個でも同じ量の材料が投入されているので、どちらも1個あたりが負担する原料費は同じ金額となるはずです。

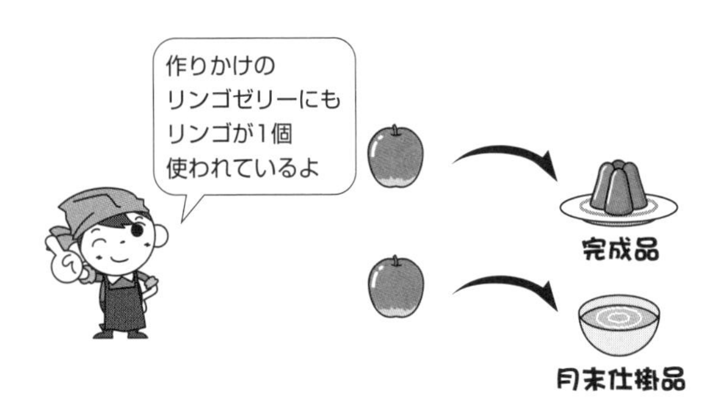

以上のことから、完成品と月末仕掛品とに原料費を按分するにあたり、両者の**実在量**に基づき按分すればよいことがわかります。

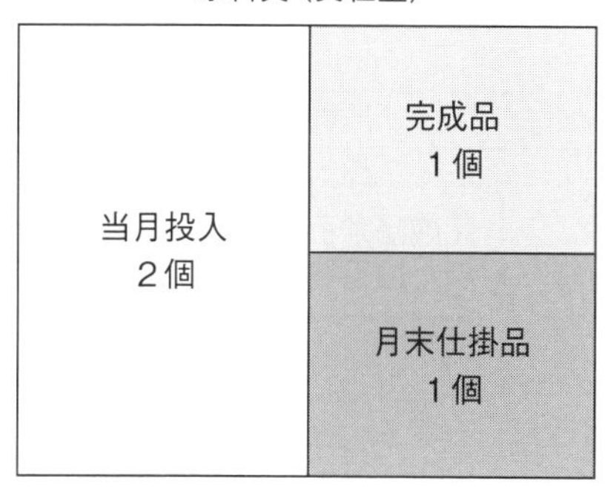

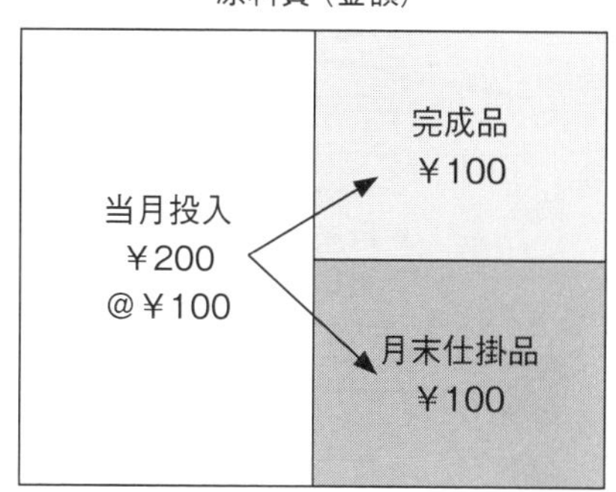

完成品が負担する原料費　　：$¥200 \times \dfrac{1\text{個}}{2\text{個}} = ¥100$

月末仕掛品が負担する原料費：$¥200 \times \dfrac{1\text{個}}{2\text{個}} = ¥100$

②　加工費の発生と計算

始点で投入された原料に対して、工程を通じて加工作業がほどこされるため、工程が進むにつれて加工費が生じます。つまり、**加工費は工程を通じて平均発生**します。具体的には、1時間しか加熱していないものと、2時間加熱したものとでは、生じた労務費や光熱費の金額に差が生まれるはずです。そのため、加工費を完成品と月末仕掛品に按分する際に、原料費のように実在量で按分するわけにはいきません。そこで進捗、**加工進捗度**（かこうしんちょくど）と**完成品換算量**（かんせいひんかんざんりょう）（**加工換算量**（かこうかんざんりょう））という考え方を用いて加工費の按分を行います。

コトバ

加工進捗度：加工作業がどの程度進んだのかを表す数値
完成品換算量：完成品でいえば何個分の原価が含まれているかを表す数値

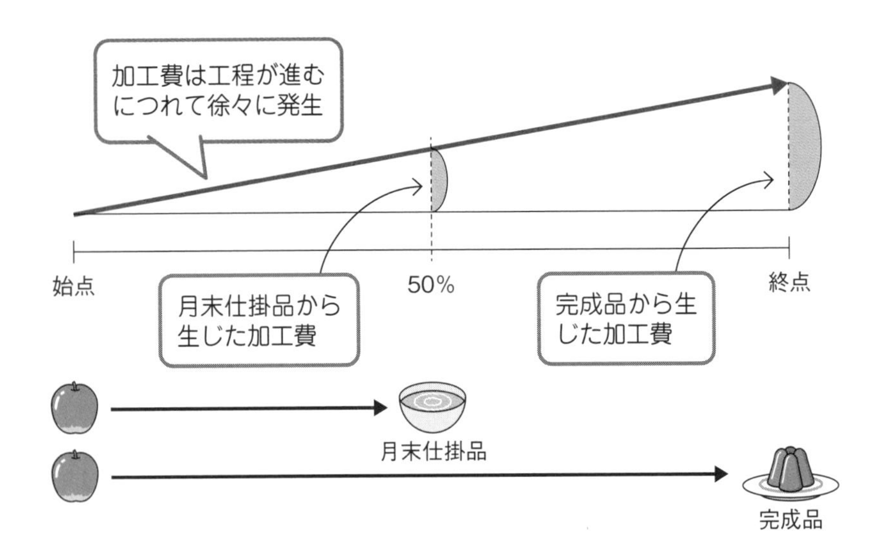

加工進捗度とは、加工作業がどの程度進んだのかを表す数字です。例えば、加工進捗度50%であれば、加工作業が50%進んでいることを表しています。この加工進捗度が100%になれば完成品が出来上がります。この加工進捗度を実在量に掛けることで完成品換算量を算定することができます。

完成品換算量　＝　実在量　×　加工進捗度

月末仕掛品と完成品では、同じ1個でも負担する加工費の金額が異なるので、この完成品換算量を用いて加工費の按分を行います。

完成品に2時間、月末仕掛品に1時間だけ作業が行われていると考えられるため、月末仕掛品の加工進捗度は50%と計算できます。したがって、月末仕掛品の完成品換算量は0.5個（1個×50%）と求まります。つまり、月末仕掛品1個は「完成品に換算すると0.5個分の加工費を負担する」と考えることができます。

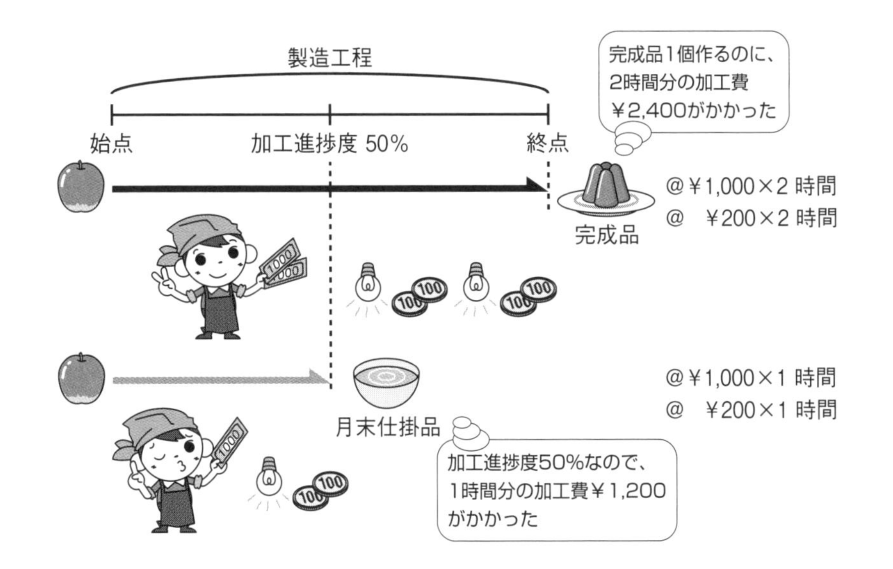

加工費（完成品換算量）

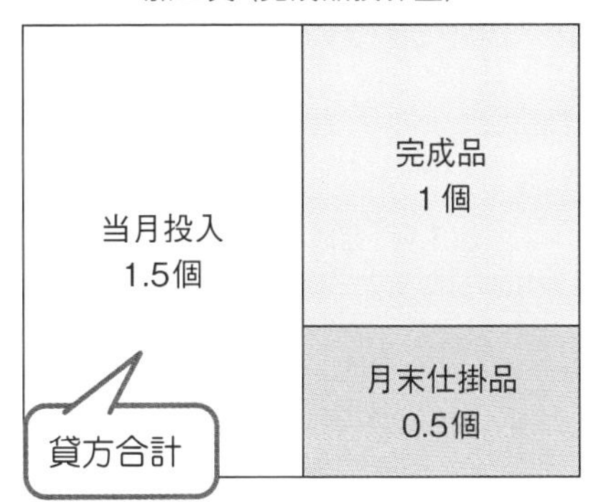

加工費（金額）

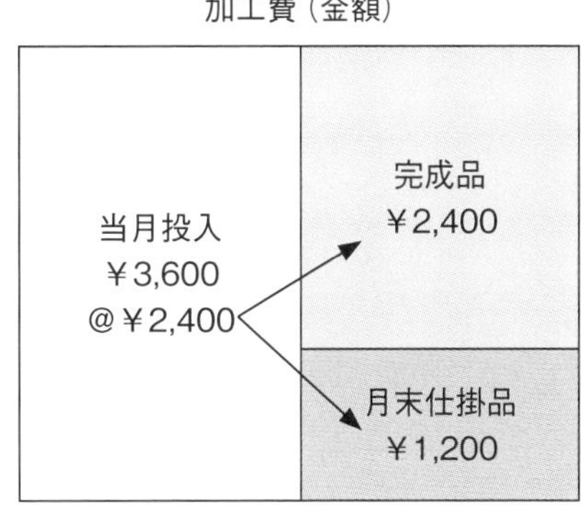

$$\text{完成品が負担する加工費}\quad：¥3,600 \times \frac{1\text{個}}{1.5\text{個}} = ¥2,400$$

$$\text{月末仕掛品が負担する加工費}：¥3,600 \times \frac{0.5\text{個}}{1.5\text{個}} = ¥1,200$$

当月投入の完成品換算量1.5個（完成品１個＋月末仕掛品0.5個）は、当月に完成品1.5個分に相当する加工作業をほどこしたことを表します。そして、その作業にかかった加工費が¥3,600ですから、１個あたりの加工費は¥2,400（¥3,600÷1.5個）となります。

以上のことから、完成品、月末仕掛品ともに原料費と加工費の合計を出せば、完成品原価、月末仕掛品原価を求めることができます。

完成品原価	：原料費￥100＋加工費￥2,400＝￥2,500
月末仕掛品原価	：原料費￥100＋加工費￥1,200＝￥1,300

<ボックス図について>

ボックス図を用いて完成品と月末仕掛品の原価を算定しましたが、ボックスは仕掛品勘定と考えてください。仕掛品勘定の借方には、月初仕掛品原価と当月投入原価が記入され、貸方には完成品原価と月末仕掛品原価が記入されます。

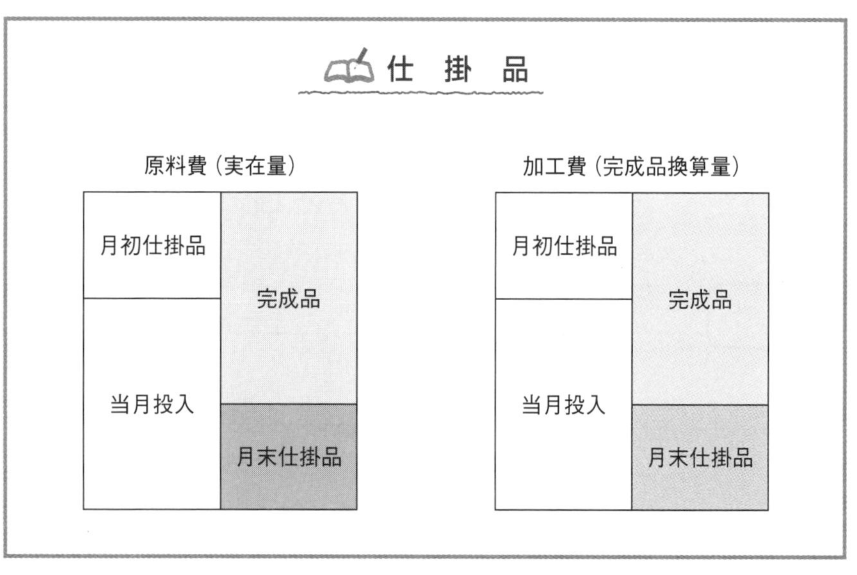

2 月初仕掛品がある場合

イントロダクション

本節では、製品１種類しか製造していないシンプルな会社が適用する単純総合原価計算について学習します。他の総合原価計算を学習する上でも基本となる計算を取り扱いますから、重要性が高いです。

1 月初仕掛品

前月末において製造途中の製品があれば、それが当月に繰り越されてきて、当月において完成品になります。この月初仕掛品がない場合は、当月の製造にかかった製造原価である「当月投入原価」を完成品と月末仕掛品とに按分すればよかったわけですが、月初仕掛品がある場合は、月末仕掛品原価を算定し、次のように完成品原価を求めます。

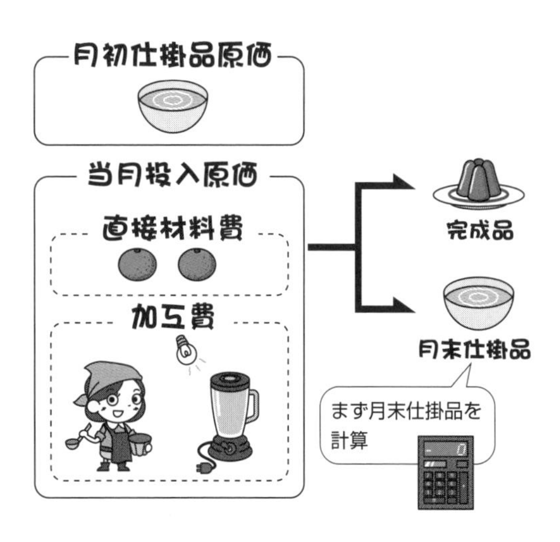

完成品原価　＝　月初仕掛品原価＋当月投入原価－月末仕掛品原価

2 原価按分法

月初仕掛品がある場合において、月末仕掛品の原価を算定するためには、**平均法**と**先入先出法**の２つの方法があります。

平均法とは、月初仕掛品原価と当月投入原価を区別せず、その合計から平均単価を算定し、その単価に基づいて月末仕掛品原価を算定する方法です。

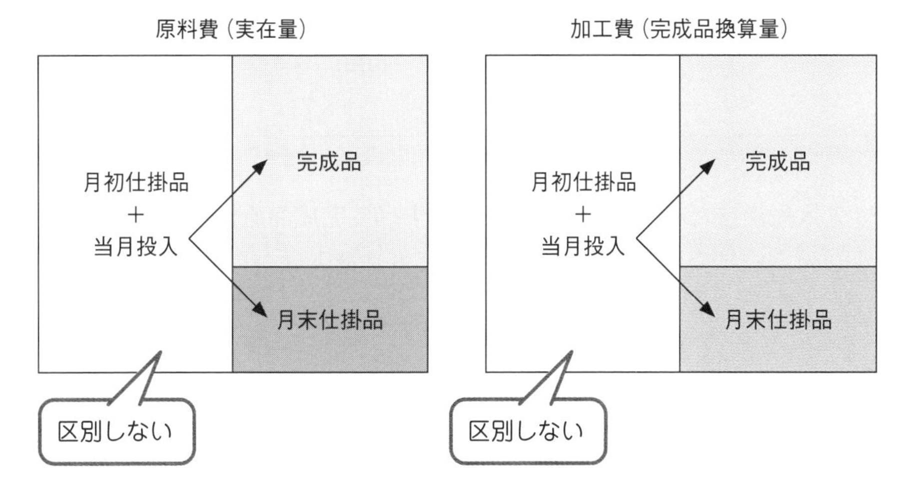

月初仕掛品原価と当月投入原価を合算したものを**総製造費用**といいます。したがって、平均法とは、総製造費用から算定した平均単価に基づいて、月末仕掛品原価を計算する方法といえます。

他方、先入先出法とは、先に入ったものは先に完成するという仮定のもと、月初仕掛品が先に完成品となり、当月投入分から残りの完成品と月末仕掛品が生じると考える方法です。つまり、月末仕掛品原価を算定するにあたり、当月投入原価の単価を用いて計算します。

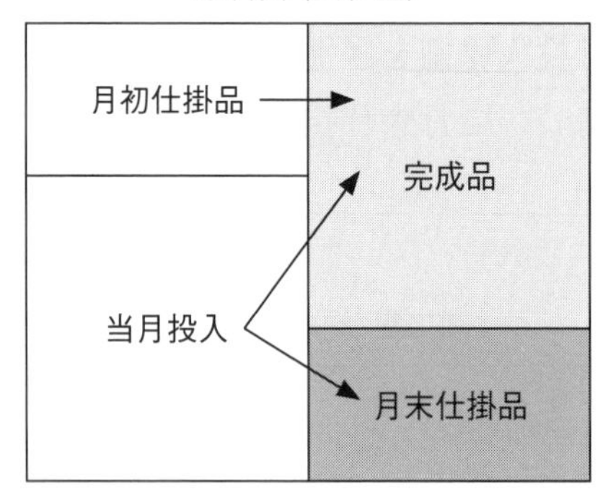

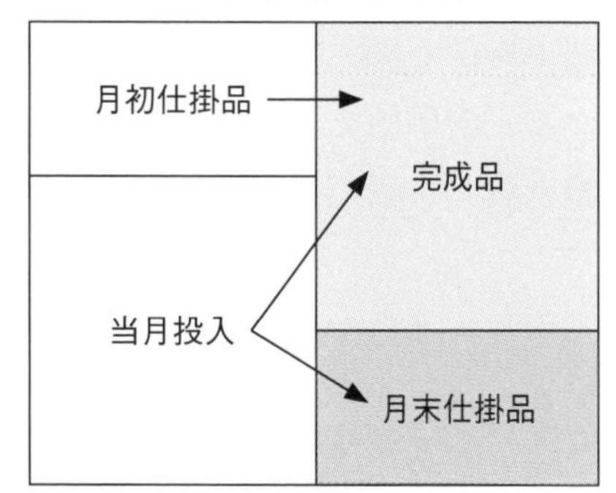

先入先出法では､月初仕掛品原価はすべて完成品原価の中に含まれ、残りの完成品原価と月末仕掛品原価は当月投入分から計算されます。

例5－2　月初仕掛品がある場合（平均法）

問題　平均法により、月末仕掛品原価、完成品原価、完成品単位原価を計算しなさい。

①生産データ

月初仕掛品	1,000個	（1/2）
当月投入	7,500個	
合　　計	8,500個	
月末仕掛品	1,500個	（3/5）
完成品	7,000個	

・原料は工程の始点で投入する。
・（　　）は加工進捗度を表す。
・計算上生じる端数は小数点以下第2位を四捨五入する。

②原価データ

原料費

月初仕掛品	¥　192,500
当月投入	¥1,507,500

加工費

月初仕掛品	¥　139,800
当月投入	¥1,835,200

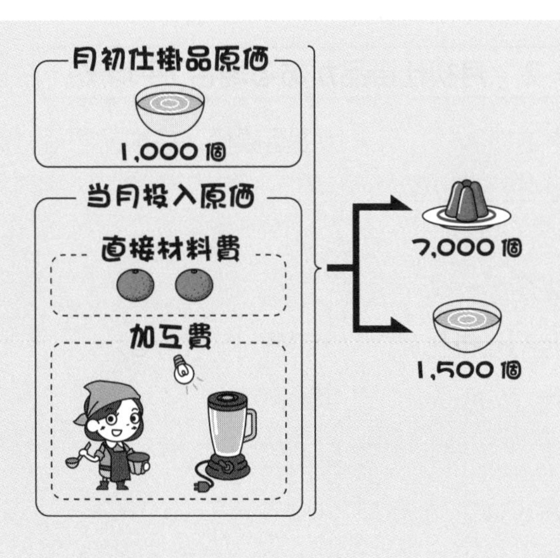

【解答】

月末仕掛品原価：¥　525,000
完成品原価　　：¥3,150,000
完成品単位原価：@¥　　450

【考え方】

月初仕掛品があり、平均法による原価按分が求められているため、月初仕掛品原価と当月投入原価の合計である総製造費用から平均単価を計算し、月末仕掛品原価を算定します。

まずは、原料費に関する総製造費用¥1,700,000（¥192,500＋¥1,507,500）を完成品と月末仕掛品へ実在量の比で按分します。

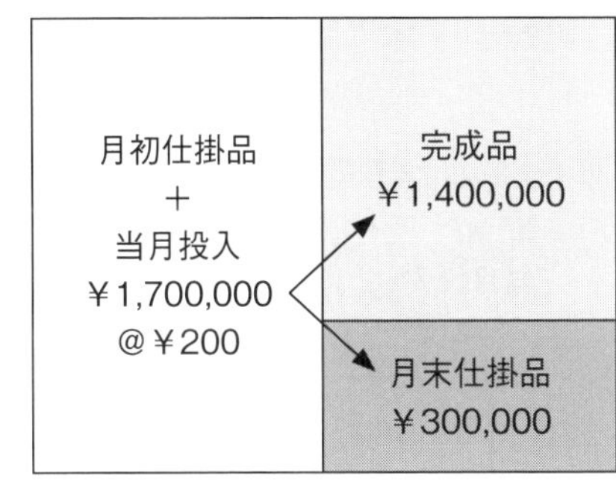

月末仕掛品が負担する原料費

$$￥1,700,000 \times \frac{1,500個}{8,500個} = ￥300,000$$

完成品が負担する原料費

$$￥1,700,000 - ￥300,000 = ￥1,400,000$$

なお、完成品が負担する原料費については、次のように計算しても計算結果は同じになります。

完成品が負担する原料費

$$￥1,700,000 \times \frac{7,000個}{8,500個} = ￥1,400,000$$

次に、加工費に関する総製造費用￥1,975,000（￥139,800＋￥1,835,200）を完成品と月末仕掛品へ完成品換算量の比で按分します。なお、月末仕掛品の完成品換算量は、実在量1,500個×加工進捗度3/5で900個となります。

第5章
総合原価計算Ⅰ

さっくり3日目
しっかり5日目
じっくり7日目

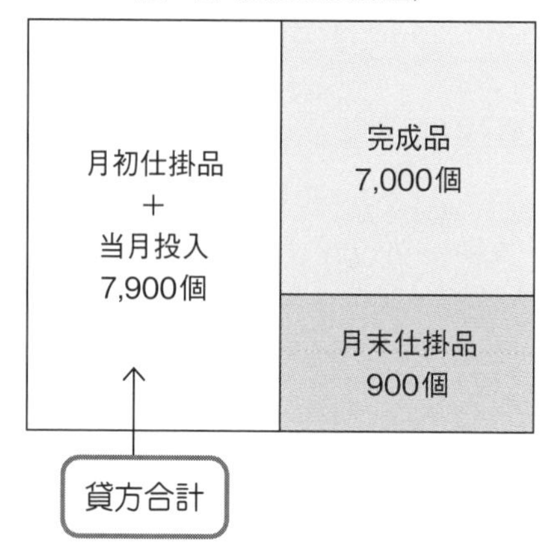

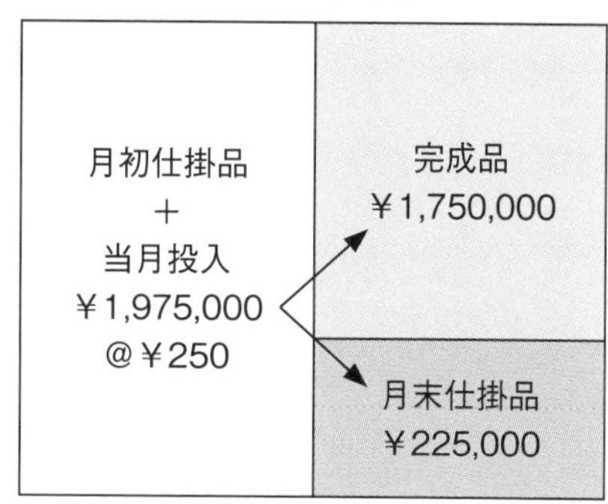

上の図を書いて
データを整理しよう

月末仕掛品が負担する加工費

$$￥1{,}975{,}000 \times \frac{900\text{個}}{7{,}900\text{個}} = ￥225{,}000$$

完成品が負担する加工費

$$￥1{,}975{,}000 - ￥225{,}000 = ￥1{,}750{,}000$$

なお、完成品が負担する加工費については、次のように計算しても計算結果は同じになります。

完成品が負担する加工費

$$￥1{,}975{,}000 \times \frac{7{,}000\text{個}}{7{,}900\text{個}} = ￥1{,}750{,}000$$

以上から、月末仕掛品原価、完成品原価、完成品単位原価を算定すると以下の通りです。

月末仕掛品原価	：￥300,000 + ￥225,000 = ￥525,000
完成品原価	：￥1,400,000 + ￥1,750,000 = ￥3,150,000
完成品単位原価	：￥3,150,000 ÷ 7,000個 = @￥450

例5－3　月初仕掛品がある場合（先入先出法）

問題　先入先出法により、月末仕掛品原価、完成品原価、完成品単位原価を計算しなさい。

① 生産データ

月初仕掛品	1,000個	(1/2)
当月投入	7,500個	
合　　計	8,500個	
月末仕掛品	1,500個	(3/5)
完 成 品	7,000個	

・原料は工程の始点で投入する。
・(　　)は加工進捗度を表す。
・計算上生じる端数は小数点以下第2位を四捨五入する。

② 原価データ

月初仕掛品

原 料 費	￥　192,500
加 工 費	￥　139,800

当月投入

原 料 費	￥1,507,500
加 工 費	￥1,835,200

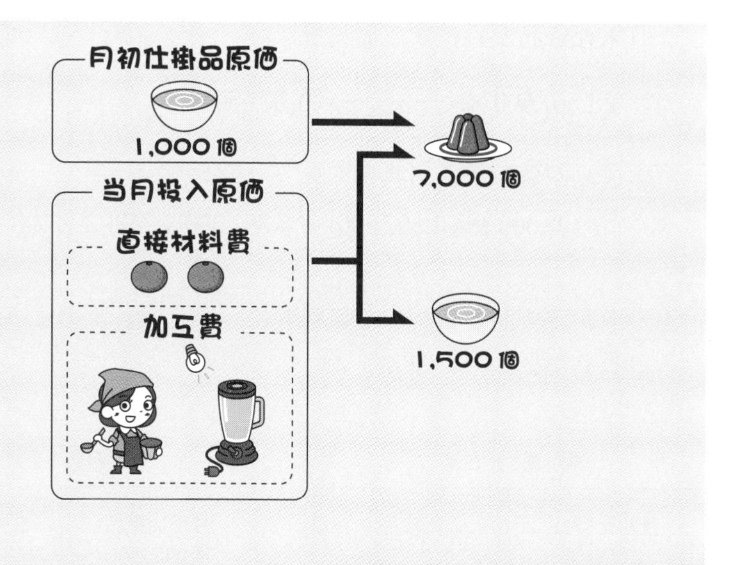

【解答】

月末仕掛品原価：¥　524,700
完成品原価　　：¥ 3,150,300
完成品単位原価：@¥　　450.0

【考え方】

月初仕掛品があり、先入先出法による原価按分が求められているため、月初仕掛品原価と当月投入原価とを区別して計算を行います。

まずは、原料費について完成品と月末仕掛品とに実在量の比で原価按分します。

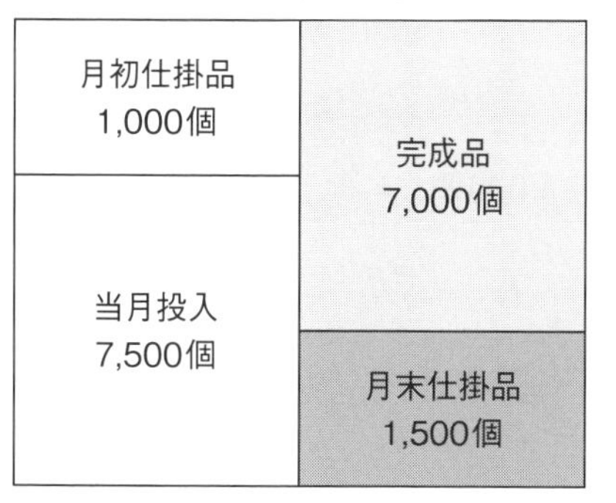

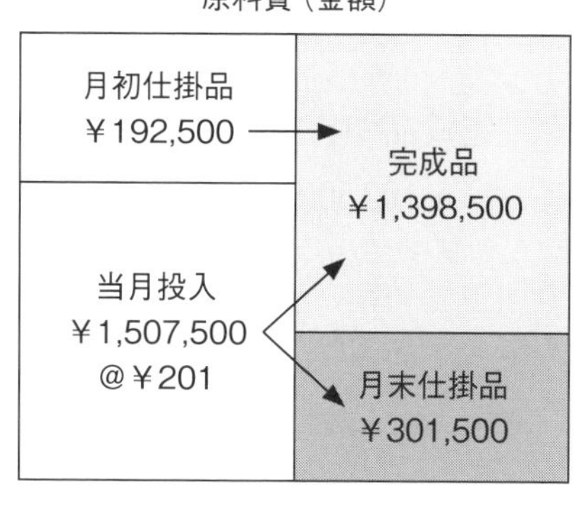

第5章
総合原価計算Ⅰ

さっくり3日目
しっかり5日目
じっくり7日目

月末仕掛品が負担する原料費

$$¥1{,}507{,}500 \times \frac{1{,}500個}{7{,}500個} = ¥301{,}500$$

完成品が負担する原料費

$$(¥192{,}500 + ¥1{,}507{,}500) - ¥301{,}500 = ¥1{,}398{,}500$$

なお、完成品が負担する原料費については、次のように計算しても計算結果は同じになります。

原料費（実在量）

月初仕掛品 1,000個	完成品 1,000個
当月投入 7,500個	完成品 6,000個
	月末仕掛品 1,500個

原料費（金額）

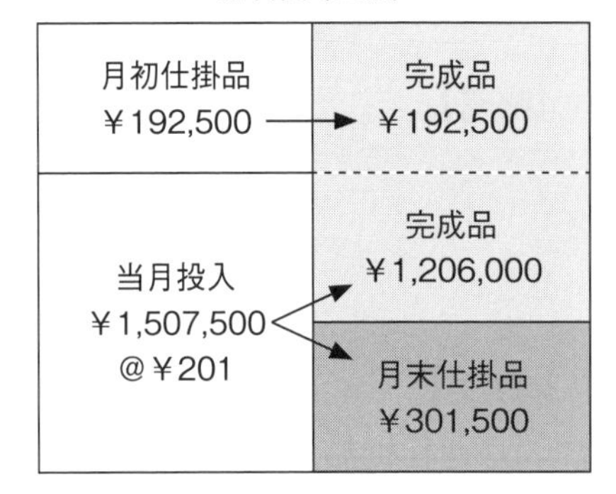

完成品の内訳は、月初仕掛品だったもので当月に完成品になった1,000個と、当月に新たに材料を投入して完成品になった6,000個（7,000個－1,000個）になります。これらに含まれる原料費を直接的に計算し、完成品が負担する原料費を求めると以下の通りです。

完成品が負担する原料費

$$¥192{,}500 + @¥201 \times (7{,}000個 - 1{,}000個) = ¥1{,}398{,}500$$

次に、加工費について完成品と月末仕掛品とに完成品換算量の比で原価按分します。なお、月初仕掛品、月末仕掛品、当月投入の完成品換算量は次の通りです。

月初仕掛品の完成品換算量

実在量1,000個×加工進捗度1/2 ＝ 500個

月末仕掛品の完成品換算量

実在量1,500個×加工進捗度3/5 ＝ 900個

当月投入の完成品換算量

（7,000個＋900個）－500個 ＝ 7,400個

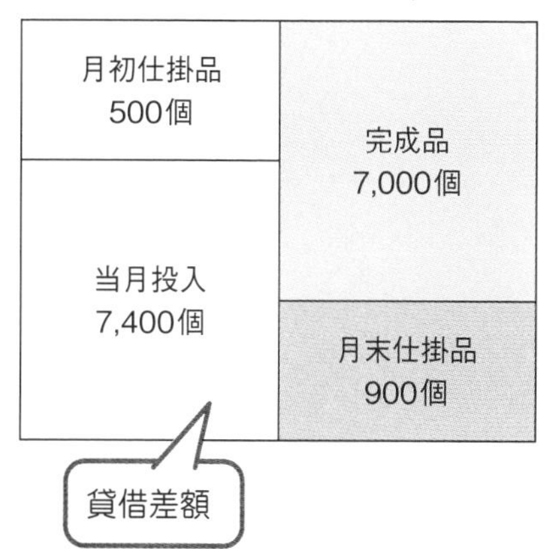

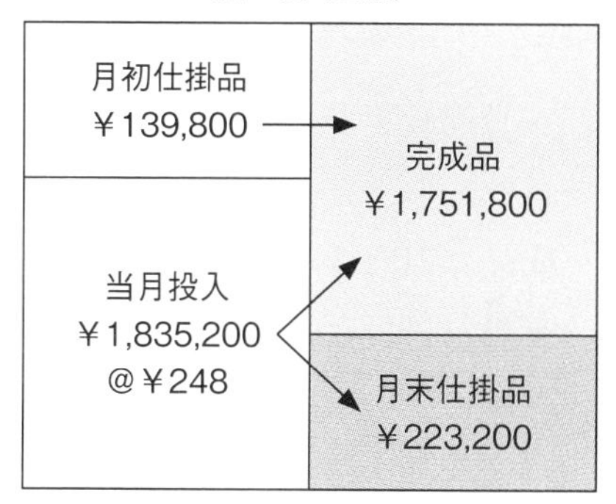

月末仕掛品が負担する加工費

$$￥1,835,200 \times \frac{900個}{7,400個} = ￥223,200$$

完成品が負担する加工費

（￥139,800＋￥1,835,200）－￥223,200 ＝ ￥1,751,800

なお、完成品が負担する加工費については、次のように計算しても計算結果は同じになります。

加工費（完成品換算量）

月初仕掛品 500個	完成品 500個
当月投入 7,400個	完成品 6,500個
	月末仕掛品 900個

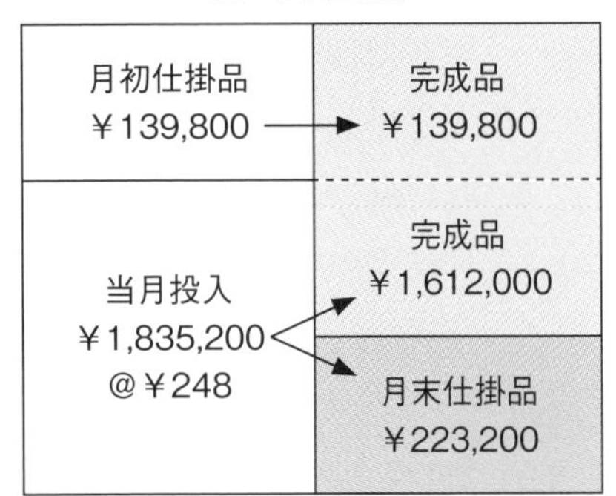

月初仕掛品には完成品500個分の加工作業が前月においてほどこされており、その原価がそのまま完成品原価に含まれる。当月の完成品は7,000個であるため、残り6,500個（7,000個－500個）分の加工を当月にほどこしたと考えて加工費の按分を行うことができます。

完成品が負担する加工費

￥139,800＋@￥248×（7,000個－500個）＝ ￥1,751,800

以上から、月末仕掛品原価、完成品原価、完成品単位原価を算定すると以下の通りです。

月末仕掛品原価	：￥301,500 + ￥223,200 = ￥524,700
完成品原価	：￥1,398,500 + ￥1,751,800 = ￥3,150,300
完成品単位原価	：￥3,150,300 ÷ 7,000個 ≒ @￥450.0

3 加工費の予定配賦

これまでは実際に発生した加工費を配賦する実際配賦を前提に学習してきました。この節では、加工費について予定配賦する場合を学習します。この場合、加工費の予定配賦額と実際発生額との間にズレが生じることになるので、「**加工費配賦差異**」が生じます。

発生した加工費配賦差異は売上原価に直課（賦課）されます。

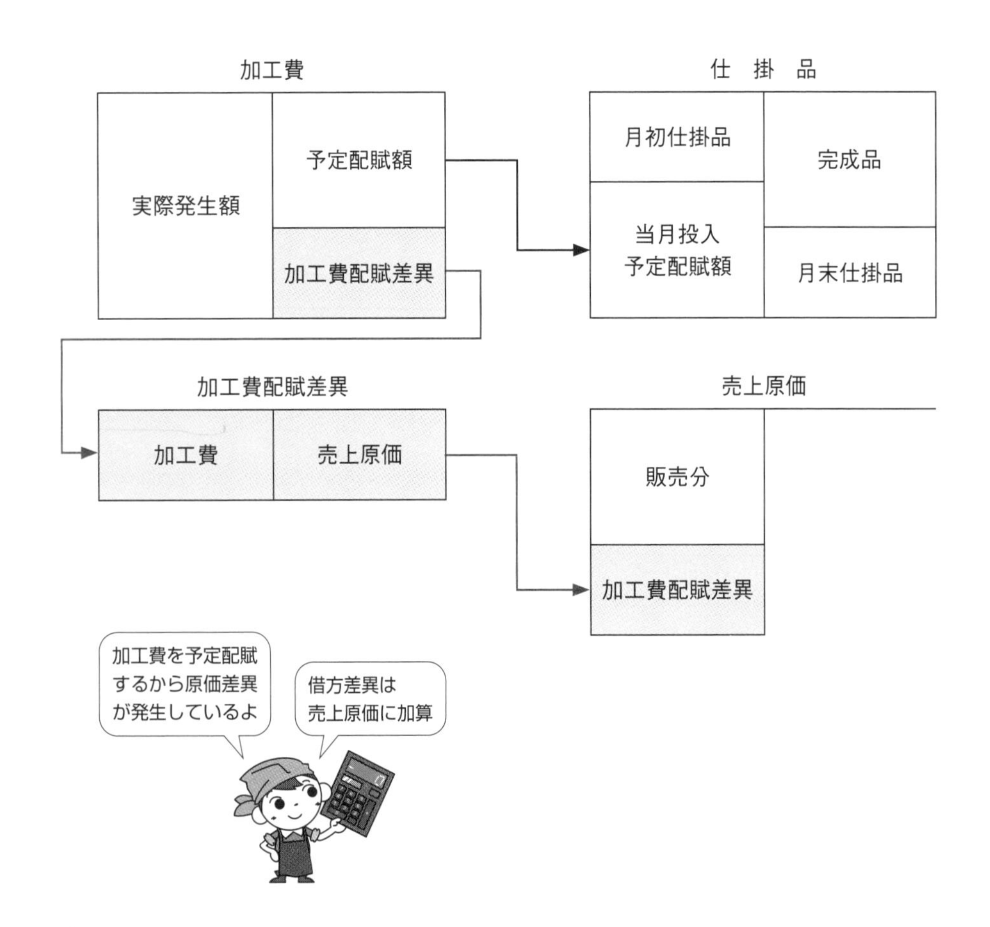

例5－4　加工費の予定配賦

問題　以下の資料により、月末仕掛品原価、完成品原価、完成品単位原価を計算しなさい。

① 生産データ

月初仕掛品	400個	(1/2)
当月投入	2,500個	
合　　計	2,900個	
月末仕掛品	900個	(2/3)
完成品	2,000個	

当月投入の計算に注意しよう

・原料は工程の始点で投入する。
・(　　)は加工進捗度を表す。
・月末仕掛品の評価は先入先出法による。

② 実際原価データ

原料費

月初仕掛品	¥　16,600
当月投入	¥　110,000

加工費

月初仕掛品	¥　23,800
当月投入	¥　278,400

③ 加工費の予定配賦に関するデータ

・加工費年間予算額：¥3,360,000
・年間基準操業度：48,000機械作業時間
・当月実際操業度：3,600機械作業時間

【解答】

月末仕掛品原価	¥102,600
完 成 品 原 価	¥299,800
完成品単位原価	@¥149.9

【考え方】

まず、加工費予定配賦率を求め、加工費予定配賦額を算定します。

加工費予定配賦率

加工費年間予算額¥3,360,000÷年間基準操業度48,000時間
＝@¥70

加工費予定配賦額

@¥70×実際操業度3,600時間 ＝ ¥252,000

次に、原材料は実在量を基準に、加工費は完成品換算量を基準に完成品と仕掛品に原価按分します。

原料費（実在量）

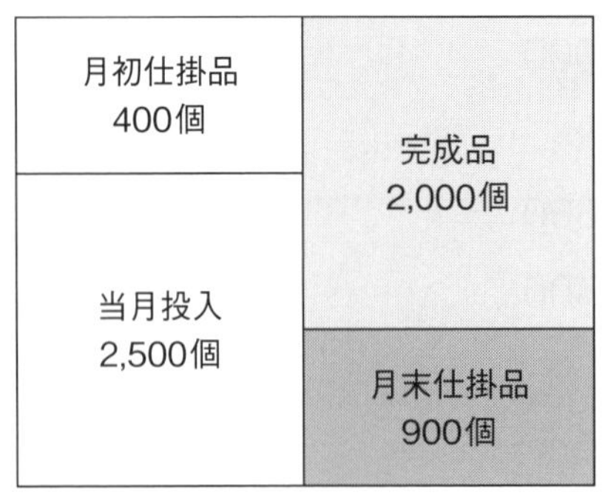

原料費（金額）

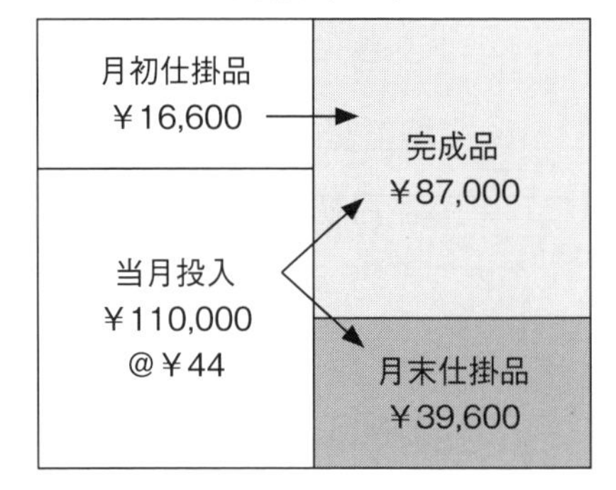

月末仕掛品が負担する原料費

$$¥110{,}000 \times \frac{900個}{2{,}500個} = ¥39{,}600$$

完成品が負担する原料費

（¥16,600＋¥110,000）－¥39,600 ＝ ¥87,000　もしくは

¥16,600＋@¥44×（2,000個－400個）＝ ¥87,000

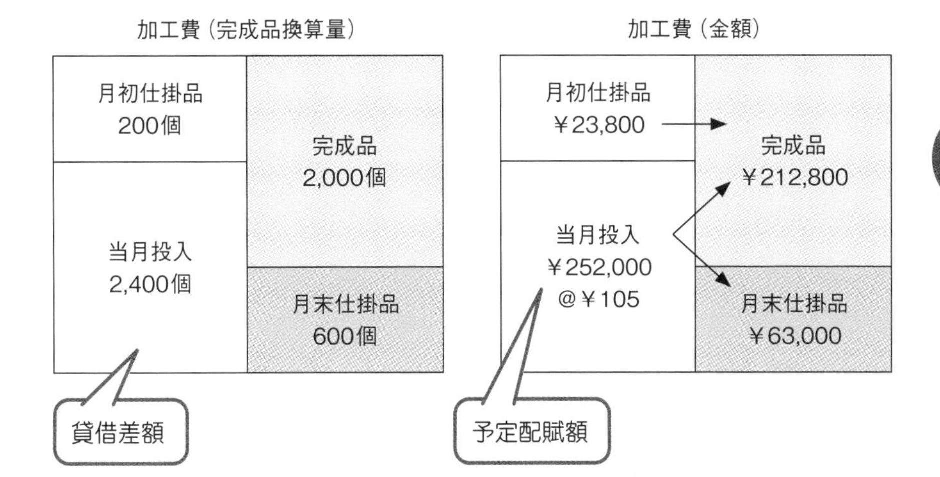

月末仕掛品が負担する加工費

$$¥252{,}000 \times \frac{600個}{2{,}400個} = ¥63{,}000$$

完成品が負担する加工費

（¥23,800＋¥252,000）－¥63,000 ＝ ¥212,800　もしくは

¥23,800＋@¥105×（2,000個－200個）＝ ¥212,800

以上より、月末仕掛品原価、完成品原価、完成品単位原価を計算すると次の通りです。

月末仕掛品原価：¥39,600 + ¥63,000 = ¥102,600
完成品原価　　：¥87,000 + ¥212,800 = ¥299,800
完成品単位原価：¥299,800 ÷ 2,000個 = @¥149.9

3 材料を追加投入する場合

イントロダクション

本節では、少し応用的な単純総合原価計算の内容を取り扱います。前節までは、製品製造における材料が工程の始点でしか投入されないことを想定してきましたが、現実的には製品を製造するのに複数の材料が工程のいたるところで投入されます。その場合の計算を見ていきます。

1 平均的に投入する場合

工程を通じて平均的に追加の材料を投入することがあります。例えば、料理をする際に調味料を平均的に投入していくことを考えます。このような場合、追加投入される原料費は、加工費と同じように工程を通じて平均的に発生すると考えます。

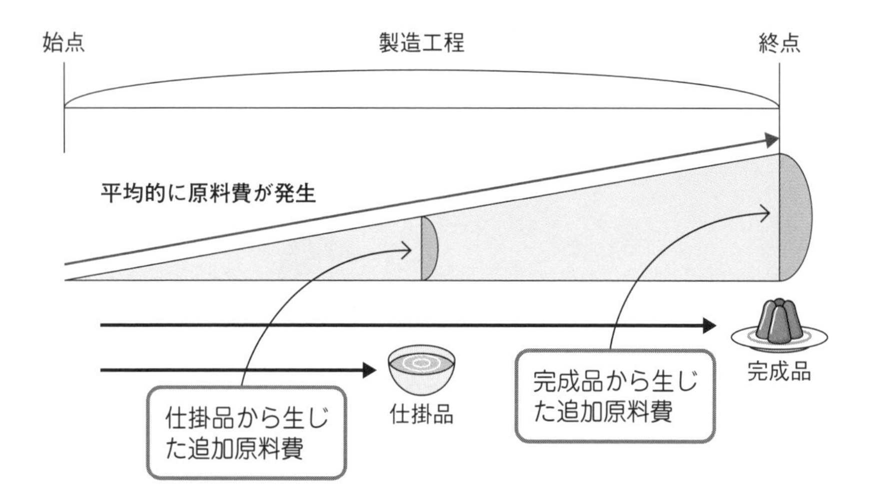

完成品と月末仕掛品が負担する追加原料費は、上図の通り、完成品１単位と仕掛品１単位とでは１単位あたりが負担する追加原料費が異なります。そこで、両者に追加原料費を按分するにあたり、**完成品換算量**を用いて計算します。

例5－5　材料を平均的に追加投入する場合

問題　平均法により、月末仕掛品原価、完成品原価、完成品単位原価を計算しなさい。

① 生産データ

月初仕掛品	1,000個	(1/2)
当月投入	7,500個	
合　　計	8,500個	
月末仕掛品	1,500個	(3/5)
完成品	7,000個	

・A原料は工程の始点で、B原料は工程を通じて平均投入する。
・(　　)は加工進捗度を表す。
・計算上生じる端数は小数点以下第2位を四捨五入する。

② 原価データ

月初仕掛品

A原料費	¥　192,500
B原料費	¥　117,300
加工費	¥　139,800

第5章
総合原価計算Ⅰ

さっくり 4日目
しっかり 5日目
じっくり 8日目

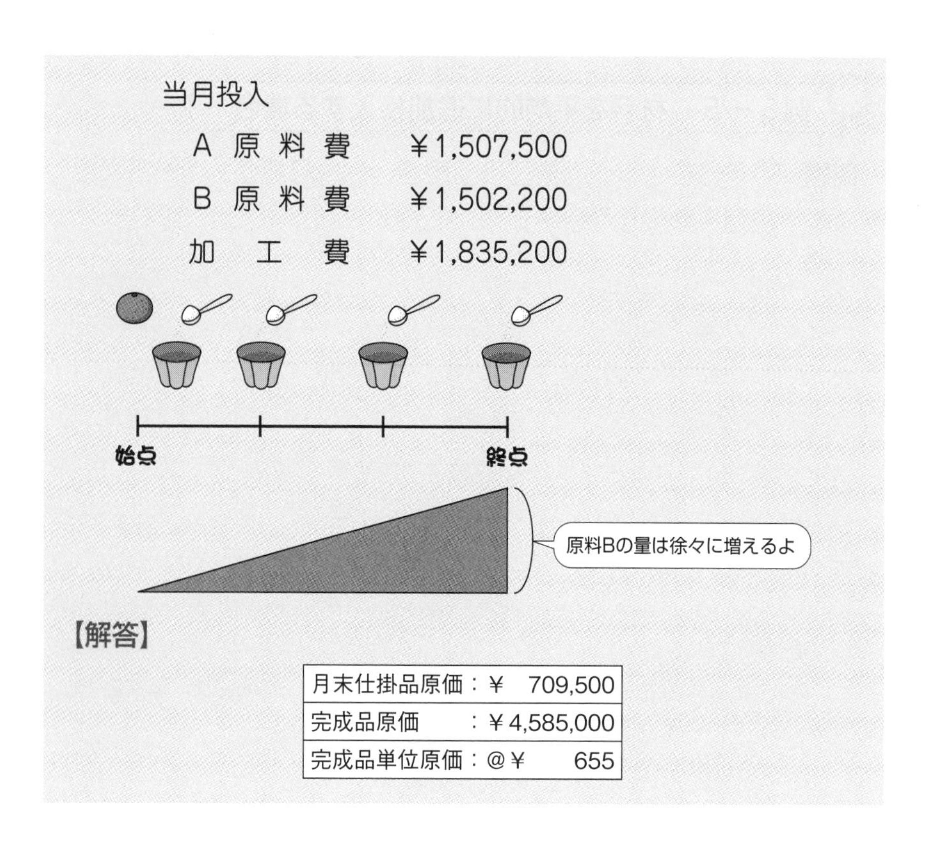

【解答】

月末仕掛品原価：¥	709,500
完成品原価 ：¥	4,585,000
完成品単位原価：@¥	655

【考え方】

まずは、A原料費に関する総製造費用¥1,700,000（¥192,500＋¥1,507,500）を実在量の比で完成品と月末仕掛品へ按分します。

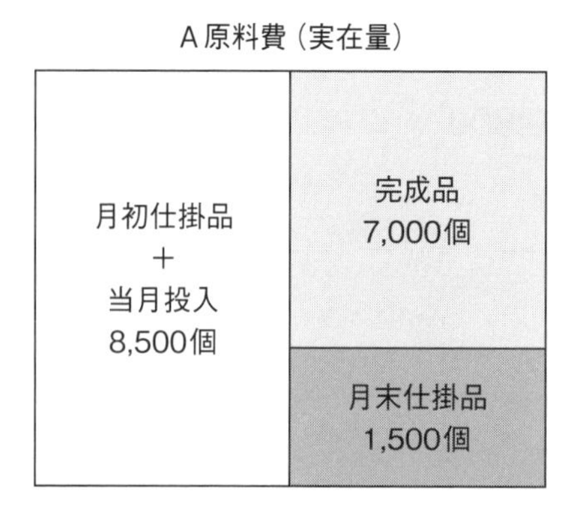

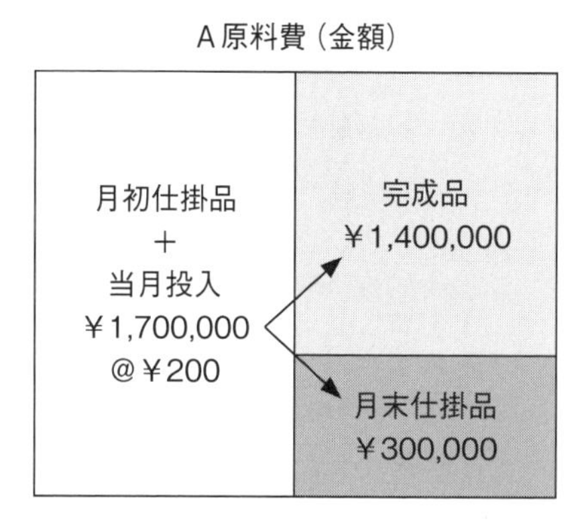

月末仕掛品が負担するA原料費

$$¥1,700,000 \times \frac{1,500\text{個}}{8,500\text{個}} = ¥300,000$$

完成品が負担するA原料費

$$¥1,700,000 - ¥300,000 = ¥1,400,000$$

次に、追加投入されたB原料費について完成品と月末仕掛品とに按分することを考えます。月末仕掛品に原料Bが追加投入される過程を整理すると次のようになります。

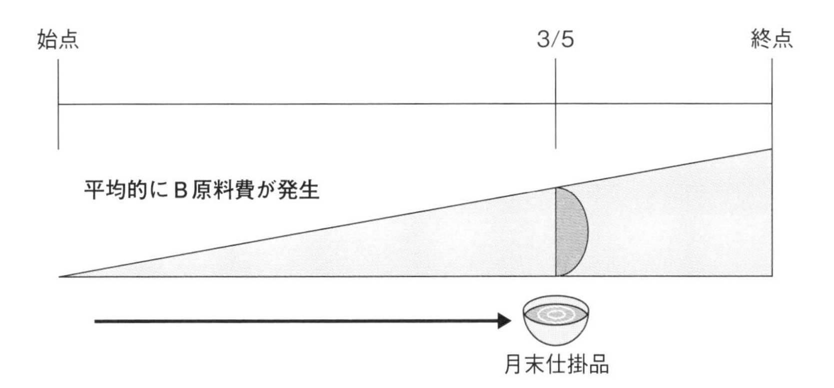

B原料費に関する総製造費用¥1,619,500（¥117,300＋¥1,502,200）を完成品と月末仕掛品へ完成品換算量の比で按分します。

なお、月末仕掛品の完成品換算量は、実在量1,500個×加工進捗度3/5で900個となります。

第5章 総合原価計算Ⅰ

さっくり 4日目
しっかり 5日目
じっくり 8日目

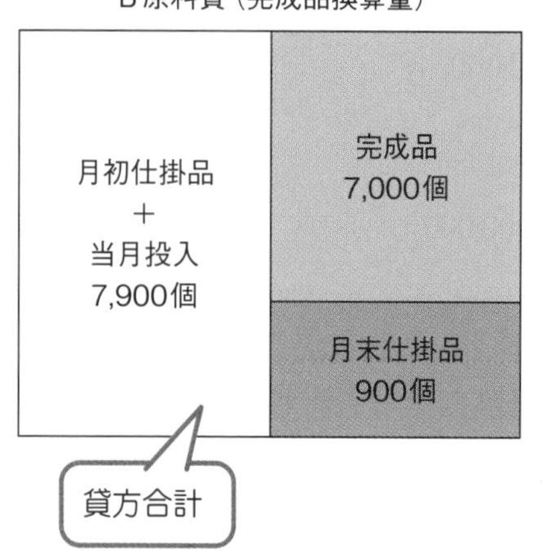

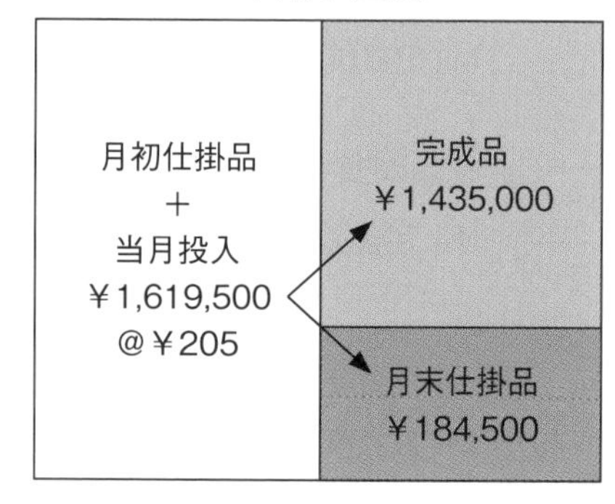

月末仕掛品が負担するB原料費

$$￥1{,}619{,}500 \times \frac{900個}{7{,}900個} = ￥184{,}500$$

完成品が負担するB原料費

$$￥1{,}619{,}500 - ￥184{,}500 = ￥1{,}435{,}000$$

最後に、加工費に関する総製造費用￥1,975,000（￥139,800＋￥1,835,200）を完成品と月末仕掛品へ完成品換算量の比で按分します。なお、月末仕掛品の完成品換算量は、実在量1,500個×加工進捗度3/5で900個となります。

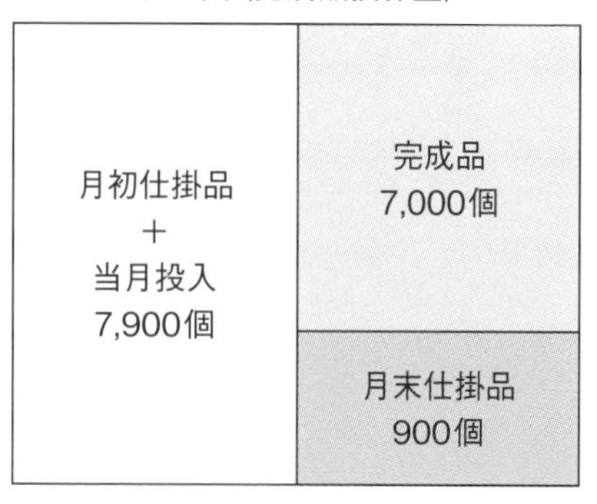

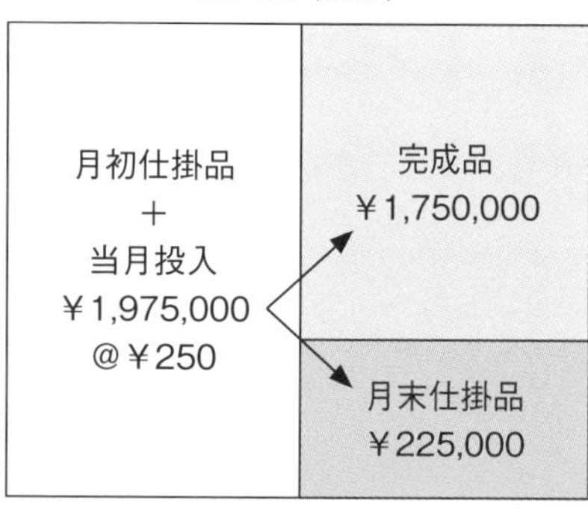

月末仕掛品が負担する加工費

$$¥1,975,000 \times \frac{900個}{7,900個} = ¥225,000$$

完成品が負担する加工費

¥1,975,000 − ¥225,000 ＝ ¥1,750,000

以上から、月末仕掛品原価、完成品原価、完成品単位原価を算定すると以下の通りです。

月末仕掛品原価	：¥300,000 + ¥184,500 + ¥225,000 = ¥709,500
完成品原価	：¥1,400,000 + ¥1,435,000 + ¥1,750,000 = ¥4,585,000
完成品単位原価	：¥4,585,000 ÷ 7,000個 = @¥655

第5章 総合原価計算Ⅰ

さっくり4日目 しっかり5日目 じっくり8日目

2　途中点で投入する場合

工程の始点のみでなく、途中点で追加の材料を投入することがあります。例えば、料理をする際に、途中で具材をはじめて追加することを考えます。このような場合、完成品と月末仕掛品とに追加の原料費をどのように按分するのかが問題となります。結論としては、月末仕掛品の加工進捗度が材料の追加投入される点を越えている場合、完成品と月末仕掛品の**実在量**の比をもって按分します。なぜならば、完成品でも仕掛品でも材料の追加投入点を通過したのであれば、１単位あたりが負担する原料費は同じになるからです。

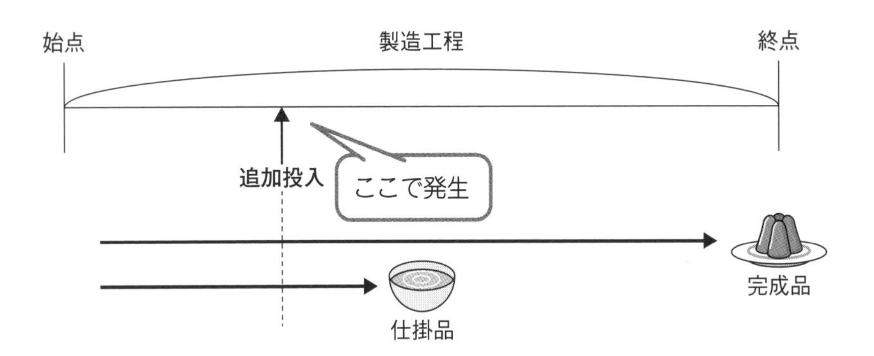

上図のように、仕掛品の加工進捗度が追加投入点を越えている場合、１単位あたりが負担する追加原料費は完成品と同じになります。工程の始点で投入される原料費と考え方は基本的に同じです。

仕掛品の加工進捗度が追加投入点を越えていない場合は、仕掛品が負担する追加原料費はゼロとなります。つまり、仕掛品には追加材料費はまだ投入されていないと考えます。

途中点で投入する場合の計算方法

仕掛品の加工進捗度≧追加投入点の場合

　仕掛品の実在量を計算に用いる。

仕掛品の加工進捗度＜追加投入点の場合

　仕掛品の数量をゼロとして計算を行う。

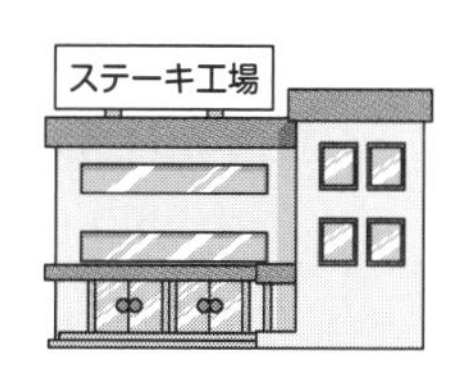

第5章 総合原価計算Ⅰ

さっくり4日目 しっかり6日目 じっくり8日目

例5－6　材料を途中点で追加投入

問題　先入先出法により、月末仕掛品原価、完成品原価、完成品単位原価を計算しなさい。

① 生産データ

月初仕掛品	2,000個	(1/2)
当 月 投 入	7,000個	
合　　計	9,000個	
月末仕掛品	1,600個	(3/4)
完 成 品	7,400個	

・A原料は工程の始点で、B原料は60%点で投入する。
・(　　)は加工進捗度を表す。
・計算上生じる端数は小数点以下第2位を四捨五入する。

② 原価データ

月初仕掛品

A 原 料 費	¥　396,000
加　工　費	¥　246,000

当月投入

A 原 料 費	¥1,414,000
B 原 料 費	¥1,170,000
加　工　費	¥1,884,800

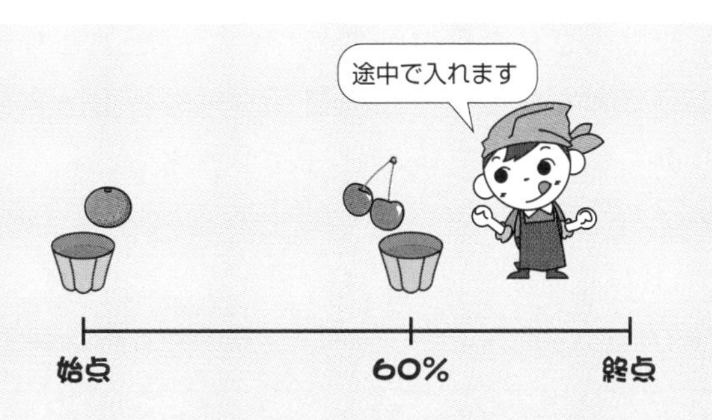

【解答】

月末仕掛品原価：¥	828,800
完成品原価　　　：¥	4,282,000
完成品単位原価：@¥	578.6

【考え方】

まずは、A原料費について完成品と月末仕掛品とに実在量の比で原価按分します。

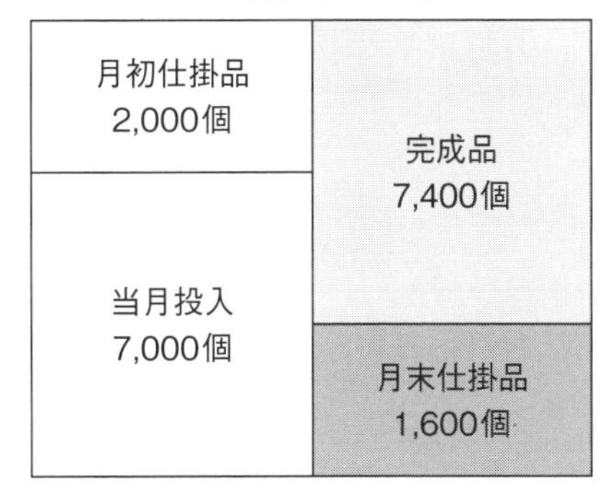

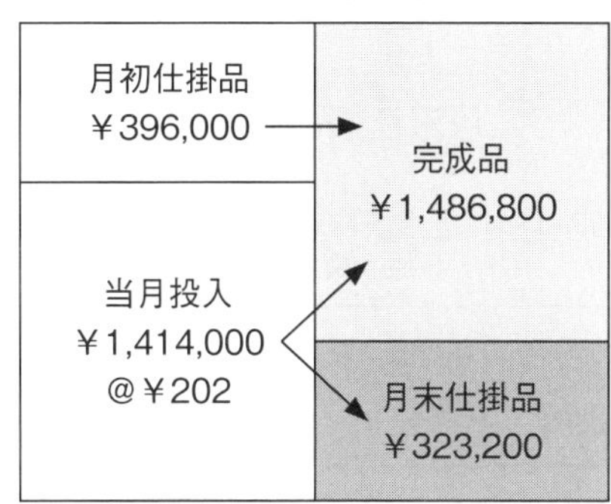

月末仕掛品が負担するA原料費

$$¥1{,}414{,}000 \times \frac{1{,}600\text{個}}{7{,}000\text{個}} = ¥323{,}200$$

完成品が負担するA原料費

$$(¥396{,}000 + ¥1{,}414{,}000) - ¥323{,}200 = ¥1{,}486{,}800$$

さっくり4日目
しっかり6日目
じっくり8日目

次に、追加投入されたＢ原料費について完成品と月末仕掛品とに按分することを考えます。月初仕掛品、月末仕掛品と材料Ｂが追加投入される点を整理すると次のようになります。

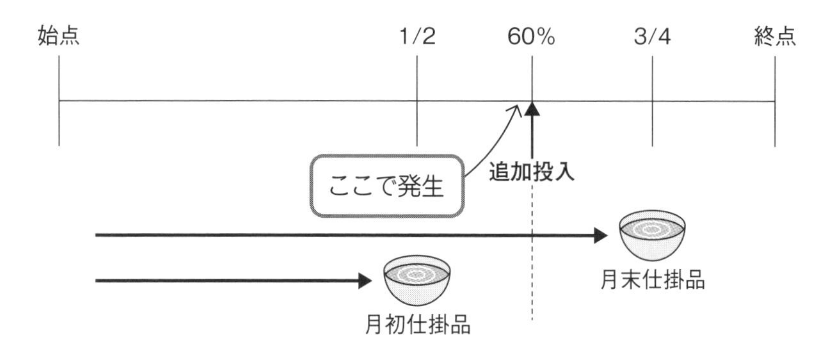

月初仕掛品の加工進捗度1/2＜Ｂ材料追加投入点より、月初仕掛品に対してはＢ材料は投入されておらず、Ｂ原料費の按分計算にあたっては**月初仕掛品をゼロ**と考えます。

月末仕掛品の加工進捗度3/4≧Ｂ材料追加投入点より、月末仕掛品に対してはＢ材料は投入されており、Ｂ原料費の按分計算にあたっては**月末仕掛品の実在量**を用います。

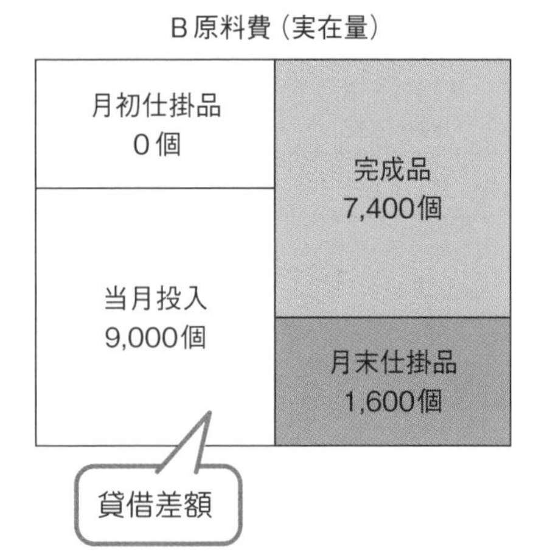

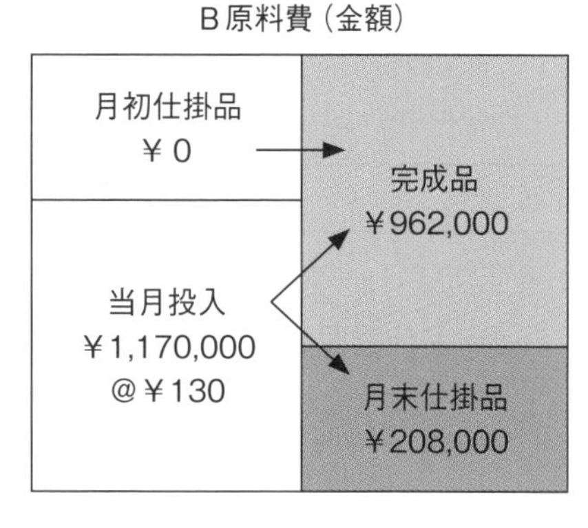

月末仕掛品が負担するＢ原料費

$$¥1,170,000 \times \frac{1,600\text{個}}{9,000\text{個}} = ¥208,000$$

完成品が負担するＢ原料費

（¥０＋¥1,170,000）－¥208,000 ＝ ¥962,000　もしくは

$$¥1,170,000 \times \frac{7,400\text{個}}{9,000\text{個}} = ¥962,000$$

最後に、加工費について完成品と月末仕掛品とに完成品換算量の比で原価按分します。なお、月初仕掛品、月末仕掛品、当月投入の完成品換算量は次の通りです。

月初仕掛品の完成品換算量

実在量2,000個×加工進捗度1/2 ＝ 1,000個

月末仕掛品の完成品換算量

実在量1,600個×加工進捗度3/4 ＝ 1,200個

当月投入の完成品換算量

（7,400個＋1,200個）－1,000個 ＝ 7,600個

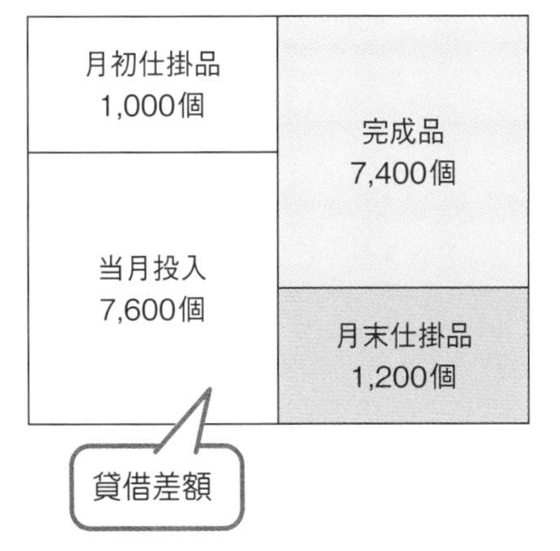

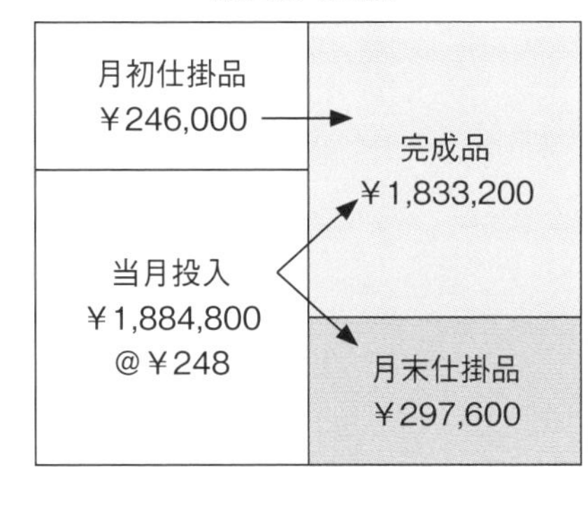

第5章 総合原価計算Ⅰ

さっくり4日目　しっかり6日目　じっくり8日目

月末仕掛品が負担する加工費

$$¥1,884,800 \times \frac{1,200個}{7,600個} = ¥297,600$$

完成品が負担する加工費

（¥246,000＋¥1,884,800）－¥297,600 ＝ ¥1,833,200

以上から、月末仕掛品原価、完成品原価、完成品単位原価を算定すると以下の通りです。

月末仕掛品原価：	¥323,200 + ¥208,000 + ¥297,600 = ¥828,800
完成品原価：	¥1,486,800 + ¥962,000 + ¥1,833,200 = ¥4,282,000
完成品単位原価：	¥4,282,000 ÷ 7,400個 ≒ @¥578.6

3 終点で投入する場合

工程の終点で追加の材料を投入する場合があります。例えば、ショートケーキを作る時に、最後の仕上げとしてイチゴを載せることで完成品となります。このように最後に材料を追加する場合は、工程の終点に至った製品のみに追加材料が投入されたと考え、**完成品のみに負担させる**ことになります。

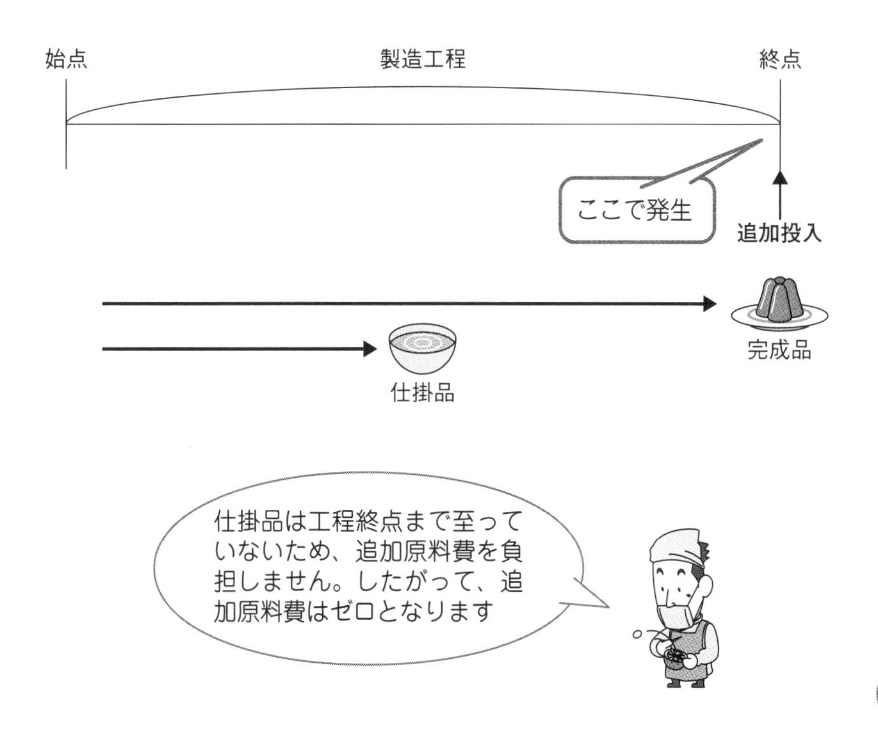

例5－7　原料を終点で追加投入

問題　先入先出法により、月末仕掛品原価、完成品原価、完成品単位原価を計算しなさい。

①　生産データ

月初仕掛品	2,000個	(1/2)
当月投入	7,000個	
合　　計	9,000個	
月末仕掛品	1,600個	(3/4)
完成品	7,400個	

・A原料は工程の始点で、B原料は終点で投入する。
・(　　)は加工進捗度を表す。
・計算上生じる端数は小数点以下第2位を四捨五入する。

②　原価データ

月初仕掛品

A原料費	¥　396,000
加工費	¥　246,000

当月投入

A原料費	¥1,414,000
B原料費	¥1,170,000
加工費	¥1,884,800

【解答】

月末仕掛品原価：¥　620,800
完成品原価　　：¥ 4,490,000
完成品単位原価：@¥　　606.8

【考え方】

まずは、A原料費について完成品と月末仕掛品とに実在量の比で原価按分します。

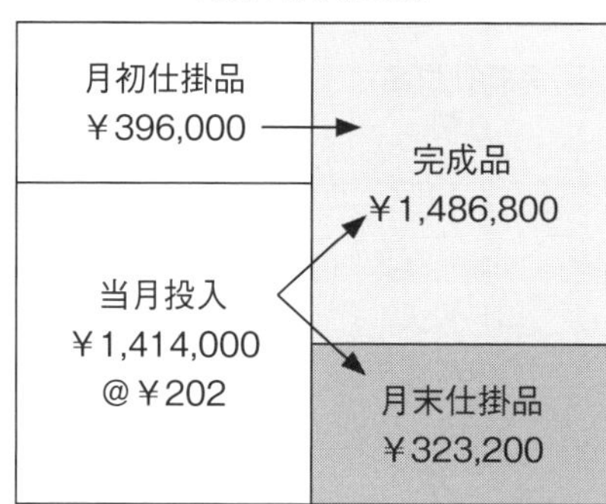

月末仕掛品が負担するA原料費

$$¥1,414,000 \times \frac{1,600個}{7,000個} = ¥323,200$$

完成品が負担するA原料費

（¥396,000＋¥1,414,000）－¥323,200 ＝ ¥1,486,800

次に、追加投入されたＢ原料費について完成品と月末仕掛品とに按分することを考えます。月初仕掛品、月末仕掛品と原料Ｂが追加投入される点を整理すると次のようになります。

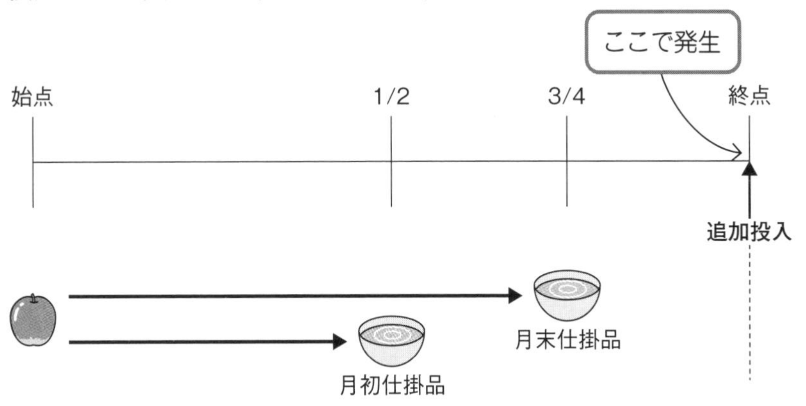

月初仕掛品も月末仕掛品も終点まで至っていないため、Ｂ原料費の按分計算にあたっては**ゼロ**と考えます。

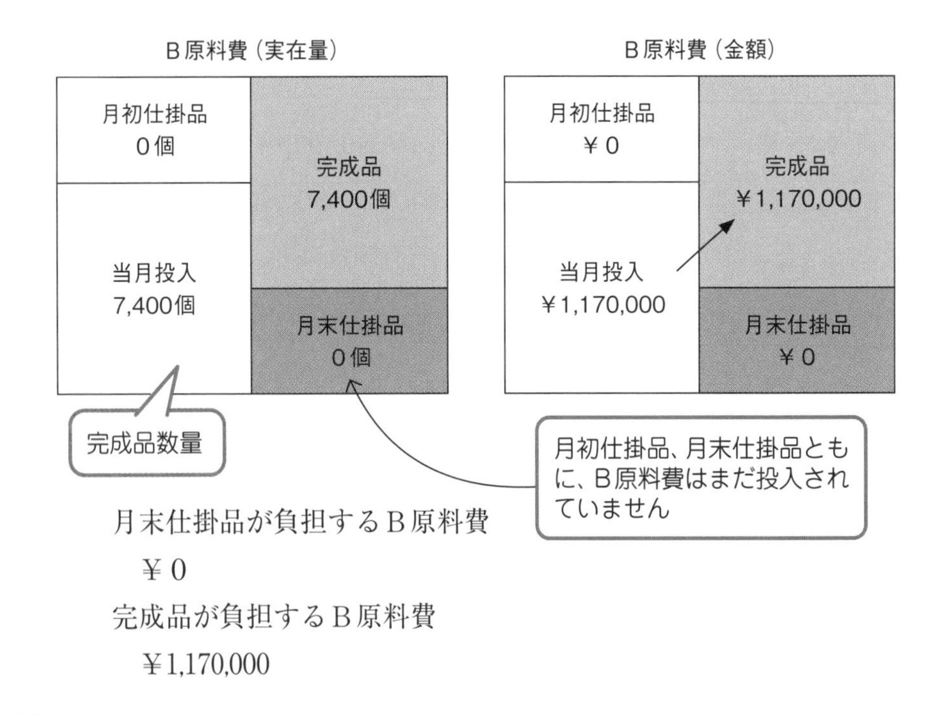

月末仕掛品が負担するＢ原料費

￥０

完成品が負担するＢ原料費

￥1,170,000

最後に、加工費について完成品と月末仕掛品とに完成品換算量の比で原価按分します。なお、月初仕掛品、月末仕掛品、当月投入の完成品換算量は次の通りです。

月初仕掛品の完成品換算量

実在量2,000個×加工進捗度1/2 ＝ 1,000個

月末仕掛品の完成品換算量

実在量1,600個×加工進捗度3/4 ＝ 1,200個

当月投入の完成品換算量

（7,400個＋1,200個）－1,000個 ＝ 7,600個

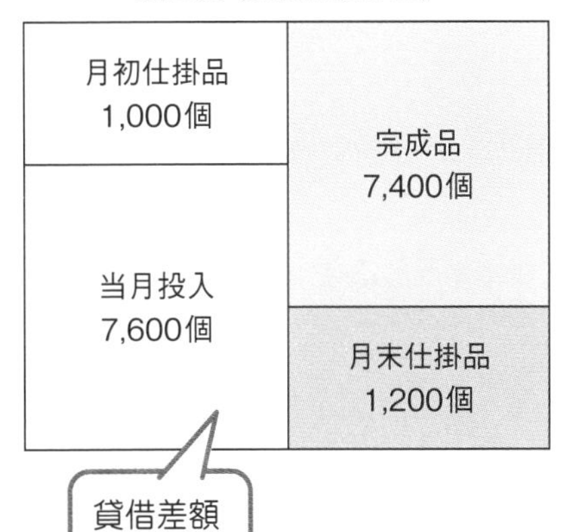

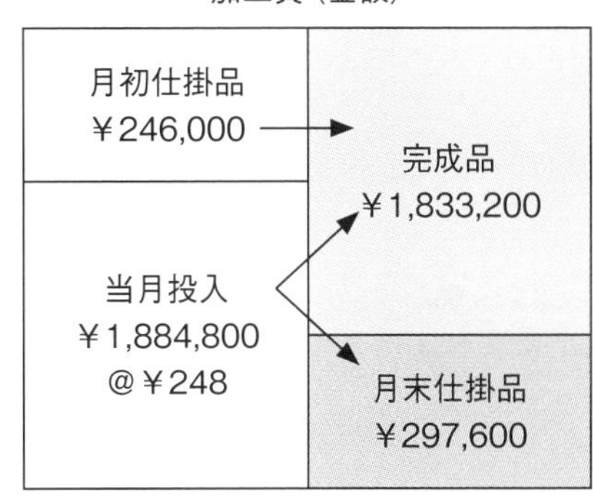

月末仕掛品が負担する加工費

$$￥1,884,800 \times \frac{1,200個}{7,600個} = ￥297,600$$

完成品が負担する加工費

（￥246,000＋￥1,884,800）－￥297,600 ＝ ￥1,833,200

以上から、月末仕掛品原価、完成品原価、完成品単位原価を算定すると以下の通りです。

月末仕掛品原価	：￥323,200 + ￥ 0 + ￥297,600 = ￥620,800
完成品原価	：￥1,486,800 + ￥1,170,000 + ￥1,833,200 = ￥4,490,000
完成品単位原価	：￥4,490,000 ÷ 7,400 個 ≒ @￥606.8

確認テスト

問題

先入先出法により、月末仕掛品原価、完成品原価、完成品単位原価を計算しなさい。

① 生産データ

月初仕掛品	4,200個	(0.4)
当月投入	11,760個	
合計	15,960個	
月末仕掛品	2,520個	(0.7)
完成品	13,440個	

ア 材料は工程の始点で投入する。

イ (　　)は加工進捗度を示す。

ウ 計算上生じる端数がある場合は小数点以下第２位を四捨五入する。

② 原価データ

	直接材料費	加工費
月初仕掛品	¥　504,000	¥　193,200
当月投入	¥1,481,760	¥1,622,880

月末仕掛品原価	¥
完成品原価	¥
完成品単位原価	¥

第5章 総合原価計算Ⅰ

さっくり4日目 しっかり6日目 じっくり8日目

解答

月末仕掛品原価	¥	529,200
完成品原価	¥	3,272,640
完成品単位原価	¥	243.5

解説

直接材料費（実在量）

月初仕掛品 4,200個	完成品 13,440個
当月投入 11,760個	月末仕掛品 2,520個

直接材料費（金額）

月初仕掛品 ¥504,000	完成品 ¥1,668,240
当月投入 ¥1,481,760 @126	月末仕掛品 ¥317,520

月末仕掛品の直接材料費：$¥1,481,760 \times \frac{2,520個}{11,760個} = ¥317,520$

完成品の直接材料費：¥504,000＋¥1,481,760－¥317,520
＝¥1,668,240

加工費（完成品換算量）

月初仕掛品 1,680個	完成品 13,440個
当月投入 13,524個	月末仕掛品 1,764個

加工費（金額）

月初仕掛品 ￥193,200	完成品 ￥1,604,400
当月投入 ￥1,622,880 @120	月末仕掛品 ￥211,680

月末仕掛品の加工費：$￥1,622,880 \times \dfrac{1,764個}{13,524個} = ￥211,680$

完成品の加工費：￥193,200＋￥1,622,880－￥211,680
＝￥1,604,400

月末仕掛品原価：￥317,520＋￥211,680＝￥529,200
完成品原価：￥1,668,240＋￥1,604,400＝￥3,272,640
完成品単位原価：￥3,272,640÷13,440個＝￥243.5

おう、
新入りか！
ま〜ちゃん

自転車部に
入ります。
入部

総合原価計算Ⅱ

学習進度目安

さっくり 7日間	しっかり 10日間	じっくり 15日間
4日目	6日目	9日目

◉第6章で学習すること

① 減損が出る場合

② 仕損が出る場合

1 減損(げんそん)が出る場合

イントロダクション

製造工程において、材料の蒸発や滅失が生じることがあります。これを減損と呼びます。減損は会社にとって損になるものですから、なるべく出ないように製造を進めなければいけませんが、発生してしまった場合、原価計算にどういった影響が出るのかを確認していきましょう。

1 減損とは

減損とは、製造途中において、材料が蒸発、飛散、煙化などにより無くなってしまう現象のことです。材料が製造途中で無くなってしまった場合、再び材料を投下し、製造が再開されますが、減損が発生すると会社にそれだけ不利益が生じます。そのため、なるべく発生しないように気をつけながら製造をしていく必要があると言えます。この減損が生じたことにより、会社がどれだけ損をしたのかを金額で表したものを**減損費**といいます。日々、製造を営む会社の中では、減損費をいかに減らすのかという努力がなされています。

2 減損費の計算処理

減損は工程の始点から終点までいたるところで発生する可能性があります。減損費をどのように原価計算において取り扱うのかは、工程のどの地点で減損が生じたのかによって異なります。より具体的には、月末仕掛品が減損の発生点を通過したのか、通過していないのかによって処理方法が異なります。

正常減損と異常減損

減損には通常生じうる減損である正常減損と、異常な状態（停電や火災など）を原因とする異常減損があります。完成品や仕掛品へ負担させる減損費はあくまで正常減損費です。異常減損費は１級で学習します。

コトバ

減損：材料が蒸発するなどして無くなってしまう現象

減損費：減損により無駄になってしまう原価

3 終点で生じる場合

工程の終点で減損が生じる場合、月末仕掛品からは減損は生じていません。完成品のみから減損が生じたと考え、減損費は**完成品のみに負担**させます。

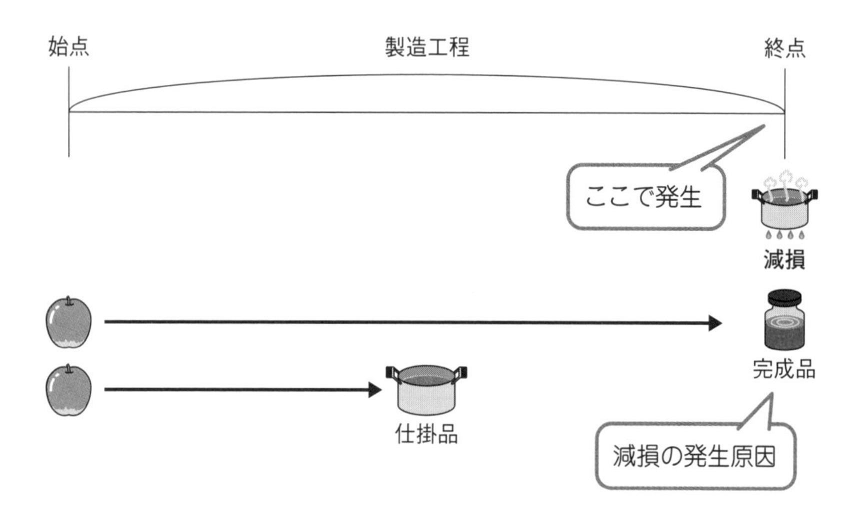

基本的な考え方は材料を終点で追加投入するのと全く同じです。仕掛品は減損の発生原因になっていないため、完成品のみに減損費を負担させます。

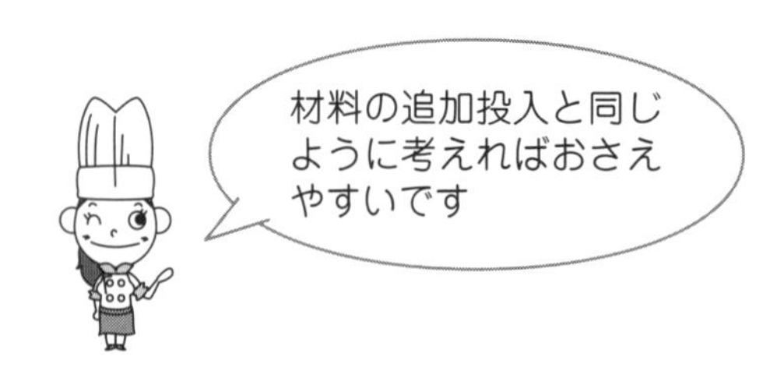

例6－1　減損が終点で発生する場合

問題　平均法、先入先出法のそれぞれにより、月末仕掛品原価、完成品原価、完成品単位原価を計算しなさい。

①生産データ

月初仕掛品	1,000個	(1/2)
当月投入	7,500個	
合　　計	8,500個	
正常減損	500個	
月末仕掛品	1,500個	(3/5)
完 成 品	6,500個	

・原料は工程の始点で投入する。
・(　　)は加工進捗度を表す。
・計算上生じる端数は小数点以下第2位を四捨五入する。
・正常減損が工程の終点で発生する。

②原価データ

月初仕掛品

原 料 費	¥　192,500
加 工 費	¥　139,800

当月投入

原 料 費	¥1,507,500
加 工 費	¥1,835,200

【解答】

平均法の場合	先入先出法の場合
月末仕掛品原価：￥　525,000	月末仕掛品原価：￥　524,700
完成品原価　　：￥3,150,000	完成品原価　　：￥3,150,300
完成品単位原価：@￥　484.6	完成品単位原価：@￥　484.7

【考え方（平均法）】

減損が工程の終点で発生しているため、完成品のみに減損費を負担させます。

原料費に関する総製造費用￥1,700,000（￥192,500＋￥1,507,500）を完成品と月末仕掛品へ実在量の比で按分します。この際、完成品のみが減損費を負担するため、正常減損に投下された完成品500個分の原料費を含めて完成品原価を算定します。つまり、完成品に7,000個（6,500個＋500個）分の材料が投入されたと考えて計算します。

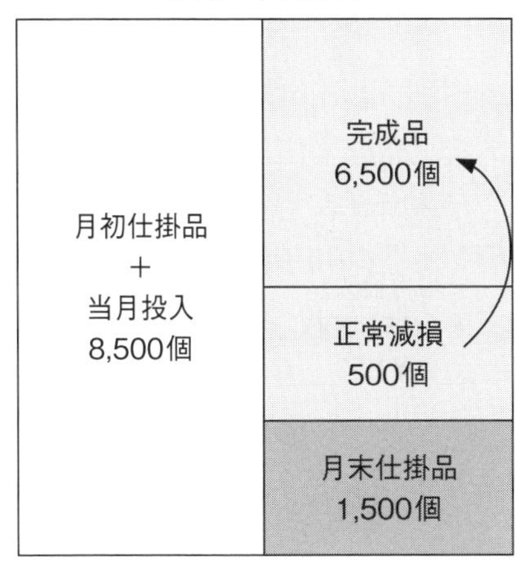

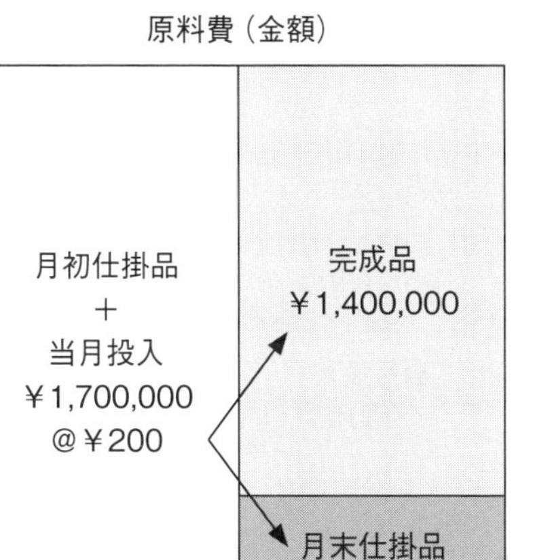

月末仕掛品が負担する原料費

$$￥1{,}700{,}000 \times \frac{1{,}500\text{個}}{8{,}500\text{個}} = ￥300{,}000$$

完成品が負担する原料費

$$￥1{,}700{,}000 - ￥300{,}000 = ￥1{,}400{,}000$$

次に、加工費に関する総製造費用￥1,975,000（￥139,800＋￥1,835,200）を完成品と月末仕掛品へ完成品換算量の比で按分します。なお、月末仕掛品の完成品換算量は、実在量1,500個×加工進捗度3/5で900個となります。また、正常減損の完成品換算量は、実在量500個×加工進捗度100％で500個となります。この際、完成品のみが減損費を負担するため、正常減損に投下された完成品500個分の加工費を含めて完成品原価を算定します。つまり完成品に7,000個（6,500個＋500個）分の加工費が投入されたと考えて計算します。

しっかり
6日目

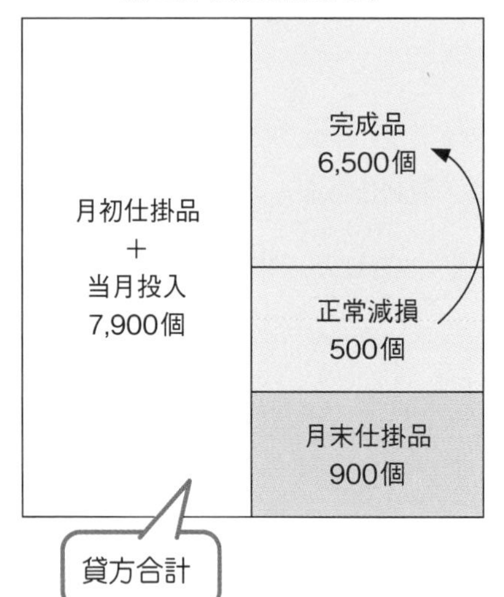

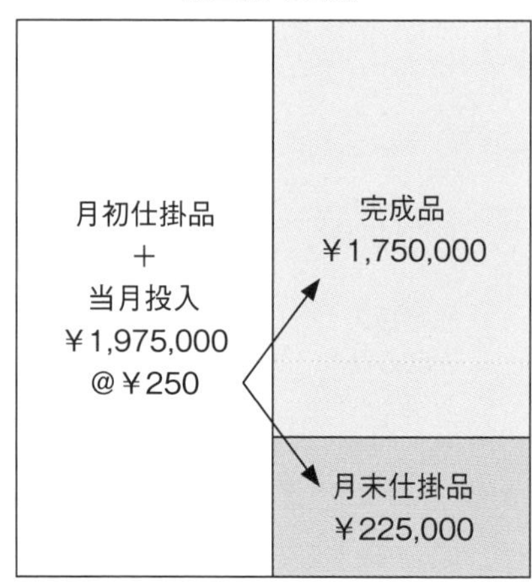

月末仕掛品が負担する加工費

$$￥1{,}975{,}000 \times \frac{900\text{個}}{7{,}900\text{個}} = ￥225{,}000$$

完成品が負担する加工費

$$￥1{,}975{,}000 - ￥225{,}000 = ￥1{,}750{,}000$$

以上から、月末仕掛品原価、完成品原価、完成品単位原価を算定すると以下の通りです。

平均法

月末仕掛品原価	：￥300,000＋￥225,000＝￥525,000
完成品原価	：￥1,400,000＋￥1,750,000＝￥3,150,000
完成品単位原価	：￥3,150,000÷6,500個≒@￥484.6

【考え方（先入先出法）】

平均法の場合と同様に、減損が工程の終点で発生しているため、完成品のみに減損費を負担させます。

まずは、原料費について完成品と月末仕掛品とに実在量の比で原価按分します。この際、完成品のみが減損費を負担するため、正常減損に投下された完成品500個分の原料費を含めて完成品原価を算定します。つまり、完成品に7,000個（6,500個＋500個）分の材料が投入されたと考えて計算します。

原料費（実在量）

月初仕掛品 1,000個
当月投入 7,500個
完成品 6,500個
正常減損 500個
月末仕掛品 1,500個

原料費（金額）

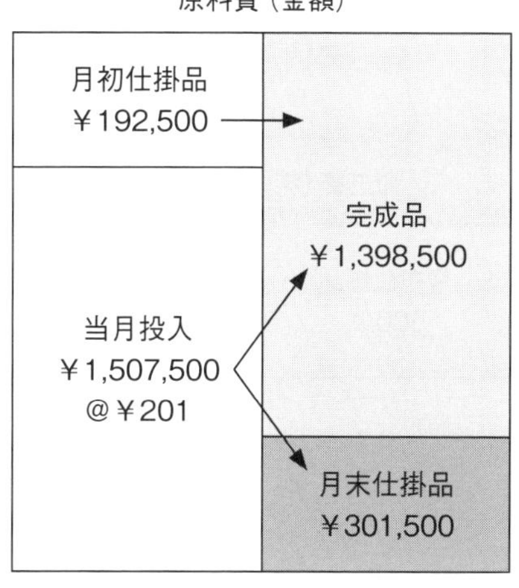

月末仕掛品が負担する原料費

$$¥1{,}507{,}500 \times \frac{1{,}500\text{個}}{7{,}500\text{個}} = ¥301{,}500$$

完成品が負担する原料費

$$(¥192{,}500 + ¥1{,}507{,}500) - ¥301{,}500 = ¥1{,}398{,}500$$

次に、加工費について完成品と月末仕掛品とに完成品換算量の比で原価按分します。なお、月初仕掛品、月末仕掛品、正常減損、当月投入の完成品換算量は次の通りです。

月初仕掛品の完成品換算量

実在量1,000個×加工進捗度1/2 ＝ 500個

月末仕掛品の完成品換算量

実在量1,500個×加工進捗度3/5 ＝ 900個

正常減損の完成品換算量

実在量500個×加工進捗度100％ ＝ 500個

当月投入の完成品換算量

（6,500個＋500個＋900個）－500個 ＝ 7,400個

加工費（完成品換算量）

月初仕掛品
500個

当月投入
7,400個

完成品
6,500個

正常減損
500個

月末仕掛品
900個

貸借差額

加工費（金額）

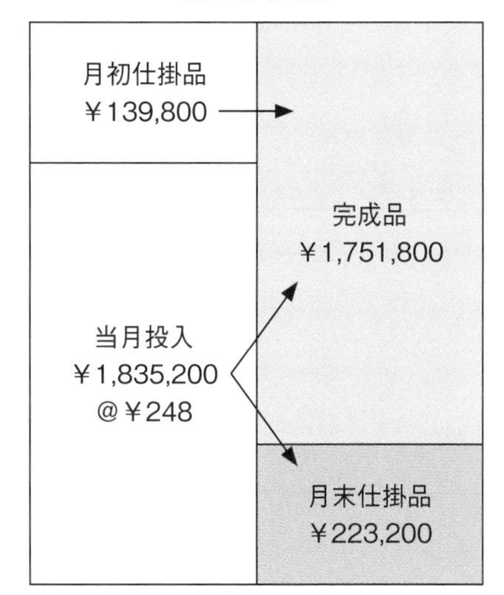

月末仕掛品が負担する加工費

$$¥1,835,200 \times \frac{900個}{7,400個} = ¥223,200$$

完成品が負担する加工費

(¥139,800 + ¥1,835,200) − ¥223,200 ＝ ¥1,751,800

以上から、月末仕掛品原価、完成品原価、完成品単位原価を算定すると以下の通りです。

先入先出法

月末仕掛品原価	：¥301,500 + ¥223,200 = ¥524,700
完成品原価	：¥1,398,500 + ¥1,751,800 = ¥3,150,300
完成品単位原価	：¥3,150,300 ÷ 6,500個 ≒ @¥484.7

4　始点で生じる場合

工程の始点で減損が生じる場合、月末仕掛品からも減損が生じています。そのため、減損費を**完成品と月末仕掛品の両者に負担**させます。

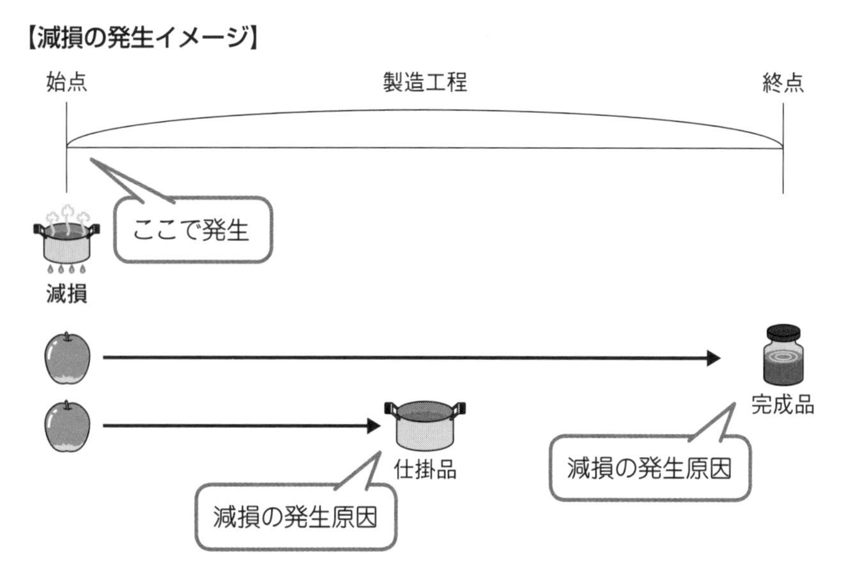

基本的な考え方は、材料を始点で投入するのと同じです。完成品と月末仕掛品の両方から減損が生じており、それぞれが負担する単位あたりの減損費の金額は同じになります。

例6－2　減損が始点で発生する場合

問題　平均法、先入先出法のそれぞれにより、月末仕掛品原価、完成品原価、完成品単位原価を計算しなさい。

① 生産データ

月初仕掛品	1,000個	(1/2)
当 月 投 入	7,500個	
合　　　計	8,500個	
正 常 減 損	500個	
月末仕掛品	1,500個	(3/5)
完　成　品	6,500個	

・原料は工程の始点で投入する。
・(　　) は加工進捗度を表す。
・計算上生じる端数は小数点以下第2位を四捨五入する。
・正常減損が工程の始点で発生する。

② 原価データ

月初仕掛品

原　料　費	¥　214,000
加　工　費	¥　118,100

当月投入

原　料　費	¥1,386,000
加　工　費	¥1,731,900

【解答】

平均法の場合	先入先出法の場合
月末仕掛品原価：¥　525,000	月末仕掛品原価：¥　522,900
完成品原価　　：¥ 2,925,000	完成品原価　　：¥ 2,927,100
完成品単位原価：@¥　　450	完成品単位原価：@¥　　450.3

【考え方（平均法）】

減損が工程の始点で発生しているため、完成品と月末仕掛品の両方に減損費を負担させます。

原料費に関する総製造費用¥1,600,000（¥214,000＋¥1,386,000）を完成品と月末仕掛品へ実在量の比で按分します。この際、完成品と月末仕掛品の両方に減損費を負担させるために、**計算上は正常減損500個を無視します**。そうすることで、原料費を按分する際の単価が高くなり、自動的に完成品と月末仕掛品の両者に減損費を按分することができます。

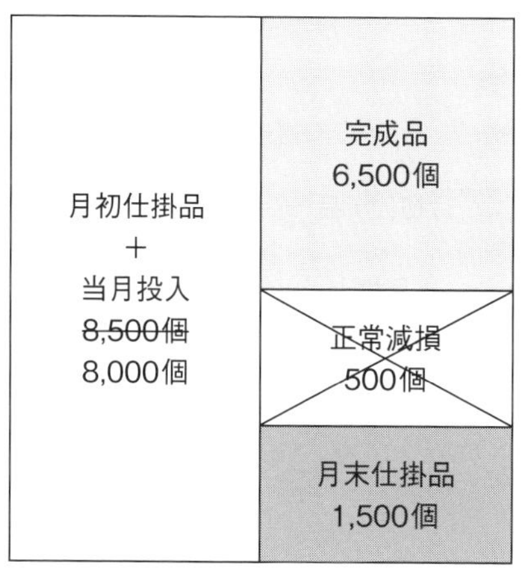

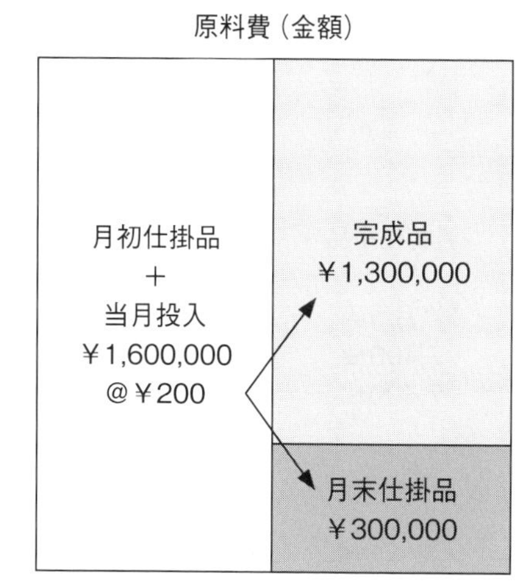

月末仕掛品が負担する原料費

$$￥1,600,000 \times \frac{1,500\text{個}}{8,000\text{個}} = ￥300,000$$

完成品が負担する原料費

$$￥1,600,000 - ￥300,000 = ￥1,300,000$$

次に、加工費に関する総製造費用￥1,850,000（￥118,100＋￥1,731,900）を完成品と月末仕掛品へ完成品換算量の比で按分します。なお、月末仕掛品の完成品換算量は、実在量1,500個×加工進捗度3/5で900個となります。また、正常減損は始点で生じているので、正常減損に加工費は投じられていません。完成品換算量は、実在量500個×加工進捗度０％で０個となります。

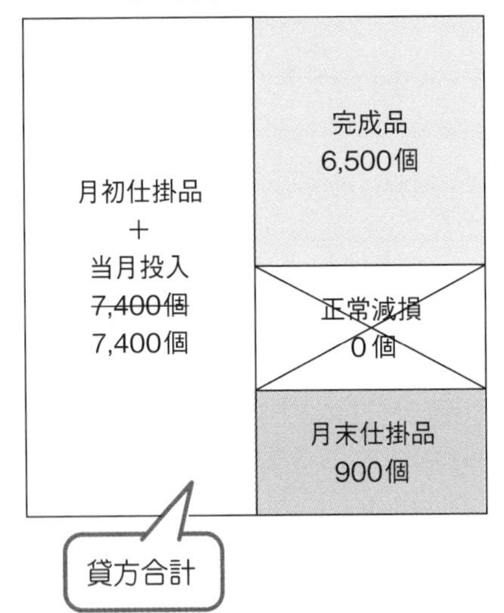

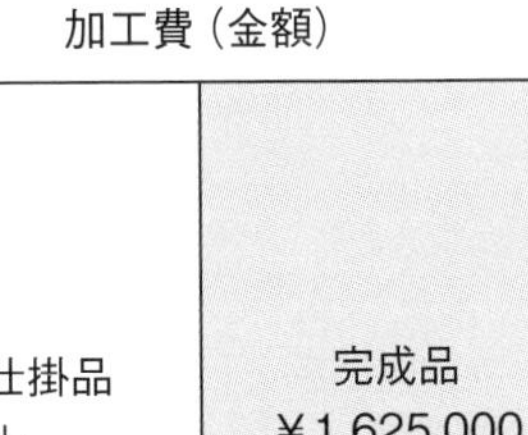

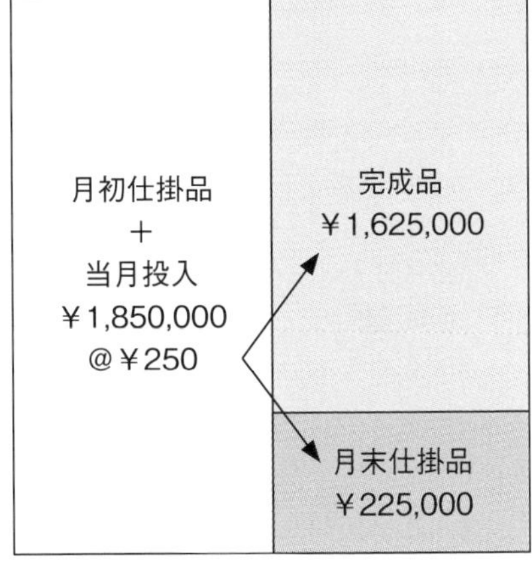

月末仕掛品が負担する加工費

$$￥1,850,000 \times \frac{900個}{7,400個} = ￥225,000$$

完成品が負担する加工費

$$￥1,850,000 - ￥225,000 = ￥1,625,000$$

以上から、月末仕掛品原価、完成品原価、完成品単位原価を算定すると以下の通りです。

平均法

月末仕掛品原価	：￥300,000 + ￥225,000 = ￥525,000
完成品原価	：￥1,300,000 + ￥1,625,000 = ￥2,925,000
完成品単位原価	：￥2,925,000 ÷ 6,500個 = @￥450

【考え方（先入先出法）】

平均法の場合と同様に、減損が工程の始点で発生しているため、完成品と月末仕掛品の両者に減損費を負担させます。

まずは、原料費について完成品と月末仕掛品とに実在量の比で原価按分します。この際、完成品と月末仕掛品の両方に減損費を負担させるために、**計算上は正常減損500個を無視します**。そうすることで、原料費を按分する際の単価が高くなり、自動的に完成品と月末仕掛品の両者に減損費を按分することができます。

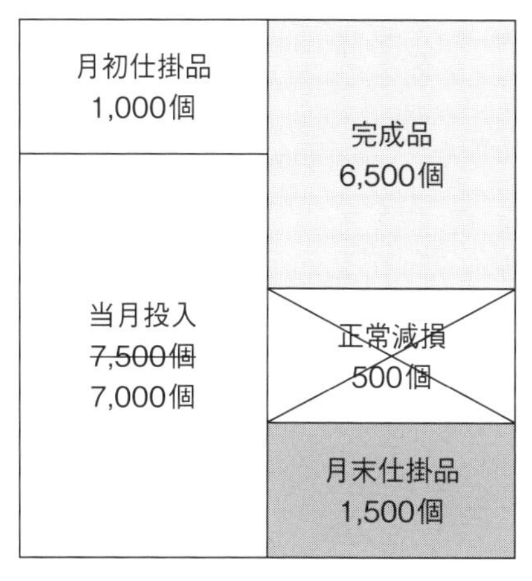

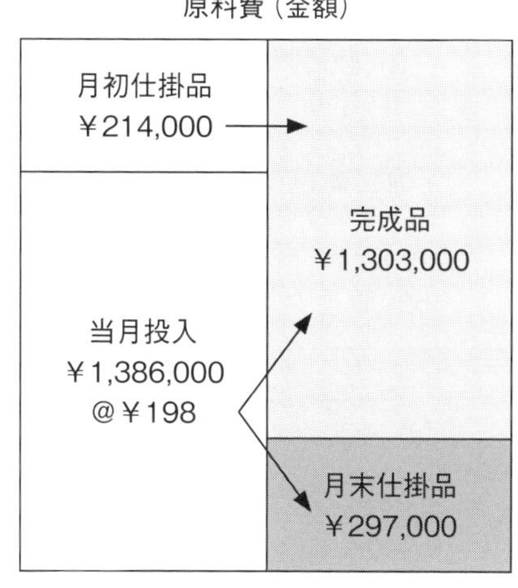

月末仕掛品が負担する原料費

$$￥1{,}386{,}000 \times \frac{1{,}500個}{7{,}000個} = ￥297{,}000$$

完成品が負担する原料費

$$（￥214{,}000 + ￥1{,}386{,}000）- ￥297{,}000 = ￥1{,}303{,}000$$

第6章 総合原価計算Ⅱ

さっくり4日目 しっかり6日目 じっくり9日目

次に、加工費について完成品と月末仕掛品とに完成品換算量の比で原価按分します。なお、月初仕掛品、月末仕掛品、正常減損、当月投入の完成品換算量は次の通りです。

月初仕掛品の完成品換算量

実在量1,000個×加工進捗度1/2 ＝ 500個

月末仕掛品の完成品換算量

実在量1,500個×加工進捗度3/5 ＝ 900個

正常減損の完成品換算量

実在量500個×加工進捗度０％＝ ０個

当月投入の完成品換算量

（6,500個＋900個＋０個）－500個 ＝ 6,900個

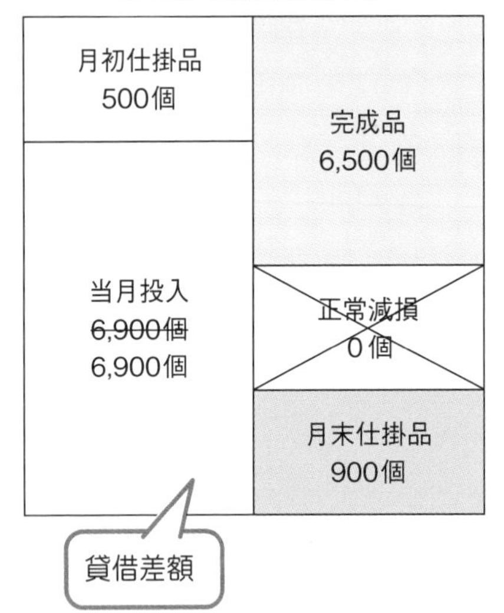

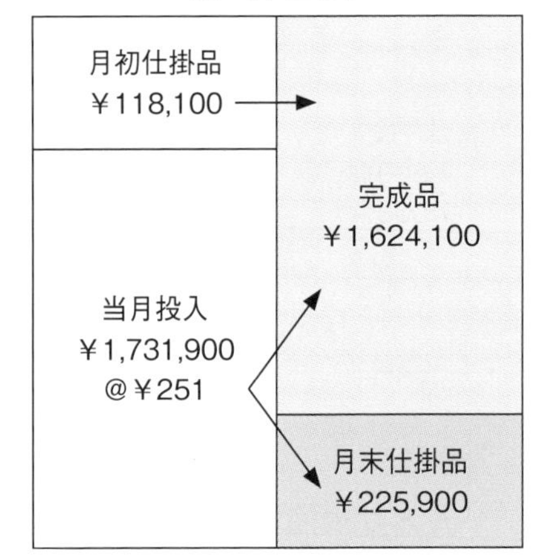

月末仕掛品が負担する加工費

$$¥1,731,900 \times \frac{900個}{6,900個} = ¥225,900$$

完成品が負担する加工費

(¥118,100 + ¥1,731,900) − ¥225,900 = ¥1,624,100

以上から、月末仕掛品原価、完成品原価、完成品単位原価を算定すると以下の通りです。

先入先出法

月末仕掛品原価	：¥297,000 + ¥225,900 = ¥522,900
完成品原価	：¥1,303,000 + ¥1,624,100 = ¥2,927,100
完成品単位原価	：¥2,927,100 ÷ 6,500個 ≒ @¥450.3

5 途中点で生じる場合

工程の途中で減損が生じる場合、完成品と月末仕掛品の両者から減損が生じている場合と、完成品のみから減損が生じている場合が考えられます。

【両者負担の場合】

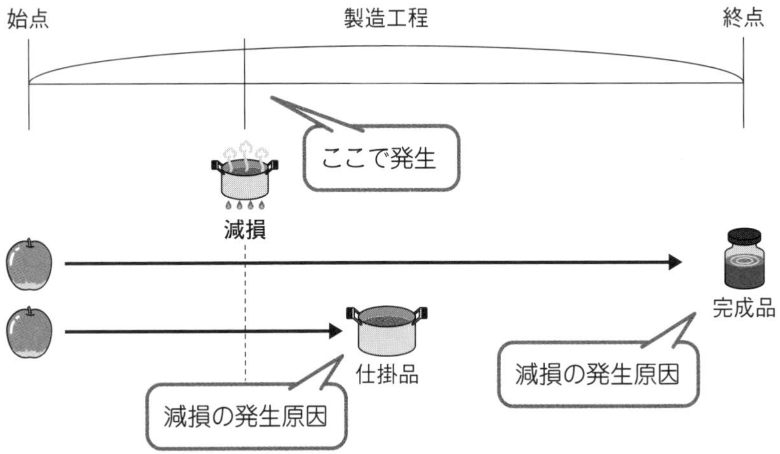

【完成品のみ負担の場合】

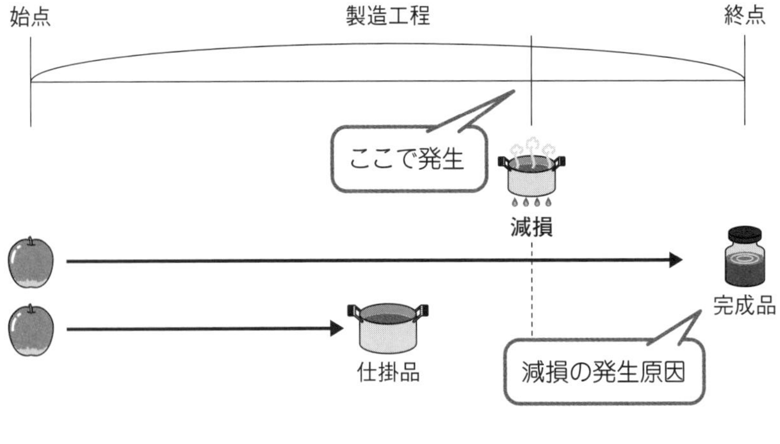

月末仕掛品の加工進捗度が減損の発生点を通過しているのであれば、減損費は完成品と月末仕掛品の両者負担になります。他方、月末仕掛品が減損の発生点を通過していないのであれば、減損費は完成品のみの負担になります。

基本的な考え方は材料を途中点で追加投入するのと全く同じです。仕掛品が減損の発生原因となっているか否かで処理が異なるのです。

例6－3　減損が途中点で発生する場合

問題　平均法、先入先出法のそれぞれにより、月末仕掛品原価、完成品原価、完成品単位原価を計算しなさい。

①生産データ

月初仕掛品	1,000個	(1/2)
当月投入	7,500個	
合計	8,500個	
正常減損	500個	
月末仕掛品	1,500個	(3/5)
完成品	6,500個	

・原料は工程の始点で投入する。
・(　　)は加工進捗度を表す。
・計算上生じる端数は小数点以下第2位を四捨五入する。
・正常減損が工程の20%点で発生する。

②原価データ

月初仕掛品

原料費	¥ 214,000
加工費	¥ 118,100

当月投入

原料費	¥1,386,000
加工費	¥1,731,900

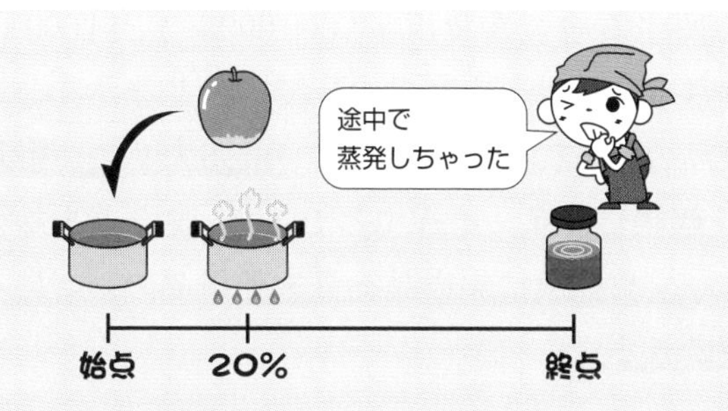

【解答】

平均法の場合	先入先出法の場合
月末仕掛品原価：¥　525,000	月末仕掛品原価：¥　522,900
完成品原価　　：¥ 2,925,000	完成品原価　　：¥ 2,927,100
完成品単位原価：@　　¥450	完成品単位原価：@¥　　450.3

【考え方（平均法）】

月末仕掛品の加工進捗度が減損の発生点20%を通過しているため、完成品と月末仕掛品の両者に減損費を負担させます。

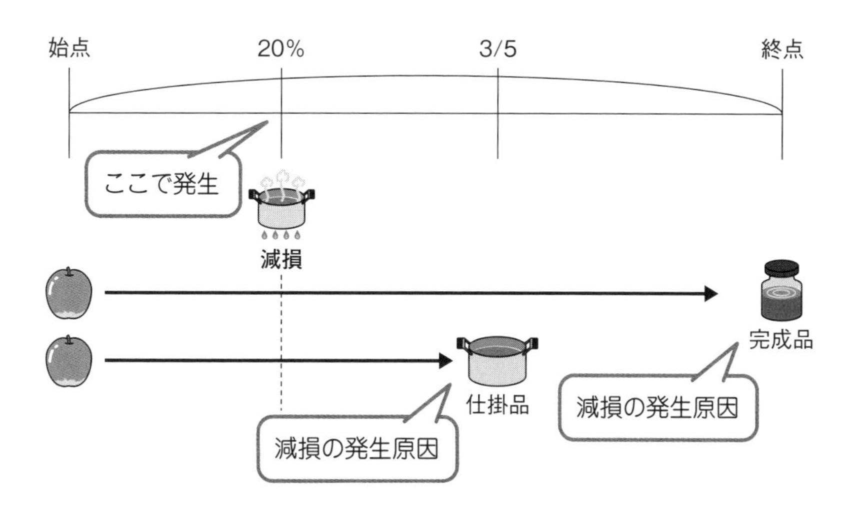

第6章
総合原価計算Ⅱ

さっくり 4日目
しっかり 6日目
じっくり 9日目

原料費に関する総製造費用￥1,600,000（￥214,000＋￥1,386,000）を完成品と月末仕掛品へ実在量の比で按分します。この際、完成品と月末仕掛品の両方に減損費を負担させるために、**計算上は正常減損500個を無視します**。そうすることで、原料費を按分する際の単価が高くなり、自動的に完成品と月末仕掛品の両者に減損費を按分することができます。

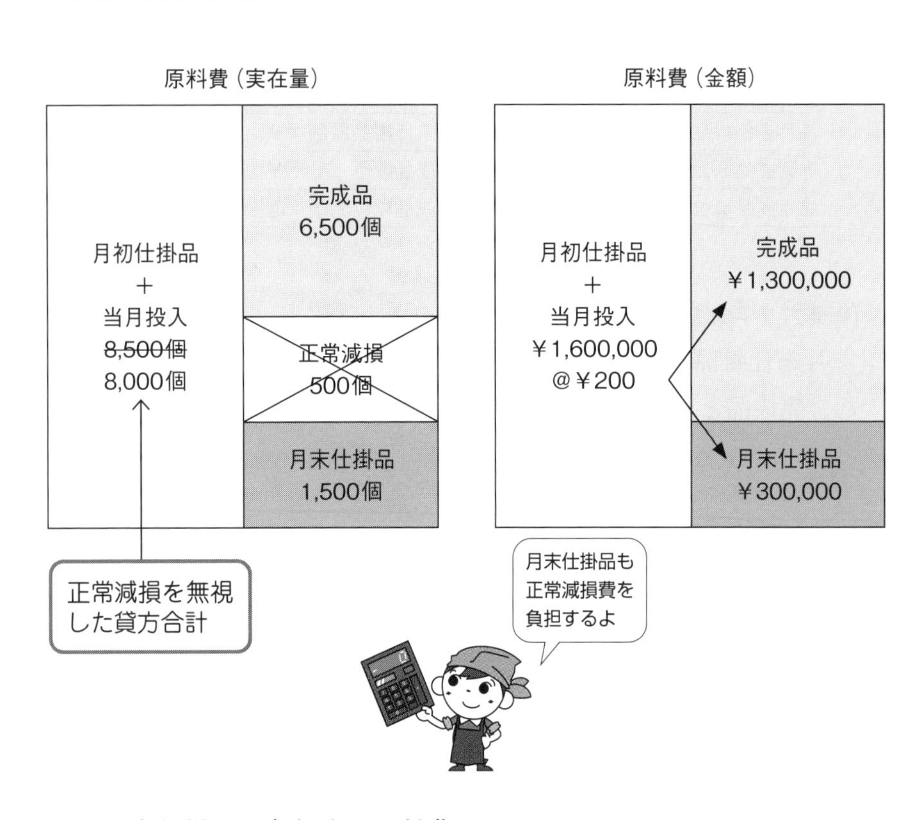

月末仕掛品が負担する原料費

$$￥1,600,000 \times \frac{1,500\text{個}}{8,000\text{個}} = ￥300,000$$

完成品が負担する原料費

$$￥1,600,000 - ￥300,000 = ￥1,300,000$$

次に、加工費に関する総製造費用¥1,850,000（¥118,100＋¥1,731,900）を完成品と月末仕掛品へ完成品換算量の比で按分します。なお、月末仕掛品の完成品換算量は、実在量1,500個×加工進捗度3/5で900個です。また、正常減損の完成品換算量は、実在量500個×加工進捗度20％で100個となり、正常減損に完成品100個分の加工費が投じられています。**計算上は正常減損100個分を無視します。**そうすることで、加工費を按分する際の単価が高くなり、自動的に完成品と月末仕掛品の両者に減損費を按分することができます。

加工費（完成品換算量）

月初仕掛品
＋
当月投入
~~7,500個~~
7,400個

完成品
6,500個

~~正常減損~~
~~100個~~

月末仕掛品
900個

正常減損を無視した
貸方合計

加工費（金額）

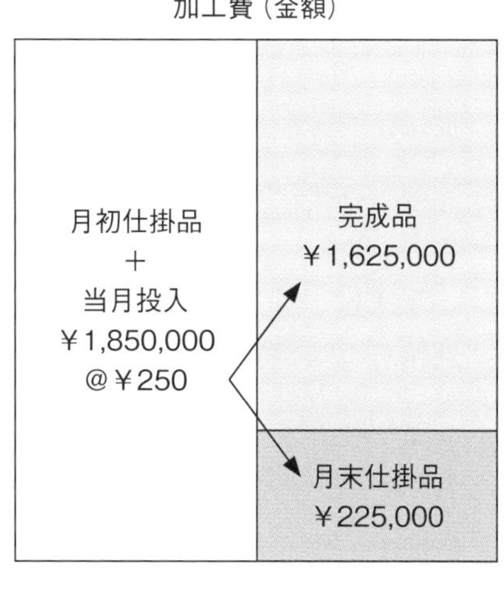

月末仕掛品が負担する加工費

$$¥1,850,000 \times \frac{900個}{7,400個} = ¥225,000$$

完成品が負担する加工費

$$¥1,850,000 - ¥225,000 = ¥1,625,000$$

以上から、月末仕掛品原価、完成品原価、完成品単位原価を算定すると以下の通りです。

平均法

月末仕掛品原価	：￥300,000 + ￥225,000 = ￥525,000
完成品原価	：￥1,300,000 + ￥1,625,000 = ￥2,925,000
完成品単位原価	：￥2,925,000 ÷ 6,500個 = @￥450

【考え方（先入先出法）】

次に先入先出法を採用した場合を確認します。平均法の場合と同様に、月末仕掛品の加工進捗度が減損の発生点20%を通過しているため、完成品と月末仕掛品の両者に減損費を負担させることになります。

まずは、原料費について完成品と月末仕掛品とに実在量の比で原価按分します。この際、完成品と月末仕掛品の両方に減損費を負担させるために、**計算上は正常減損500個を無視します**。そうすることで、原料費を按分する際の単価が高くなり、自動的に完成品と月末仕掛品の両者に減損費を按分することができます。

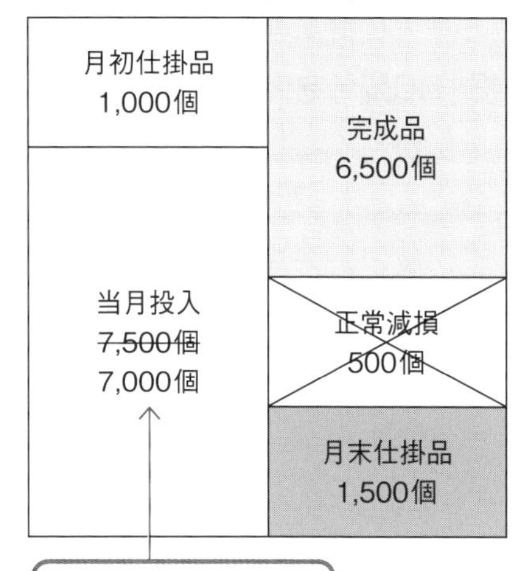

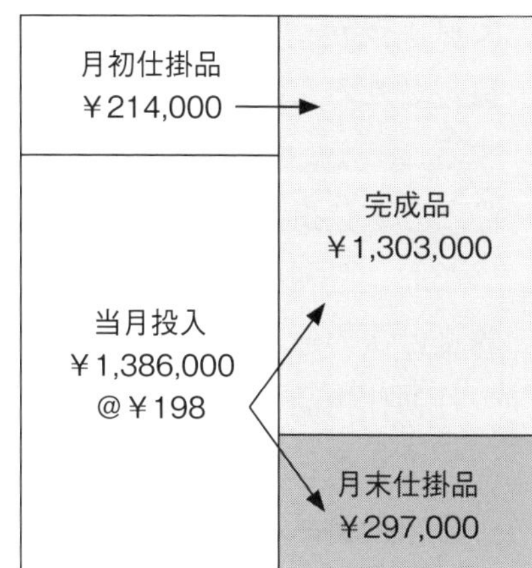

月末仕掛品が負担する原料費

$$¥1{,}386{,}000 \times \frac{1{,}500\text{個}}{7{,}000\text{個}} = ¥297{,}000$$

完成品が負担する原料費

（¥214,000＋¥1,386,000）－¥297,000 ＝ ¥1,303,000

第6章 総合原価計算Ⅱ

さっくり 4日目
しっかり 6日目
じっくり 9日目

次に、加工費について完成品と月末仕掛品とに完成品換算量の比で原価按分します。この際、完成品と月末仕掛品の両方に減損費を負担させるために、**計算上は正常減損100個分を無視します**。そうすることで、加工費を按分する際の単価が高くなり、自動的に完成品と月末仕掛品の両者に減損費を按分することができます。

なお、月初仕掛品、月末仕掛品、正常減損、当月投入の完成品換算量は次の通りです。

月初仕掛品の完成品換算量

実在量1,000個×加工進捗度1/2 ＝ 500個

月末仕掛品の完成品換算量

実在量1,500個×加工進捗度3/5 ＝ 900個

正常減損の完成品換算量

実在量500個×加工進捗度20％＝ 100個

当月投入の完成品換算量

（6,500個＋900個）－500個 ＝ 6,900個

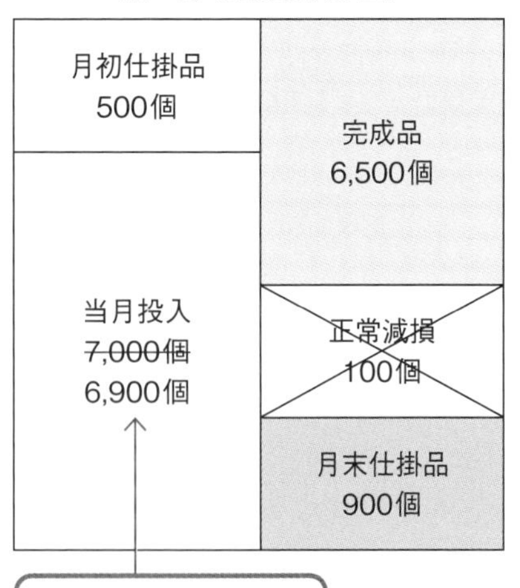

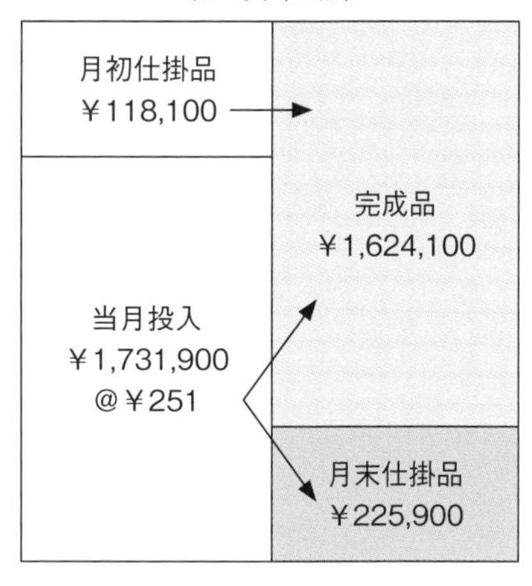

月末仕掛品が負担する加工費

$$¥1,731,900 \times \frac{900個}{6,900個} = ¥225,900$$

完成品が負担する加工費

(¥118,100＋¥1,731,900)－¥225,900 ＝ ¥1,624,100

以上から、月末仕掛品原価、完成品原価、完成品単位原価を算定すると以下の通りです。

先入先出法

月末仕掛品原価	：¥297,000＋¥225,900＝¥522,900
完成品原価	：¥1,303,000＋¥1,624,100＝¥2,927,100
完成品単位原価	：¥2,927,100÷6,500個≒@¥450.3

2 仕損が出る場合

イントロダクション

製造工程では、減損以外にも仕損が生じることがあります。第3章で個別原価計算を採用している場合で仕損が登場しましたが、今度は総合原価計算を採用している場合、どのように処理するのかを学習していきます。

1 仕損とは

仕損とは、製造途中で作業に失敗してしまうことをいいます。この時、作業に失敗した不良品のことを「**仕損品**」と呼びます。仕損品が生じた場合、再び材料を投下し、製造が再開されますが、仕損品が発生すると会社にそれだけ不利益が生じます。そのため、減損と同様になるべく発生しないように気をつけながら製造をしていく必要があると言えます。この仕損品が生じたことにより、会社がどれだけ損をしたのかを金額で表したものを**仕損費**といいます。日々、製造を営む会社の中では、仕損費をいかに減らすのかという努力がなされています。

コトバ

仕損：作業に失敗してしまうこと
仕損品：作業の失敗により生じた不合格品
仕損費：仕損により無駄になってしまう原価

2 仕損費の計算処理

仕損は工程の始点から終点までいたるところで発生する可能性があります。仕損費をどのように原価計算において取り扱うのかは、工程のどの地点で仕損が生じたのかによって異なります。より具体的には、月末仕掛品が仕損の発生点を通過したのか、通過していないのかによって処理方法が異なります。

正常仕損と異常仕損

仕損には通常生じうる仕損である正常仕損と、異常な状態（停電や火災など）を原因とする異常仕損があります。完成品や仕掛品へ負担させる仕損費はあくまで正常仕損費です。異常仕損費は１級で学習します。

3 仕損品の評価額

仕損費の処理は減損費の処理と同じ方法によりますが、仕損費を発生原因となった完成品や月末仕掛品へ負担させる際に、1点だけ追加で考えることが出てきます。それは**仕損品の評価額**です。仕損品の評価額とは、仕損品を外部に売却する際の価額であったり、再利用で節約される材料費のことを指します。仕損費は、仕損品の製造原価からこの評価額を控除することで求めることができます。

仕損品の製造原価	内訳
仕損品の製造原価 ¥100	評価額 ¥40
	仕損費 ¥60 ＜差額＞

減損の場合、このような評価額は出ません。なぜならば、減損の場合、材料が減失するため、そもそも減損品というようなものが登場することがないからです。

減損は、
材料が蒸発した部分で、
何も残らないから
評価額はないよ

仕損品は、
失敗した不合格品だけど、
安く売れる場合もあるから
評価額を考慮するときもあるよ

例6－4　仕損が終点で発生する場合

問題　先入先出法により、月末仕掛品原価、完成品原価、完成品単位原価を計算しなさい。

① 生産データ

月初仕掛品	1,000個	(1/2)
当 月 投 入	7,500個	
合　　計	8,500個	
正 常 仕 損	500個	工程の終点で発生
月末仕掛品	1,500個	(3/5)
完　成　品	6,500個	

・原料は工程の始点で投入する。
・(　　) は加工進捗度を表す。
・計算上生じる端数は小数点以下第2位を四捨五入する。
・仕損品の評価額は@￥112である。

② 原価データ

月初仕掛品

原　料　費	￥　192,500
加　工　費	￥　139,800

当月投入

原　料　費	￥1,507,500
加　工　費	￥1,835,200

【解答】

月末仕掛品原価：¥　524,700
完成品原価　　：¥ 3,094,300
完成品単位原価：@¥　　476.0

【考え方】

仕損が工程の終点で生じているため、仕損費を完成品のみに負担させます。

まずは、原料費について完成品と月末仕掛品とに実在量の比で原価按分します。この際、完成品のみが仕損費を負担するため、正常仕損に投下された完成品500個分の原料費を含めて完成品原価を算定します。つまり、完成品に7,000個（6,500個＋500個）分の材料が投入されたと考えて計算します。

原料費（実在量）

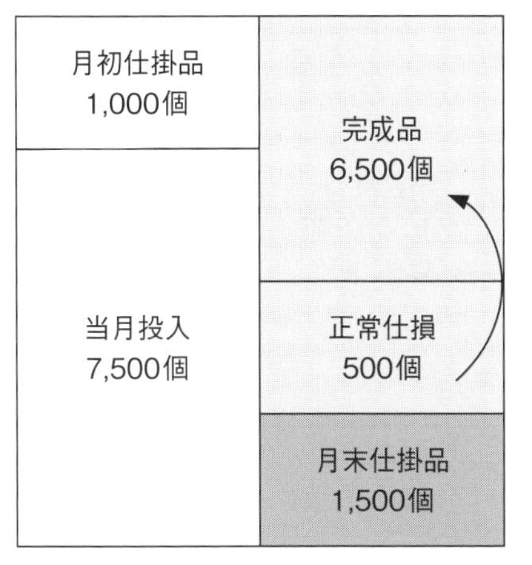

原料費（金額）

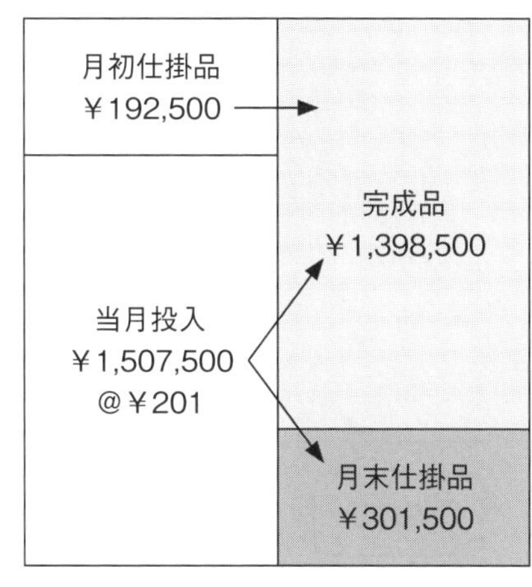

第6章 総合原価計算Ⅱ

さっくり4日目 しっかり6日目 じっくり9日目

月末仕掛品が負担する原料費

$$¥1{,}507{,}500 \times \frac{1{,}500\text{個}}{7{,}500\text{個}} = ¥301{,}500$$

完成品が負担する原料費

(¥192,500＋¥1,507,500)－¥301,500 ＝ ¥1,398,500

次に、加工費について完成品と月末仕掛品とに完成品換算量の比で原価按分します。

月初仕掛品の完成品換算量

実在量1,000個×加工進捗度1/2 ＝ 500個

月末仕掛品の完成品換算量

実在量1,500個×加工進捗度3/5 ＝ 900個

正常仕損の完成品換算量

実在量500個×加工進捗度100％ ＝ 500個

当月投入の完成品換算量

(6,500個＋900個＋500個)－500個 ＝ 7,400個

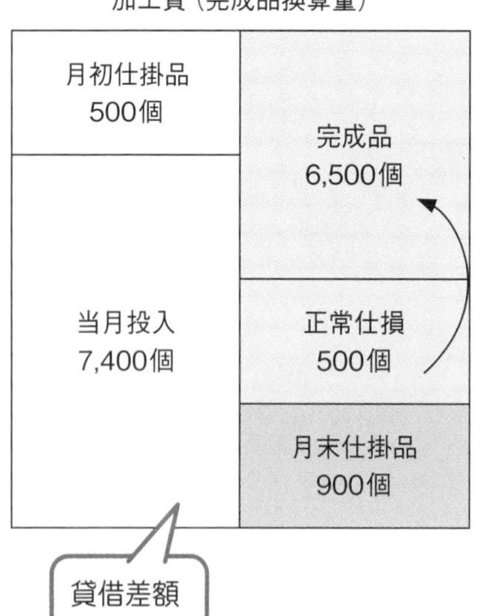

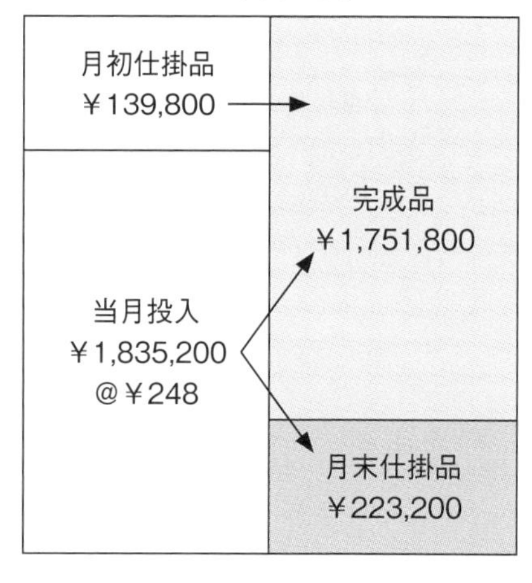

月末仕掛品が負担する加工費

$$¥1,835,200 \times \frac{900個}{7,400個} = ¥223,200$$

完成品が負担する加工費

(¥139,800＋¥1,835,200)－¥223,200 ＝ ¥1,751,800

以上から、月末仕掛品原価、完成品原価、完成品単位原価を算定すると以下の通りです。なお、完成品原価算定にあたって、仕損品の評価額¥56,000（@¥112×500個）を控除します。

月末仕掛品原価	：¥301,500 + ¥223,200 = ¥524,700
完成品原価	：¥1,398,500 + ¥1,751,800 − ¥56,000 = ¥3,094,300
完成品単位原価	：¥3,094,300 ÷ 6,500個 ≒ @¥476.0

完成品原価の計算過程を図解すると次の通りです。(完成品＋仕損品）の製造原価から評価額を控除することで、(完成品＋仕損費）の金額が求まり、これが完成品原価となります。

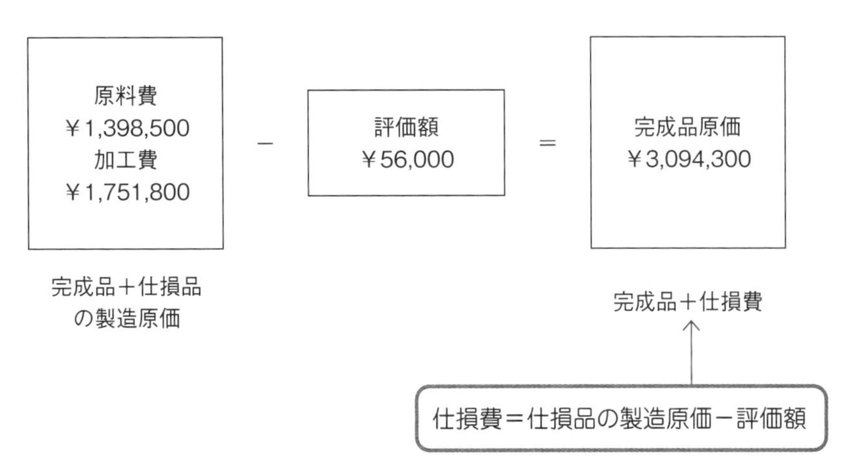

第6章
総合原価計算Ⅱ
さっくり 4日目
しっかり 6日目
じっくり 9日目

例6－5　仕損が始点で発生する場合

問題　先入先出法により、月末仕掛品原価、完成品原価、完成品単位原価を計算しなさい。

① 生産データ

月初仕掛品	1,000個	(1/2)
当月投入	7,500個	
合計	8,500個	
正常仕損	500個	工程の始点で発生
月末仕掛品	1,500個	(3/5)
完成品	6,500個	

・原料は工程の始点で投入する。
・(　　)は加工進捗度を表す。
・計算上生じる端数は小数点以下第2位を四捨五入する。
・仕損品の評価額は@￥112であり、直接材料費から控除する。

② 原価データ

月初仕掛品

原料費	￥　214,000
加工費	￥　118,100

当月投入

原料費	￥1,386,000
加工費	￥1,731,900

【解答】

月末仕掛品原価：	￥　510,900
完成品原価　　：	￥2,883,100
完成品単位原価：	@￥　443.6

【考え方】

仕損が工程の始点で生じているため、仕損費を完成品と月末仕掛品の両者に負担させます。

まずは、原料費について完成品と月末仕掛品とに実在量の比で原価按分します。この際、完成品と月末仕掛品の両方に仕損費を負担させるために、**計算上は正常仕損500個を無視し、仕損品の評価額￥56,000（@￥112×500個）を当月投入原価から控除します。**

原料費（実在量）

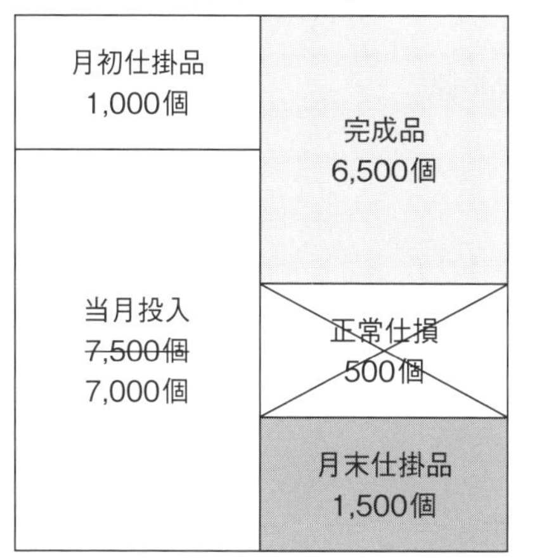

原料費（金額）

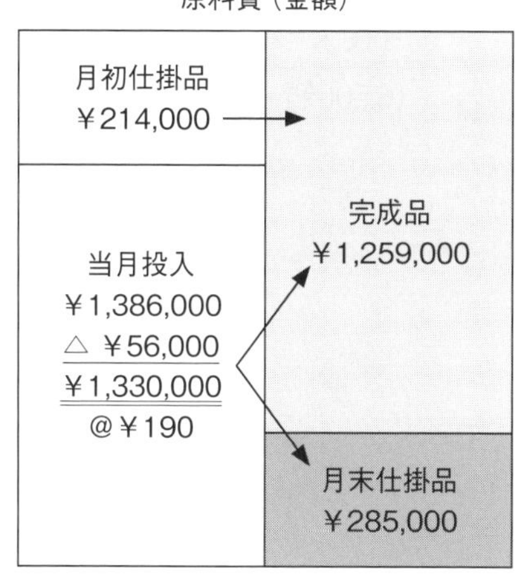

原料費￥1,386,000の中には、仕損品の製造原価が含まれるわけですが、ここから仕損品評価額￥56,000を控除することで、仕損費を含んだ金額に修正されます。

月末仕掛品が負担する原料費

$$(¥1,386,000 - ¥56,000) \times \frac{1,500\text{個}}{7,000\text{個}} = ¥285,000$$

完成品が負担する原料費

(￥214,000＋￥1,386,000－￥56,000)－￥285,000 ＝ ￥1,259,000

次に、加工費について完成品と月末仕掛品とに完成品換算量の比で原価按分します。なお、月初仕掛品、月末仕掛品、正常仕損、当月投入の完成品換算量は次の通りです。

月初仕掛品の完成品換算量

実在量1,000個×加工進捗度1/2 ＝ 500個

月末仕掛品の完成品換算量

実在量1,500個×加工進捗度3/5 ＝ 900個

正常仕損の完成品換算量

実在量500個×加工進捗度０％＝ ０個

仕損は始点で生じるので加工費はかかっていない

当月投入の完成品換算量

(6,500個＋900個)－500個 ＝ 6,900個

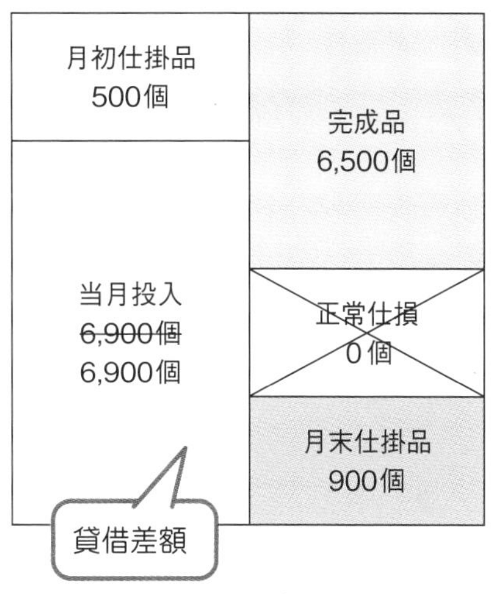

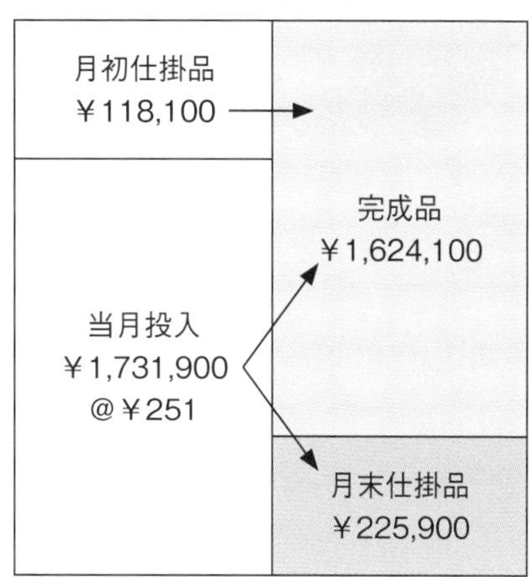

月末仕掛品が負担する加工費

$$¥1{,}731{,}900 \times \frac{900\text{個}}{6{,}900\text{個}} = ¥225{,}900$$

完成品が負担する加工費

$$(¥118{,}100 + ¥1{,}731{,}900) - ¥225{,}900 = ¥1{,}624{,}100$$

以上から、月末仕掛品原価、完成品原価、完成品単位原価を算定すると以下の通りです。

月末仕掛品原価	：¥285,000＋¥225,900＝¥510,900
完成品原価	：¥1,259,000＋¥1,624,100＝¥2,883,100
完成品単位原価	：¥2,883,100÷6,500個≒@¥443.6

確認テスト

問題

　平均法により、月末仕掛品原価、完成品原価、完成品単位原価を計算しなさい。

① 生産データ

月初仕掛品	400kg	(0.5)
当月投入	3,600kg	
合計	4,000kg	
月末仕掛品	500kg	(0.2)
正常仕損	300kg	
完成品	3,200kg	

・原料は工程の始点で投入する。
・(　)は加工進捗度を示す。
・正常仕損は工程の終点で発生しており、評価額は330円/kgである。

② 原価データ

	原料費	加工費
月初仕掛品	￥　100,000	￥　208,000
当月投入	￥　810,000	￥2,465,000

月末仕掛品原価	￥
完成品原価	￥
完成品単位原価	￥

解答

月末仕掛品原価	¥	188,000
完 成 品 原 価	¥	3,296,000
完成品単位原価	¥	1,030

解説

正常仕損が工程の終点で発生しているため、正常仕損費を完成品のみに負担させます。また、正常仕損費を完成品のみに負担させるため、仕損品の評価額は完成品原価から控除します。

1．原料費

原料費（実在量）

月初仕掛品 400kg	完成品 3,200kg
当月投入 3,600kg	正常仕損 300kg
	月末仕掛品 500kg

原料費（金額）

月初仕掛品 ¥100,000	完成品 ¥796,250
当月投入 ¥810,000	月末仕掛品 ¥113,750

$$\text{平均単価：}\frac{¥100{,}000+¥810{,}000}{400\text{kg}+3{,}600\text{kg}}=¥227.5/\text{kg}$$

月末仕掛品：¥227.5/kg×500kg＝¥113,750
完成品：¥100,000＋¥810,000－¥113,750＝¥796,250

2．加工費

加工費（完成品換算量）

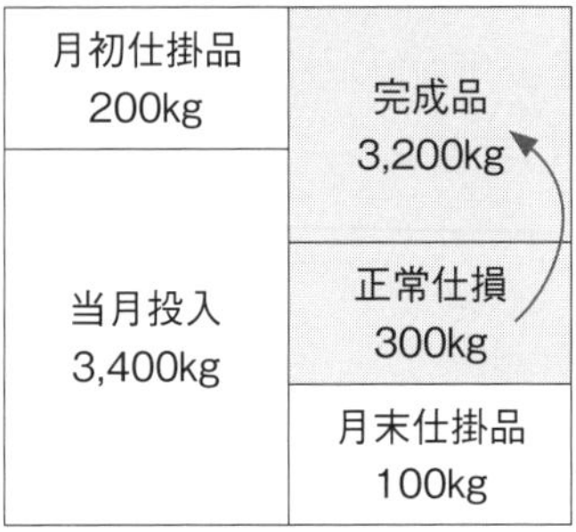

月初仕掛品 200kg	完成品 3,200kg
当月投入 3,400kg	正常仕損 300kg
	月末仕掛品 100kg

加工費（金額）

月初仕掛品 ¥208,000	完成品 ¥2,598,750
当月投入 ¥2,465,000	
	月末仕掛品 ¥74,250

$$\text{平均単価：}\frac{¥208{,}000+¥2{,}465{,}000}{200\text{kg}+3{,}400\text{kg}}=¥742.5/\text{kg}$$

月末仕掛品：¥742.5/kg×100kg＝¥74,250
完成品：¥208,000＋¥2,465,000－¥74,250＝¥2,598,750

月末仕掛品原価：¥113,750＋¥74,250＝¥188,000
仕損品評価額：¥330/kg×300kg＝¥99,000
完成品原価：¥796,250＋¥2,598,750－¥99,000＝¥3,296,000
完成品単位原価：¥3,296,000÷3,200kg＝¥1,030/kg

第7章 総合原価計算Ⅲ

学習進度目安

さっくり 7日間	しっかり 10日間	じっくり 15日間
5日目	7日目	10日目

◉第7章で学習すること

① 総合原価計算の種類

② 工程別単純総合原価計算

③ 等級別総合原価計算

④ 組別総合原価計算

1 総合原価計算の種類

総合原価計算は生産形態（何種類の製品を作っているか）に応じて、**単純総合原価計算**、**等級別総合原価計算**、**組別総合原価計算**に分類されます。単純総合原価計算は、１種類の製品を連続大量生産している会社が適用する原価計算です。第５章で学習した計算方法です。

次に、等級別総合原価計算は同種の製品を連続大量生産している会社が適用する原価計算です。飲料水や文房具、洋服など形状は同じ物でも大きさや色が異なるものを製造している場合に適用されます。

最後に、組別総合原価計算は異種の製品を連続大量生産している会社が適用する原価計算です。自動車メーカーや鉄鋼会社においては、様々な製品を製造しています。使用している部品が異なる場合や異なる製造工程で製品を生産している場合に適用されます。

製品別計算	個別原価計算	個別受注生産している会社が適用する原価計算
	単純総合原価計算	**１種類**の製品を連続大量生産している会社が適用する原価計算
	等級別総合原価計算	**同種**の製品を連続大量生産している会社が適用する原価計算
	組別総合原価計算	**異種**の製品を連続大量生産している会社が適用する原価計算

2 工程別単純総合原価計算

イントロダクション

前章で最も基本的な総合原価計算である単純総合原価計算について学習しました。本節では、もう少しその計算に工夫を凝らして、「工程」という区分を設けて、製品原価をどう計算するのかを学習します。

1 工程とは

日常的に作業工程や製作工程などという言葉を耳にすることがあるかと思いますが、「**工程**」とは、製造プロセスのことを指します。製品は、いくつかの工程を経て出来上がるものです。例えば、皆さんが今使っている机を作るのに、木材を切る工程、組立てる工程、塗装する工程など作業内容によって工場の中では区分が設けられ、製品製造が行われます。

コトバ

工程：製造プロセスのこと

さっくり 5日目
しっかり 7日目
じっくり 10日目

2 工程別計算

工程別計算は単に工程ごとに原料費と加工費をその工程の完成品と仕掛品とに按分計算するだけなので、前章で扱った工程という区分を設けていない単純総合原価計算（単一工程単純総合原価計算といいます）の手続を工程ごとにやればよいだけですが、「**前工程費**（まえこうていひ）」の計算が必要となります。ここで、前工程費とは、**前の工程の完成品原価**のことを指します。

コトバ
工程別原価計算：２つ以上の工程に分けて行う原価計算
前工程費：前の工程の完成品原価

例えば、工程が第１工程と第２工程に分かれている場合、まず、第１工程で製造された第１工程完成品と第１工程月末仕掛品とに原料費と加工費を按分します。その後、第２工程に第１工程完成品が振替えられて加工作業がなされるわけですが、第２工程完成品と第２工程月末仕掛品とに原価を按分するためには、第１工程完成品原価である前工程費の按分が必要となるのです。これは、第２工程における原料費（直接材料費）だと考えて計算することになります。

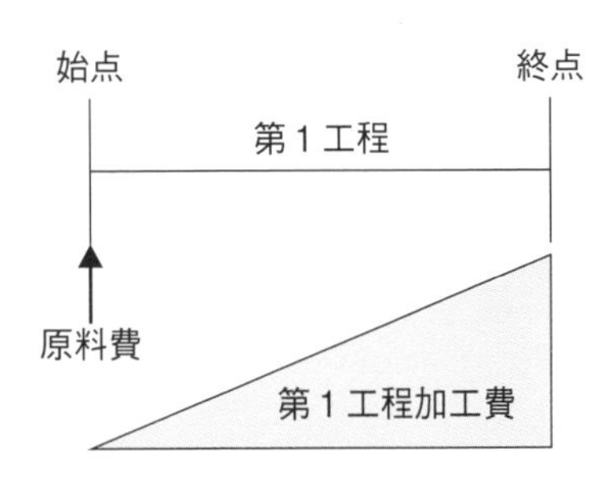

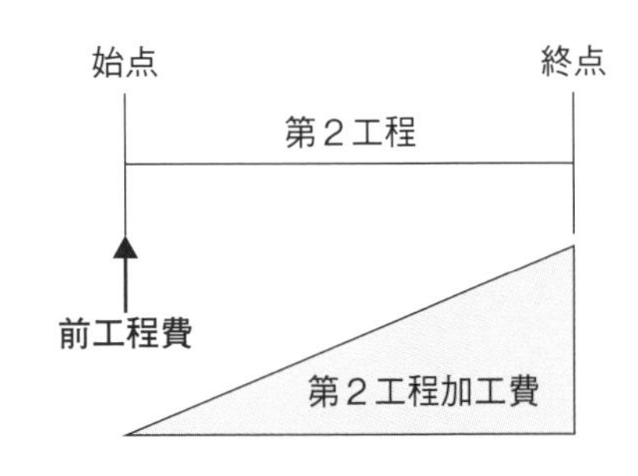

前工程費の扱い

第2工程では、前工程費を直接材料費とみなして、第2工程における完成品原価を計算します。

工程別計算の方法

工程別計算の具体的な計算方法として、**累加法**と**非累加法**という2つの方法があります。累加法とは、第1工程完成品原価を前工程費として第2工程に振替えて計算を行う方法です。工場の中で実際に行われるモノの動きに合わせた計算です。2級の試験ではこの累加法のみをおさえておけばよいです。

第7章 総合原価計算Ⅲ

さっくり5日目
しっかり7日目
じっくり10日目

例7－1　工程別総合原価計算

問題　各工程の月末仕掛品原価、完成品原価、完成品単位原価を計算しなさい。なお、当工場では2つの工程を経て製品を量産しており、累加法による工程別総合原価計算を行っている。

① 第1工程生産データ

月初仕掛品	400個	(3/4)
当 月 投 入	4,400個	
合　　計	4,800個	
月末仕掛品	800個	(1/2)
完 成 品	4,000個	

② 第1工程原価データ

月初仕掛品	
直接材料費	¥ 248,800
加 工 費	¥ 137,700
当月投入	
直接材料費	¥2,631,200
加 工 費	¥2,062,300

③ 第2工程生産データ

月初仕掛品	600個	(2/3)
当 月 投 入	?個	
合　　計	?個	
月末仕掛品	1,000個	(3/5)
完 成 品	3,600個	

④ 第2工程原価データ

月初仕掛品	
前 工 程 費	¥ 568,000
加 工 費	¥ 268,000
当 月 投 入	
前 工 程 費	¥　?
加 工 費	¥1,748,000

・材料は第1工程の始点で投入する。
・(　　　) は加工進捗度を表す。

・第１工程完成品は完成後ただちにすべて第２工程に振替え、始点で投入する。
・月末仕掛品の評価は第１工程、第２工程ともに平均法による。

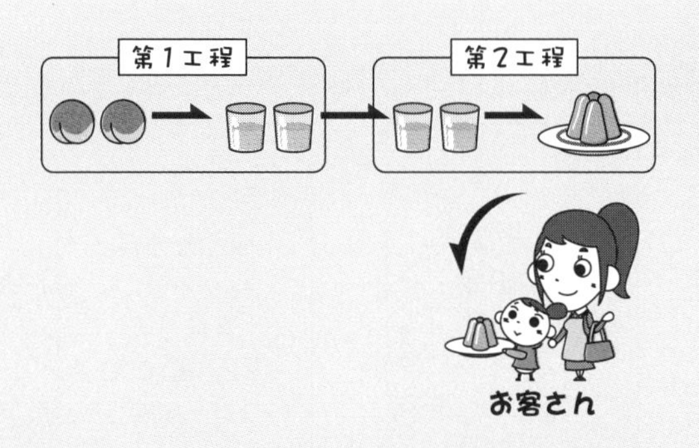

【解答】

第１工程	第２工程
月末仕掛品原価：￥　680,000	月末仕掛品原価：￥1,368,000
完成品原価　　：￥4,400,000	完成品原価　　：￥5,616,000
完成品単位原価：@￥　1,100	完成品単位原価：@￥　1,560

【考え方】

累加法による工程別計算が求められているため、第1工程と第2工程に分けて、完成品と月末仕掛品の原価を計算します。

重要　工程別総合原価計算の解き方

(1) 第1工程、第2工程のそれぞれについて単純総合原価計算を行います。

(2) 第2工程では、前工程費を直接材料費と同じように扱って計算します。

① 第1工程について

平均法による計算が求められているため、まずは直接材料費に関する総製造費用¥2,880,000（¥248,800＋¥2,631,200）を完成品と月末仕掛品とに実在量の比で按分します。

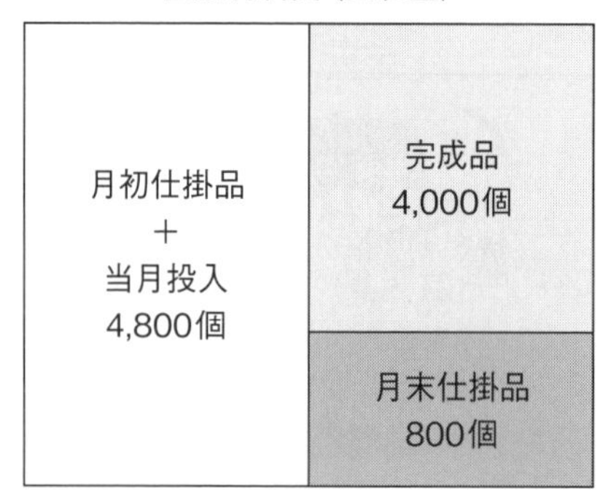

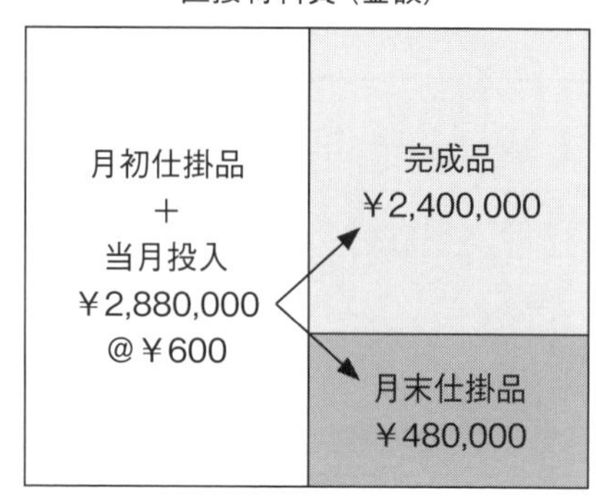

月末仕掛品が負担する直接材料費

$$\frac{¥2,880,000}{4,800\text{個}} \times 800\text{個} = ¥480,000$$

完成品が負担する直接材料費

¥2,880,000－¥480,000 ＝ ¥2,400,000　もしくは

$$\frac{¥2,880,000}{4,800\text{個}} \times 4,000\text{個} = ¥2,400,000$$

次に、加工費に関する総製造費用￥2,200,000（￥137,700＋￥2,062,300）を完成品と月末仕掛品とに完成品換算量の比で按分します。なお、月末仕掛品の完成品換算量は、実在量800個×加工進捗度1/2で400個となります。

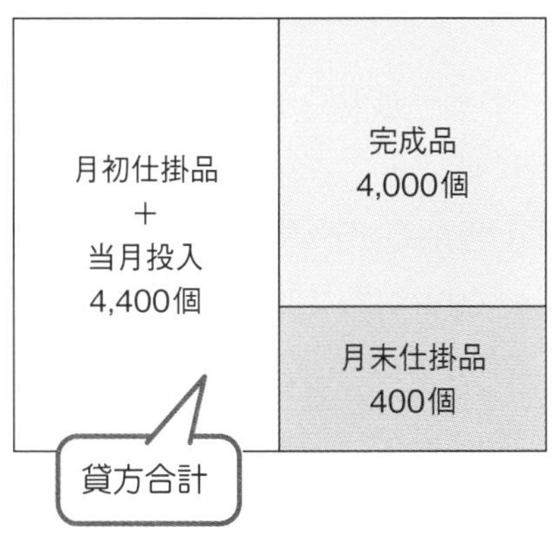

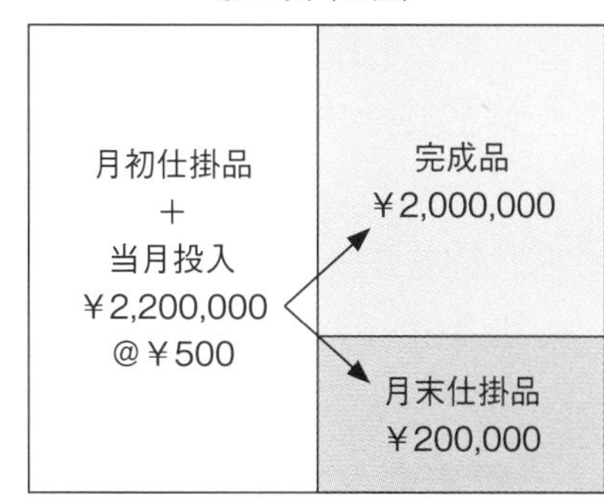

月末仕掛品が負担する加工費

$$\frac{￥2,200,000}{4,400個} \times 400個 = ￥200,000$$

完成品が負担する加工費

￥2,200,000－￥200,000 ＝ ￥2,000,000　もしくは

$$\frac{￥2,200,000}{4,400個} \times 4,000個 = ￥2,000,000$$

以上から、第１工程に関する月末仕掛品原価、完成品原価、完成品単位原価を算定すると以下の通りです。

第１工程

月末仕掛品原価：¥480,000 + ¥200,000 = ¥680,000
完成品原価　　　：¥2,400,000 + ¥2,000,000 = ¥4,400,000
完成品単位原価：¥4,400,000 ÷ 4,000個 = @¥1,100

② 第２工程について

第２工程では、第１工程完成品がすべて振替えられてくるため、まずは第１工程完成品原価を「前工程費」として、完成品および月末仕掛品に按分します。また、第２工程生産データで？となっている当月投入は、第１工程完成品数量4,000個があてはまります。

重要　前工程費となるもの

第１工程の完成品のうち第２工程に振替えられたものが、前工程費です。

第１工程完成品は第２工程始点で投入されるため、前工程費は第２工程の始点で発生すると考えられます。前工程費に関する総製造費用¥4,968,000（¥568,000 + ¥4,400,000）を完成品と月末仕掛品とに実在量の比で按分します。

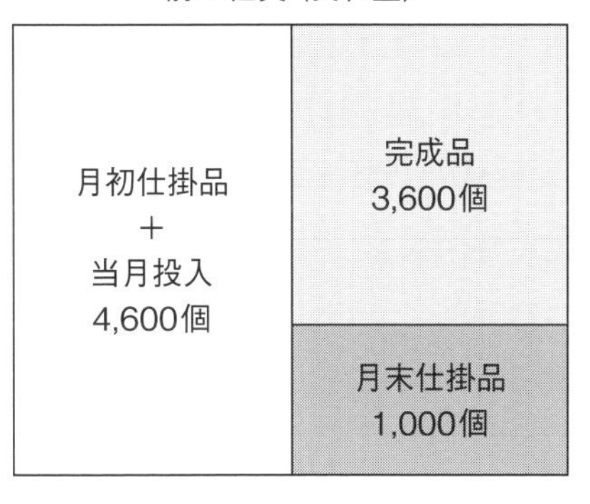

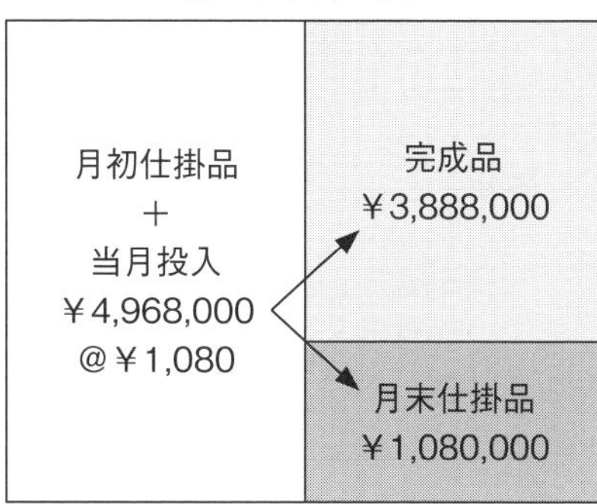

月末仕掛品が負担する前工程費

$$\frac{￥4,968,000}{4,600個} \times 1,000個 = ￥1,080,000$$

完成品が負担する前工程費

￥4,968,000－￥1,080,000 ＝ ￥3,888,000　もしくは

$$\frac{￥4,968,000}{4,600個} \times 3,600個 = ￥3,888,000$$

次に、加工費に関する総製造費用￥2,016,000（￥268,000＋￥1,748,000）を完成品と月末仕掛品とに完成品換算量の比で按分します。なお、月末仕掛品の完成品換算量は、実在量1,000個×加工進捗度3/5で600個となります。

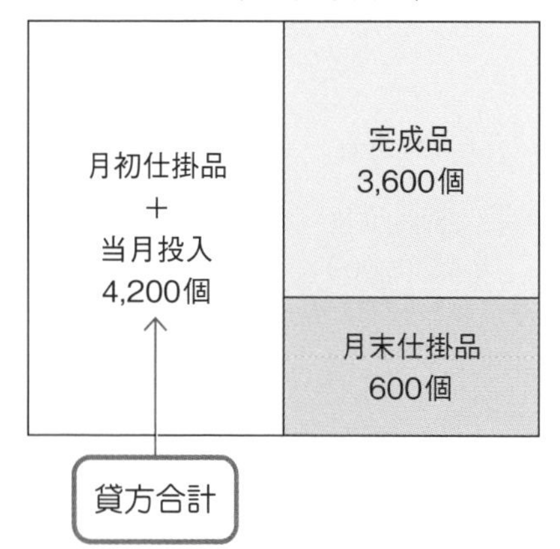

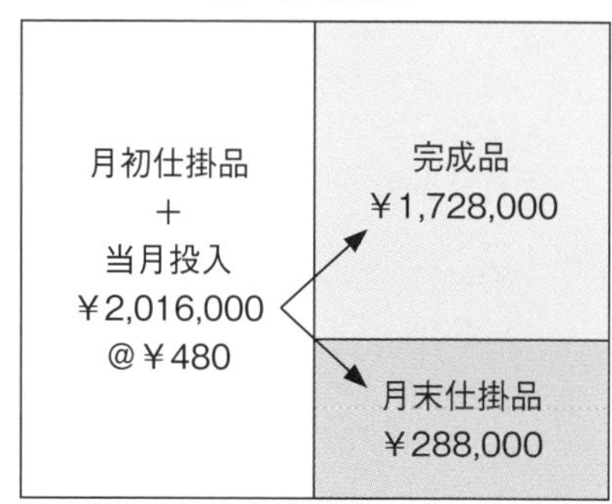

月末仕掛品が負担する加工費

$$\frac{¥2,016,000}{4,200\text{個}} \times 600\text{個} = ¥288,000$$

完成品が負担する加工費

¥2,016,000 − ¥288,000 ＝ ¥1,728,000　もしくは

$$\frac{¥2,016,000}{4,200\text{個}} \times 3,600\text{個} = ¥1,728,000$$

以上から、第２工程に関する月末仕掛品原価、完成品原価、完成品単位原価を算定すると以下の通りです。

第２工程

月末仕掛品原価	：¥1,080,000 + ¥288,000 = ¥1,368,000
完成品原価	：¥3,888,000 + ¥1,728,000 = ¥5,616,000
完成品単位原価	：¥5,616,000 ÷ 3,600個 = @¥1,560

3 半製品とは

半製品とは、特定の工程の完成品で、次の工程に振替えられなかったもののことです。仕掛品と同様に製造途中のものですが、仕掛品と異なり、特定の工程を終えているため、お客さんに売却することや倉庫に保管しておくことも可能です。

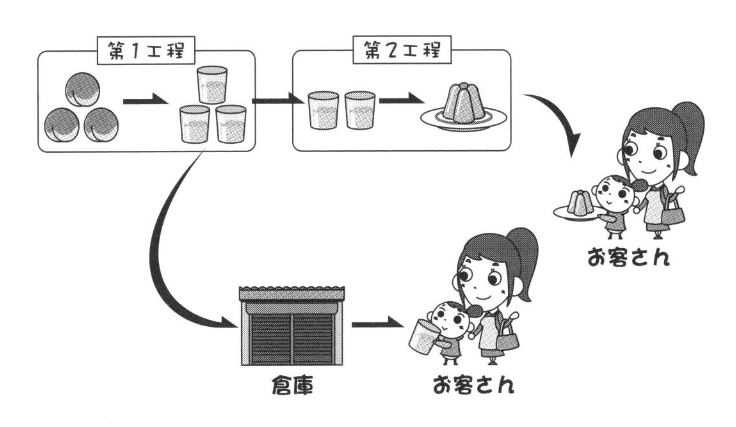

重要 前工程費と半製品

第1工程の完成品のうち、第2工程に、
　振替えたもの→前工程費
　振替えなかったもの→半製品

【勘定連絡図】

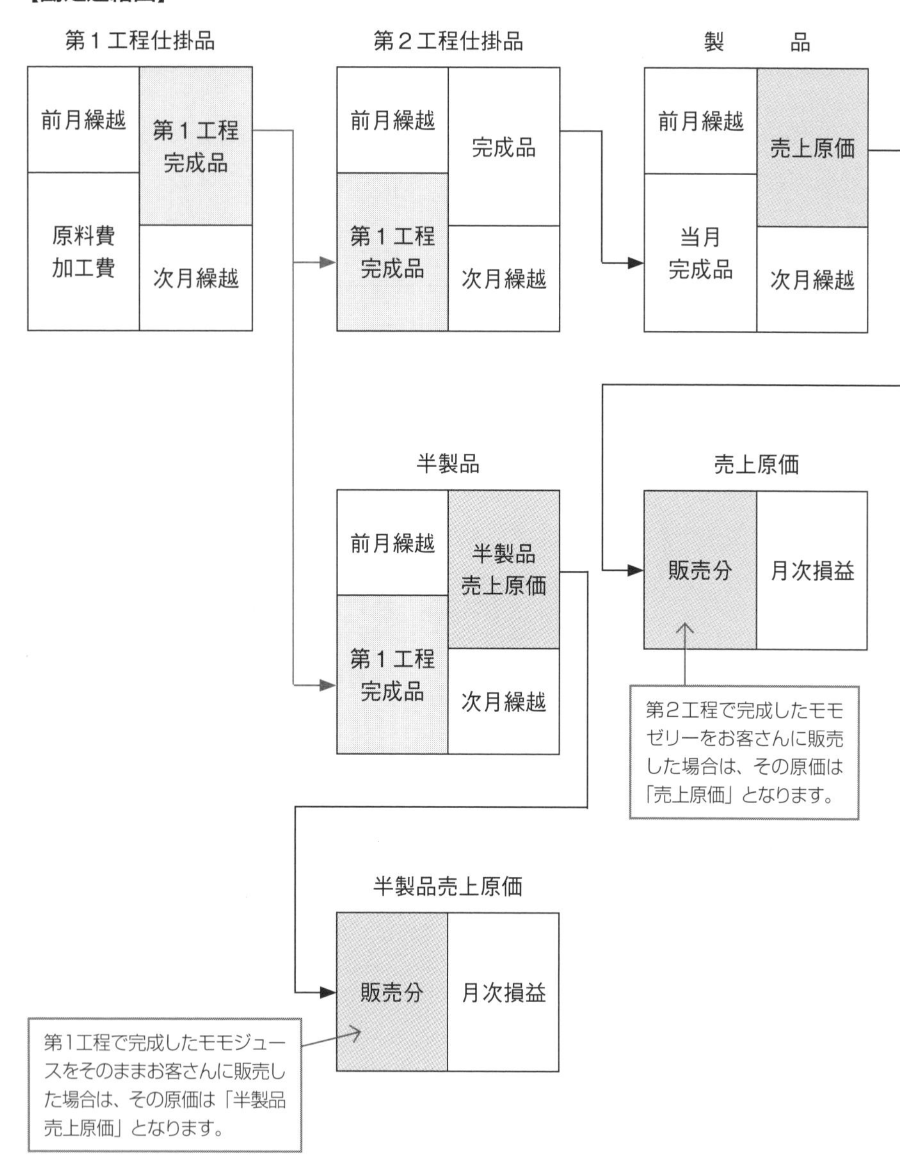
第１工程仕掛品
前月繰越
第１工程
完成品
原料費
加工費
次月繰越
第２工程仕掛品
前月繰越
完成品
第１工程
完成品
次月繰越
製　品
前月繰越
売上原価
当月
完成品
次月繰越
半製品
前月繰越
半製品
売上原価
第１工程
完成品
次月繰越
売上原価
販売分
月次損益
第2工程で完成したモモゼリーをお客さんに販売した場合は、その原価は「売上原価」となります。
半製品売上原価
販売分
月次損益
第1工程で完成したモモジュースをそのままお客さんに販売した場合は、その原価は「半製品売上原価」となります。

例7－2　半製品

問題　当工場では２つの工程を経て製品を量産しており、累加法による工程別総合原価計算を行っている。第１工程完成品原価は￥1,265,000であった。以下の①～③の仕訳を行いなさい。

① 第１工程完成品のうち￥850,000を第２工程へ振替えた。
② 第１工程完成品のうち残りの￥415,000を倉庫に保管した。
③ ②のうち￥250,000を外部へ販売した。

【解答】

① 第2工程への振替

借方科目	金額	貸方科目	金額
第２工程仕掛品	850,000	第１工程仕掛品	850,000

② 半製品への振替

借方科目	金額	貸方科目	金額
半製品	415,000	第１工程仕掛品	415,000

③ 半製品売上原価への振替

借方科目	金額	貸方科目	金額
半製品売上原価	250,000	半製品	250,000

【考え方】

① 第2工程への振替

第1工程仕掛品勘定（資産）から、第2工程仕掛品勘定（資産）へ¥850,000が振替らえれます。

② 半製品への振替

第1工程仕掛品勘定（資産）から、半製品勘定（資産）へ¥415,000が振替えられます。

③ 半製品売上原価への振替

半製品勘定（資産）から、半製品売上原価勘定（費用）へ¥250,000が振替えられます。

工程と部門

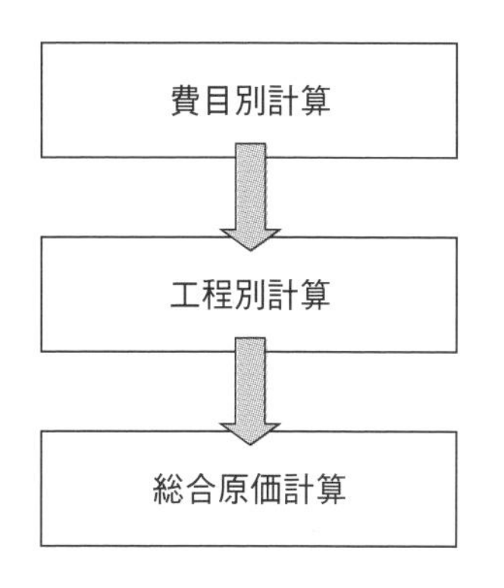

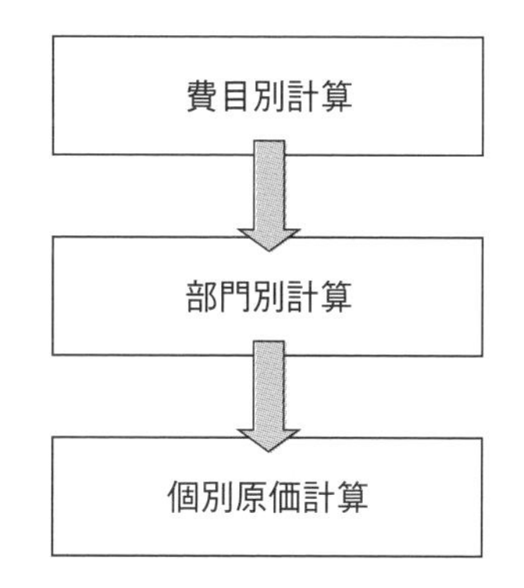

部門別計算は個別原価計算に結びつき、製造間接費を部門に集計し、部門から製品へ製造間接費の配賦を行いました。他方、工程別計算は総合原価計算に結びつき、すべての費目、つまり**原料費も加工費も工程に集計する**ことになります。

	製品別計算	
	総合原価計算	個別原価計算
生産形態	連続大量生産	個別受注生産
原価の区別	原料費と加工費	製造直接費と製造間接費
原価の集計	期間生産量 (完成品と仕掛品)	製造指図書
工程 or 部門	工程別計算	部門別計算

3 等級別総合原価計算

イントロダクション

総合原価計算は生産形態（何種類の製品を作っているか）に応じて、単純総合原価計算、等級別総合原価計算、組別総合原価計算に分類されます。第５章で学習した単純総合原価計算は、１種類の製品を連続大量生産している会社が適用する原価計算でした。

本節では、等級別総合原価計算という同種製品を連続大量生産している会社が適用する原価計算を学習します。

1 等級別総合原価計算とは

会社が製造している製品は単一であるとは限りません。１種類の製品であっても、大きさや重さ、品質などが異なる製品が複数作られます。例えば、ペットボトル飲料を想像していただくと、500ml、１ℓ、1.5ℓのものなどがありますが、これらは容器の大きさのみが異なる同種製品と言えます。このような同種製品を連続大量生産している会社が適用する原価計算が等級別総合原価計算です。

等級別総合原価計算：大きさや形が異なるだけの同種の製品を大量生産するときの原価計算

2 等価係数とは

等級別総合原価計算を行うにあたって、「**等価係数**」と呼ばれるものを利用します。等価係数とは、基準となる製品に比べて、他の製品がどれだけの価値があるのかを表す数値です。

例えば、1ℓのペットボトル飲料の等価係数を1と置いた時、500mlのペットボトル飲料の等価係数は0.5（500ml÷1,000ml）と表すことができます。仮にそれぞれを1本ずつ製造した時に、¥300の製造原価がかかったとすると、次のように計算を行います。

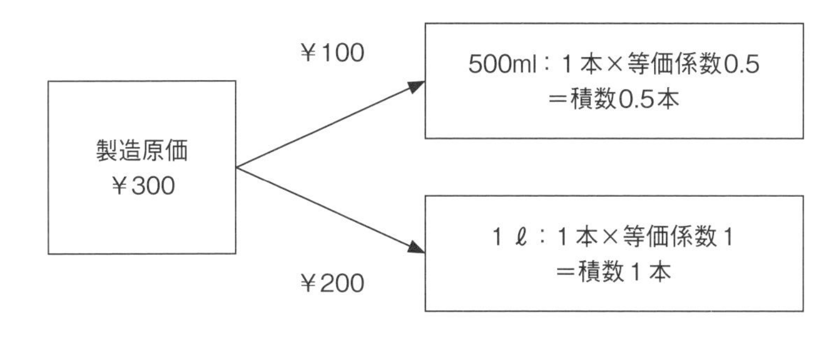

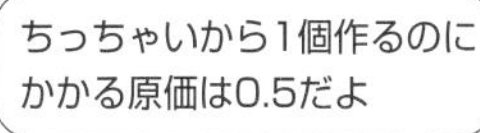

第7章 総合原価計算Ⅲ

さっくり5日目 しっかり7日目 じっくり10日目

等価係数をそれぞれの製品の実在量に掛け算することで「**積数**」と呼ばれるものが計算されます。これは各製品の１本あたりの価値を同じにした値になります。等級別総合原価計算では、各製品の積数に基づき製造原価を按分します。

仮に、￥300÷２本＝@￥150と計算すると、500mlのペットボトル飲料も１ℓのペットボトル飲料も同じ製造原価となってしまい、不合理な計算と言えます

コトバ

等級製品：大きさや形などが異なるだけの製品

等価係数：基準となる等級製品の原価を１としたときの、ある等級製品の原価の負担割合のこと

積数：完成品総合原価を各等級製品の完成品原価に振り分けるときに使う値

例7－3　等級別総合原価計算

問題　平均法により、各等級製品の完成品原価、完成品単位原価を計算しなさい。

① 生産データ

月初仕掛品	2,000本	(1/2)
当月投入	8,000本	
合　　計	10,000本	
月末仕掛品	3,000本	(1/4)
完　成　品	7,000本	

② 原価データ

月初仕掛品	
直接材料費	¥　296,000
加　工　費	¥　152,000
当月投入	
直接材料費	¥1,204,000
加　工　費	¥1,041,500

・材料は工程の始点で投入する。
・(　　) は加工進捗度を表す。
・完成品の内訳は製品A3,000本、製品B4,000本である。

③ 等価係数

製品A：1　　製品B：0.58

【解答】

製品A	製品B
完成品原価　　：¥1,200,000	完成品原価　　：¥　928,000
完成品単位原価：@¥　　　400	完成品単位原価：@¥　　　232

【考え方】

始めに製品Aと製品Bを区別せずに、完成品7,000本の製造原価を計算します。

まずは直接材料費に関する総製造費用¥1,500,000（¥296,000＋¥1,204,000）を完成品と月末仕掛品とに実在量の比で按分します。

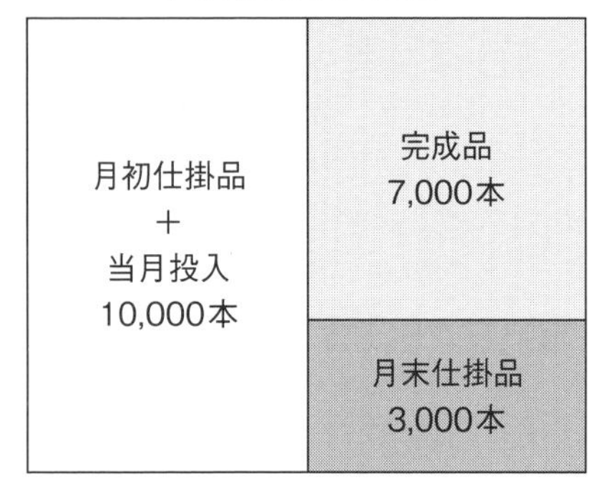

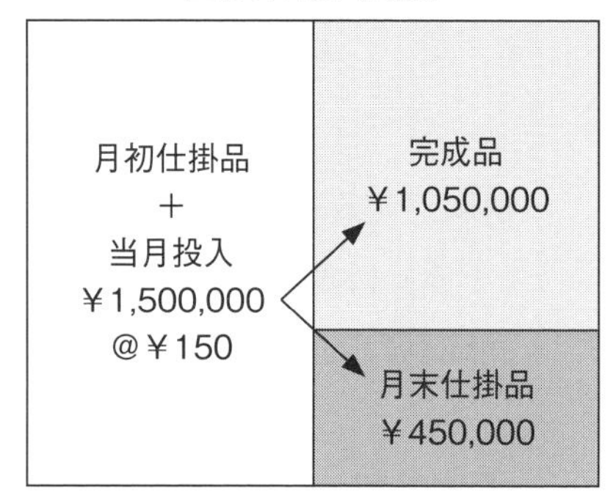

月末仕掛品が負担する直接材料費

$$\frac{¥1,500,000}{10,000\text{本}} \times 3,000\text{本} = ¥450,000$$

完成品が負担する直接材料費

¥1,500,000－¥450,000 ＝ ¥1,050,000　もしくは

$$\frac{¥1,500,000}{10,000\text{本}} \times 7,000\text{本} = ¥1,050,000$$

次に、加工費に関する総製造費用￥1,193,500（￥152,000＋￥1,041,500）を完成品と月末仕掛品とに完成品換算量の比で按分します。なお、月末仕掛品の完成品換算量は、実在量3,000本×加工進捗度1/4で750本となります。

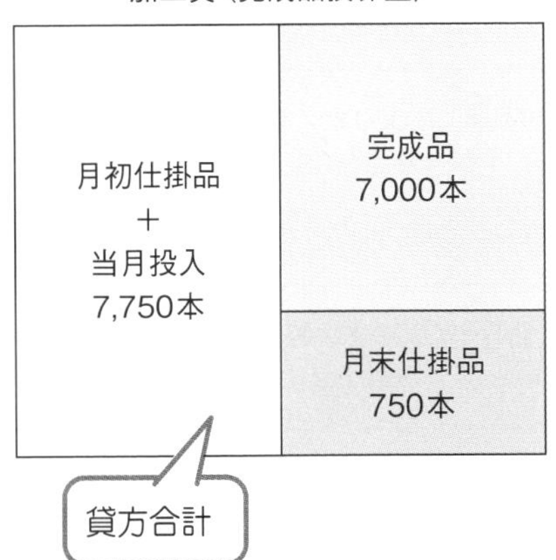

月末仕掛品が負担する加工費

$$\frac{¥1,193,500}{7,750\text{本}} \times 750\text{本} = ¥115,500$$

完成品が負担する加工費

￥1,193,500－￥115,500 ＝ ￥1,078,000　もしくは

$$\frac{¥1,193,500}{7,750\text{本}} \times 7,000\text{本} = ¥1,078,000$$

以上から、月末仕掛品原価、完成品原価は以下の通りです。

月末仕掛品原価：￥450,000＋￥115,500＝￥565,500
完成品原価　　：￥1,050,000＋￥1,078,000＝￥2,128,000

第7章
総合原価計算Ⅲ

さっくり5日目
しっかり7日目
じっくり10日目

最後に完成品原価¥2,128,000を製品Aと製品Bの**積数**の比で按分します。

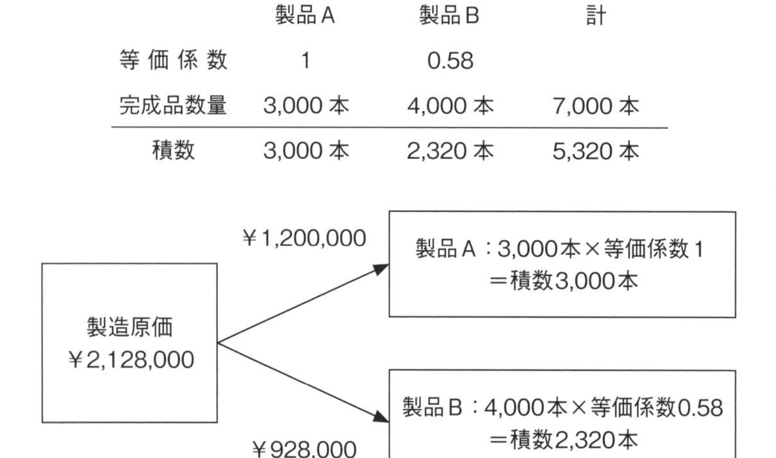

	製品A	製品B	計
等価係数	1	0.58	
完成品数量	3,000本	4,000本	7,000本
積数	3,000本	2,320本	5,320本

以上より、製品A、製品Bの完成品原価、完成品単位原価は次の通りです。

製品A

完成品原価	：$¥2,128,000 \times \dfrac{3,000本}{3,000本 + 2,320本} = ¥1,200,000$
完成品単位原価	：¥1,200,000 ÷ 3,000本＝@¥400

製品B

完成品原価	：$¥2,128,000 \times \dfrac{2,320本}{3,000本 + 2,320本} = ¥928,000$
完成品単位原価	：¥928,000 ÷ 4,000本＝@¥232

重要　等級別総合原価計算の解き方

(1)　単純総合原価計算をして、完成品総合原価を求めます。

(2)　完成品総合原価を積数の比で按分計算して、各等級製品の完成品原価を求めます。

4 組別総合原価計算

イントロダクション

今度は、複数種類の製品を製造している会社を想定した組別総合原価計算を学習します。組別総合原価計算は個別原価計算の考え方を一部取り入れた総合原価計算となります。多くの会社で広く取り入れられている計算方法です。

1 組別総合原価計算とは

会社の中で製造している製品は1種類であるとは限りません。現代は多角化の時代ですから、異なる種類の製品を製造することが多いです。例えば、自動車メーカーでは、富裕層向けのスポーツカーを製造したり、一般層向けの大衆車を製造しています。このように、様々なお客さんの要望に応えられるように、会社では種々の製品を用意するわけです。このような会社が適用する原価計算を組別総合原価計算といいます。

コトバ

組別総合原価計算：同じ製造ラインで2種類以上の製品を大量生産するときの原価計算

組：製品の種類のこと

2 原価分類

組別総合原価計算では、「組直接費」と「組間接費」という原価の分類が重要です。組直接費とは、どの種類の製品を製造するのにいくらかかったのかがわかる原価です。他方、組間接費とは、どの種類の製品を製造するのにいくらかかったのかがわからない原価です。

例えば、同じ工場でスポーツカーと大衆車を製造している会社を考えると、それぞれの車に搭載されるエンジンやタイヤは組直接費です。これに対して、工場の建物減価償却費や清掃員の給与などは組間接費です。個別原価計算と同様に、組直接費は直課（賦課）、組間接費は配賦します。

製造原価

製造原価		
直接材料費	組直接費	直接材料費
直接労務費		加　工　費
直 接 経 費		
間接材料費	組間接費	
間接労務費		
間 接 経 費		

「組」とは、製品の種類のことであり、組製品A、組製品Bというように製品のことを表します

さっくり5日目
しっかり7日目
じっくり10日目

【勘定連絡図】

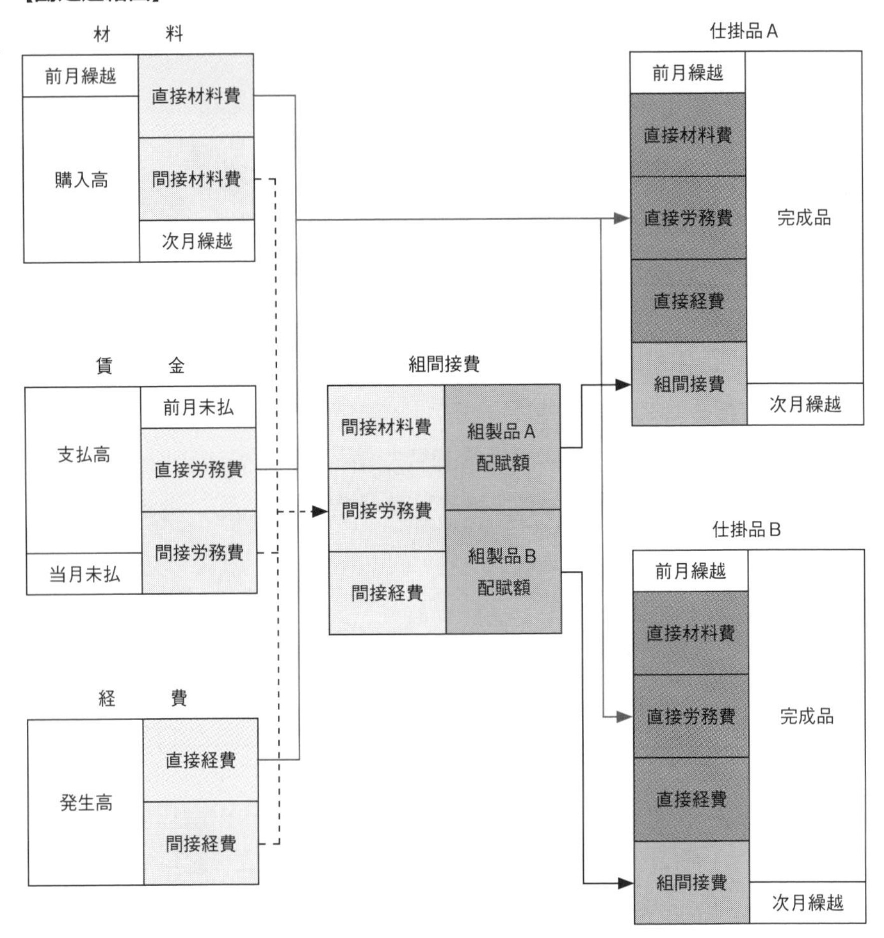

材　料
前月繰越
購入高
直接材料費
間接材料費
次月繰越
賃　金
支払高
当月未払
前月未払
直接労務費
間接労務費
経　費
発生高
直接経費
間接経費
組間接費
間接材料費
間接労務費
間接経費
組製品A
配賦額
組製品B
配賦額
仕掛品A
前月繰越
直接材料費
直接労務費
直接経費
組間接費
完成品
次月繰越
仕掛品B
前月繰越
直接材料費
直接労務費
直接経費
組間接費
完成品
次月繰越

例7－4　組別総合原価計算

問題　平均法により、各製品の月末仕掛品原価、完成品原価、完成品単位原価を計算しなさい。

① 製品A生産データ

月初仕掛品	1,000台	(1/2)
当月投入	4,000台	
合計	5,000台	
月末仕掛品	2,000台	(1/4)
完成品	3,000台	

② 製品A原価データ

月初仕掛品	
直接材料費	¥　100,000
加工費	¥　70,000
当月組直接費	
直接材料費	¥　600,000
加工費	¥　700,000

③ 製品B生産データ

月初仕掛品	1,000台	(1/4)
当月投入	20,000台	
合計	21,000台	
月末仕掛品	2,000台	(1/2)
完成品	19,000台	

④ 製品B原価データ

月初仕掛品	
直接材料費	¥　102,000
加工費	¥　80,000
当月組直接費	
直接材料費	¥2,208,000
加工費	¥1,600,000

・材料は工程の始点で投入する。
・(　　) は加工進捗度を表す。

⑤ 当月組間接費¥460,000は当月組直接費の加工費を基準に配賦する。

第7章 総合原価計算Ⅲ

さっくり 5日目
しっかり 7日目
じっくり 10日目

【解答】

製品A	製品B
月末仕掛品原価：¥　410,000	月末仕掛品原価：¥　320,000
完成品原価　　：¥1,200,000	完成品原価　　：¥3,990,000
完成品単位原価：@¥　　400	完成品単位原価：@¥　　210

【考え方】

まず、組直接費を直課（賦課）、組間接費を配賦します。

次に、組製品ごとに月末仕掛品原価、完成品原価、完成品単位原価を計算します。

重要　組別総合原価計算の解き方

(1)　組間接費（製造間接費）を各組製品に配賦します。

(2)　組製品ごとに、単純総合原価計算をして、各組製品の完成品原価を求めます。

組直接費については既に各組製品へ直課（賦課）されているため、組間接費¥460,000を組直接費の加工費を基準に配賦すると以下のようになります。

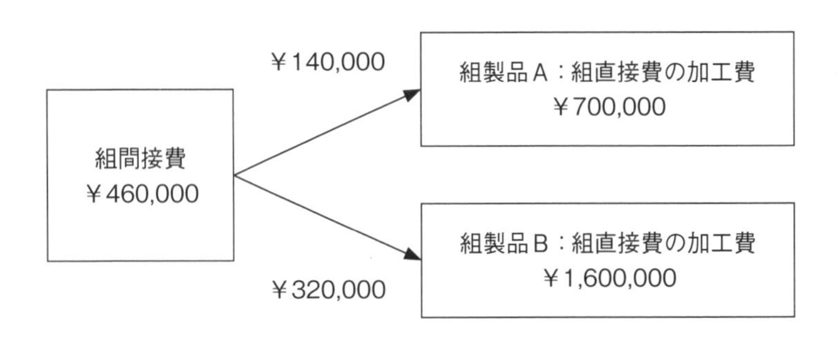

組製品Aへの配賦額

$$¥460,000 \times \frac{¥700,000}{¥700,000 + ¥1,600,000} = ¥140,000$$

組製品Bへの配賦額

$$¥460,000 \times \frac{¥1,600,000}{¥700,000 + ¥1,600,000} = ¥320,000$$

したがって、組製品ごとの加工費は次のように計算されます。

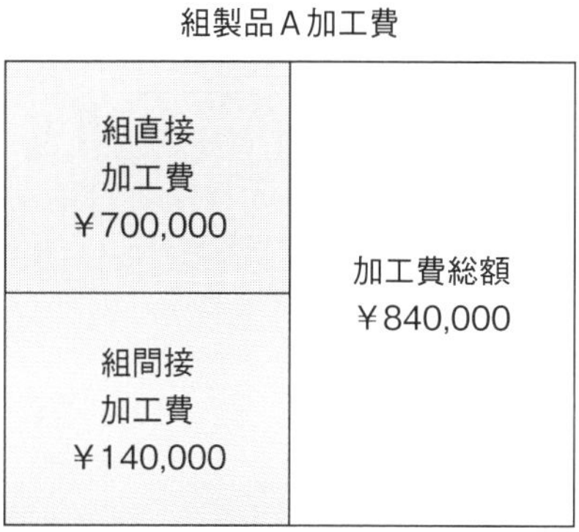

組製品A加工費

組直接加工費 ¥700,000	加工費総額 ¥840,000
組間接加工費 ¥140,000	

組製品B加工費

組直接加工費 ¥1,600,000	加工費総額 ¥1,920,000
組間接加工費 ¥320,000	

① 組製品Aについて

平均法による計算が求められているため、まずは直接材料費に関する総製造費用¥700,000（¥100,000＋¥600,000）を完成品と月末仕掛品とに実在量の比で按分します。

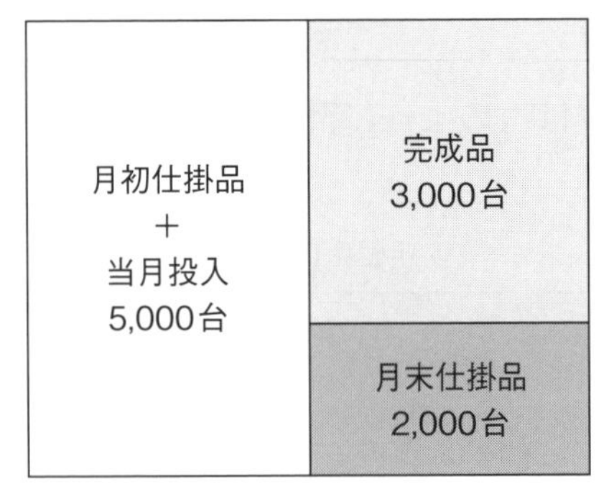

月末仕掛品が負担する直接材料費

$$\frac{¥700{,}000}{5{,}000台} \times 2{,}000台 = ¥280{,}000$$

完成品が負担する直接材料費

$¥700{,}000 - ¥280{,}000 = ¥420{,}000$　もしくは

$$\frac{¥700{,}000}{5{,}000台} \times 3{,}000台 = ¥420{,}000$$

次に、加工費に関する総製造費用¥910,000（¥70,000＋¥840,000）を完成品と月末仕掛品とに完成品換算量の比で按分します。なお、月末仕掛品の完成品換算量は、実在量2,000台×加工進捗度1/4で500台となります。

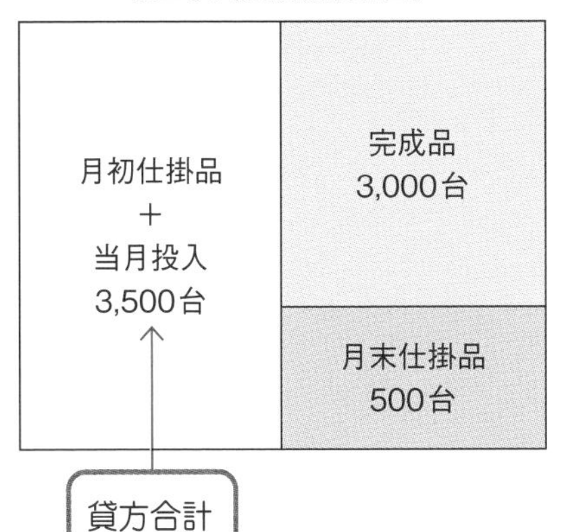

加工費（金額）

月初仕掛品 ＋ 当月投入 ¥910,000 @¥260	完成品 ¥780,000
	月末仕掛品 ¥130,000

月末仕掛品が負担する加工費

$$\frac{¥910,000}{3,500\text{台}} \times 500\text{台} = ¥130,000$$

完成品が負担する加工費

¥910,000－¥130,000 ＝ ¥780,000　もしくは

$$\frac{¥910,000}{3,500\text{台}} \times 3,000\text{台} = ¥780,000$$

以上より、製品Aに関する月末仕掛品原価、完成品原価、完成品単位原価は以下の通りです。

製品A

月末仕掛品原価	：¥280,000＋¥130,000＝¥410,000
完成品原価	：¥420,000＋¥780,000＝¥1,200,000
完成品単位原価	：¥1,200,000÷3,000台＝@¥400

② 組製品Bについて

平均法による計算が求められているため、まずは直接材料費に関する総製造費用¥2,310,000（¥102,000＋¥2,208,000）を完成品と月末仕掛品とに実在量の比で按分します。

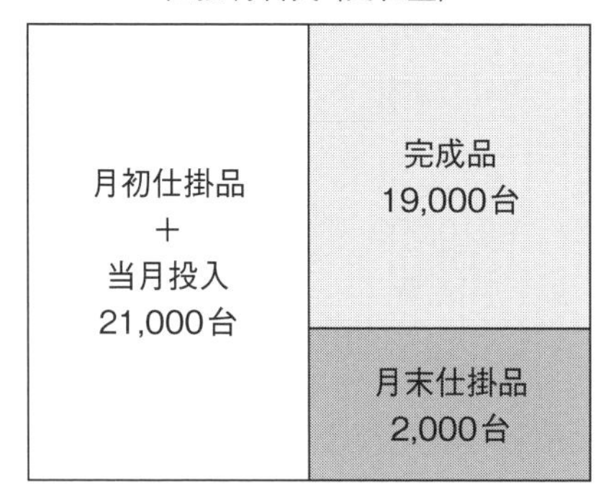

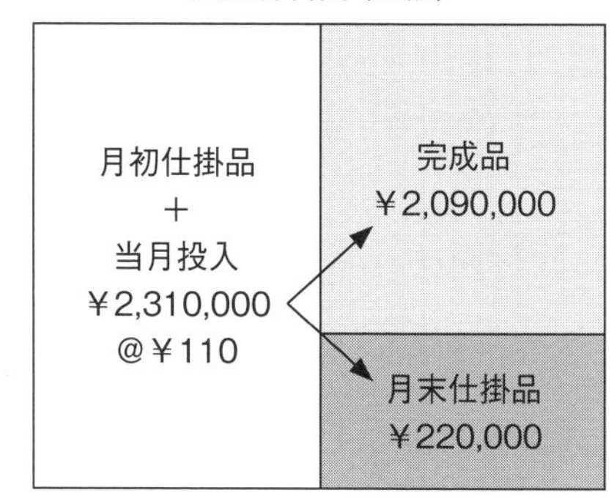

月末仕掛品が負担する直接材料費

$$\frac{¥2,310,000}{21,000台} \times 2,000台 = ¥220,000$$

完成品が負担する直接材料費

¥2,310,000－¥220,000 ＝ ¥2,090,000　もしくは

$$\frac{¥2,310,000}{21,000台} \times 19,000台 = ¥2,090,000$$

次に、加工費に関する総製造費用￥2,000,000（￥80,000＋￥1,920,000）を完成品と月末仕掛品とに完成品換算量の比で按分します。なお、月末仕掛品の完成品換算量は、実在量2,000台×加工進捗度1/2で1,000台となります。

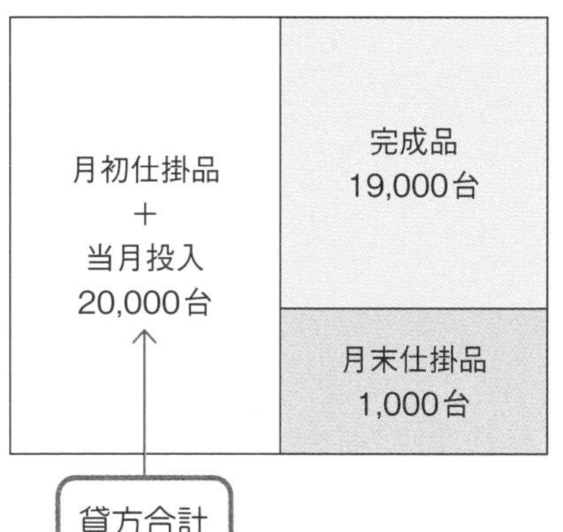

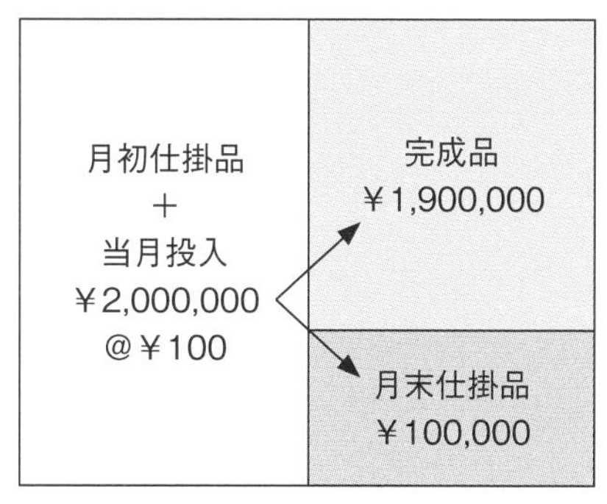

月末仕掛品が負担する加工費

$$\frac{￥2{,}000{,}000}{20{,}000\text{台}} \times 1{,}000\text{台} = ￥100{,}000$$

完成品が負担する加工費

￥2,000,000－￥100,000 ＝ ￥1,900,000　もしくは

$$\frac{￥2{,}000{,}000}{20{,}000\text{台}} \times 19{,}000\text{台} = ￥1{,}900{,}000$$

以上より、製品Bに関する月末仕掛品原価、完成品原価、完成品単位原価は、以下の通りです。

製品B

月末仕掛品原価：￥220,000 + ￥100,000 = ￥320,000
完成品原価　　：￥2,090,000 + ￥1,900,000 = ￥3,990,000
完成品単位原価：￥3,990,000 ÷ 19,000台 = @￥210

確認テスト

問題

第２工程仕掛品勘定を完成させなさい。なお、当工場では二つの工程を経て製品を量産しており、累加法による工程別総合原価計算を行っている。

① 第１工程生産データ

月初仕掛品	210個	(0.7)
当月投入	1,180個	
合計	1,390個	
月末仕掛品	180個	(0.5)
完成品	1,210個	

② 第１工程原価データ

月初仕掛品		
直接材料費	￥	103,110
加工費	￥	225,040
当月投入		
直接材料費	￥	578,200
加工費	￥	1,671,850

③ 第２工程生産データ

月初仕掛品	160個	(0.4)
当月投入	1,210個	
合計	1,370個	
月末仕掛品	120個	(0.3)
完成品	1,250個	

④ 第２工程原価データ

月初仕掛品		
前工程費	￥	353,100
加工費	￥	35,520
当月投入		
前工程費		?
加工費	￥	684,640

ア　材料は第1工程の始点で投入する。

イ　(　　)は加工進捗度を示す。

ウ　第1工程完成品は完成後ただちにすべて第2工程に振替え、始点で投入する。

エ　月末仕掛品の評価は第1工程は先入先出法、第2工程は平均法による。

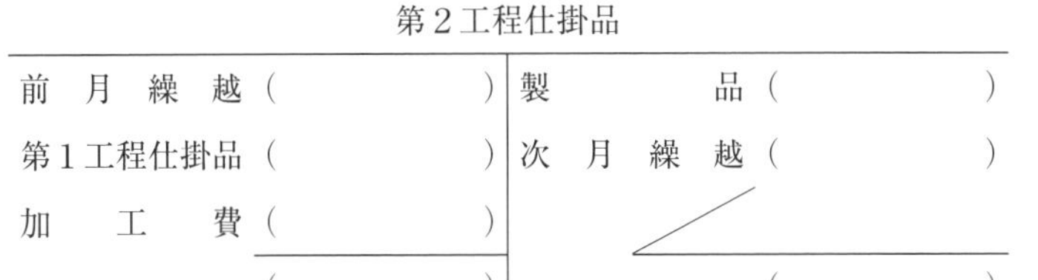

第2工程仕掛品

前月繰越	(　　　)	製品	(　　　)
第1工程仕掛品	(　　　)	次月繰越	(　　　)
加工費	(　　　)		
	(　　　)		(　　　)

解答

第2工程仕掛品

借方	金額	貸方	金額
前月繰越	(388,620)	製品	(3,175,000)
第1工程仕掛品	(2,359,500)	次月繰越	(257,760)
加工費	(684,640)		
	(3,432,760)		(3,432,760)

解説

1. 第1工程について

直接材料費（実在量）

月初仕掛品 210個	完成品 1,210個
当月投入 1,180個	月末仕掛品 180個

直接材料費（金額）

月初仕掛品 ¥103,110	完成品 ¥593,110
当月投入 ¥578,200 @490	月末仕掛品 ¥88,200

月末仕掛品の直接材料費：$¥578,200 \times \frac{180個}{1,180個} = ¥88,200$

完成品の直接材料費：¥103,110＋¥578,200－¥88,200
＝¥593,110

加工費（完成品換算量）	
 月初仕掛品 147個	完成品 1,210個
当月投入 1,153個	月末仕掛品 90個

加工費（金額）	
 月初仕掛品 ¥225,040	完成品 ¥1,766,390
当月投入 ¥1,671,850 @1,450	月末仕掛品 ¥130,500

月末仕掛品の加工費：$¥1,671,850 \times \frac{90個}{1,153個} = ¥130,500$

完成品の加工費：¥225,040＋¥1,671,850－¥130,500
＝¥1,766,390

第１工程月末仕掛品原価：¥88,200＋¥130,500＝¥218,700

第１工程完成品原価：¥593,110＋¥1,766,390＝¥2,359,500

２．第２工程について

前工程費（実在量）	
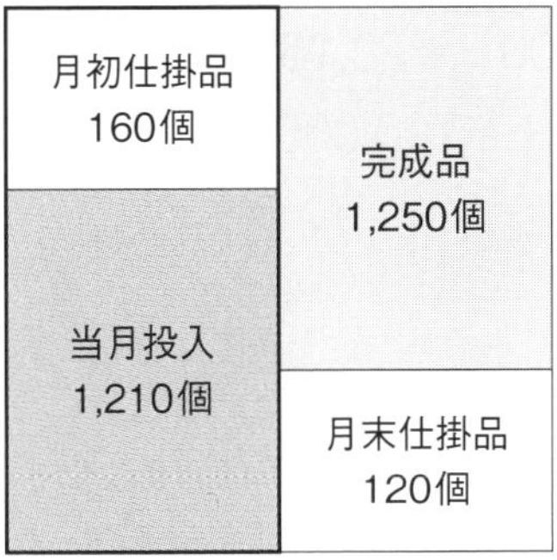 月初仕掛品 160個	完成品 1,250個
当月投入 1,210個	月末仕掛品 120個

前工程費（金額）	
 月初仕掛品 ¥353,100	完成品 ¥2,475,000
当月投入 ¥2,359,500	月末仕掛品 ¥237,600

$$\text{平均単価：}\frac{\text{¥}353{,}100+\text{¥}2{,}359{,}500}{160\text{個}+1{,}210\text{個}}=\text{¥}1{,}980$$

月末仕掛品の前工程費：¥1,980×120個＝¥237,600

完成品の前工程費：¥353,100＋¥2,359,500－¥237,600
＝¥2,475,000

加工費（完成品換算量）

月初仕掛品 64個	完成品 1,250個
当月投入 1,222個	月末仕掛品 36個

加工費（金額）

月初仕掛品 ¥35,520	完成品 ¥700,000
当月投入 ¥684,640	月末仕掛品 ¥20,160

$$\text{平均単価：}\frac{\text{¥}35{,}520+\text{¥}684{,}640}{64\text{個}+1{,}222\text{個}}=\text{¥}560$$

月末仕掛品の加工費：¥560×36個＝¥20,160

完成品の加工費：¥35,520＋¥684,640－¥20,160＝¥700,000

第２工程月末仕掛品原価：¥237,600＋¥20,160＝¥257,760

第２工程完成品原価：¥2,475,000＋¥700,000＝¥3,175,000

第8章 財務諸表

学習進度目安

◉第8章で学習すること

さっくり 7日間	しっかり 10日間	じっくり 15日間
5日目	7日目	11日目

① 製造業の財務諸表

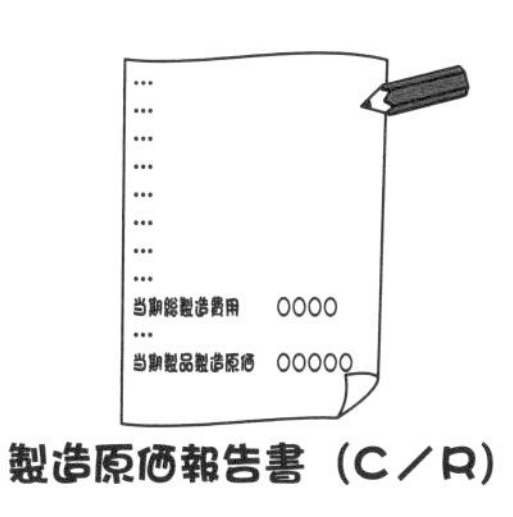

製造原価報告書（C／R）

1 製造業の財務諸表

イントロダクション

本節では、製造業における財務諸表について学習します。製造業では損益計算書や貸借対照表に加えて、製造業特有の財務諸表である製造原価報告書も作成します。

1 製造原価報告書

「**製造原価報告書**」とは、製品製造にいくらかかったのかを報告書にまとめたもので、原価計算の結果を報告するものです。製造原価報告書は、C／R（Cost Report）と略します。

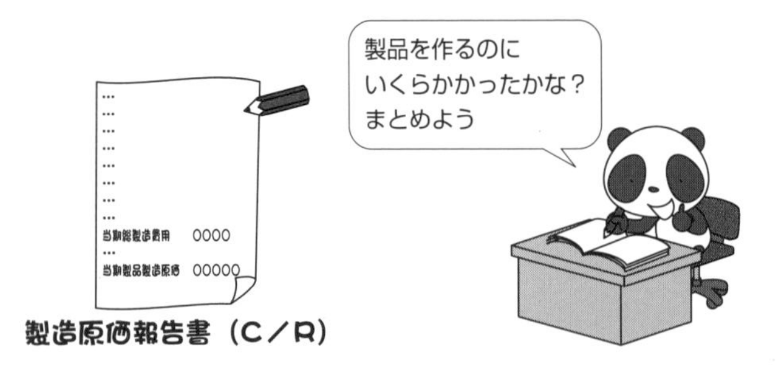

製造原価報告書（C／R）

製造原価報告書には２つの形式があります。１つは材料費・労務費・経費という形態別分類を重視した形式、もう１つは製造直接費・製造間接費という製品との関連における分類を重視した形式です。どちらの形式でも、当期総製造費用以下の数値は必ず同じになります。

<形態別分類を重視した形式>

この形式では､直接費・間接費の区別をせずに報告書を作成します。

製造原価報告書			
Ⅰ	材　料　費	×××	←直接材料費と間接材料費の合計
Ⅱ	労　務　費	×××	←直接労務費と間接労務費の合計
Ⅲ	経　　　費	×××	←直接経費と間接経費の合計
	当期総製造費用	①	←当期投入原価
	期首仕掛品原価	②	
	合　　　計	×××	
	期末仕掛品原価	③	
	当期製品製造原価	④	←完成品原価

<製品との関連による分類を重視した形式>

この形式では、直接材料費・直接労務費・直接経費・製造間接費に原価分類して報告書を作成します。

	製造原価報告書		
Ⅰ	直接材料費	×××	←直接材料費の当期発生額
Ⅱ	直接労務費	×××	←直接労務費の当期発生額
Ⅲ	直 接 経 費	×××	←直 接 経 費の当期発生額
Ⅳ	製造間接費	×××	←製造間接費の当期発生額
	当期総製造費用	①	←当期投入原価
	期首仕掛品原価	②	
	合　　計	×××	
	期末仕掛品原価	③	
	当期製品製造原価	④	←完成品原価

製造原価報告書は、実は仕掛品（製造）勘定に対応したものです。つまり、仕掛品（製造）勘定の数値を報告書形式にまとめたものと言えます。

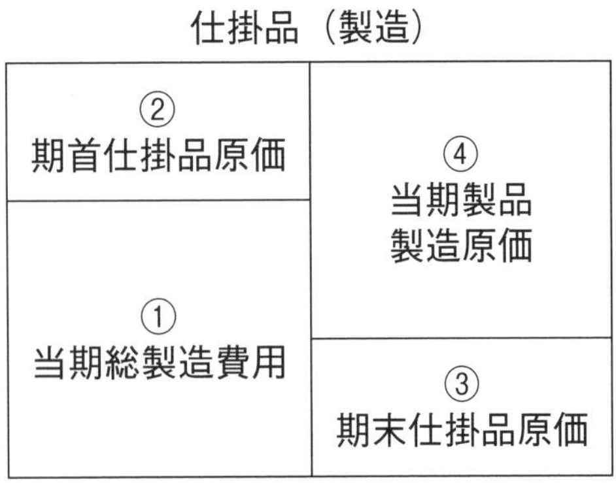

仕掛品（製造）

借方	貸方
② 期首仕掛品原価	④ 当期製品製造原価
① 当期総製造費用	③ 期末仕掛品原価

なお、今確認してきた製造原価報告書には、原価差異が記入されていません。第2章や第3章で登場した原価差異が発生している場合、その金額も表示していきます。

コトバ

製造原価報告書（C/R）：製造原価の内訳を示した書類
当期総製造費用：当期に投入された原価
当期製品製造原価：当期に完成した製品の原価

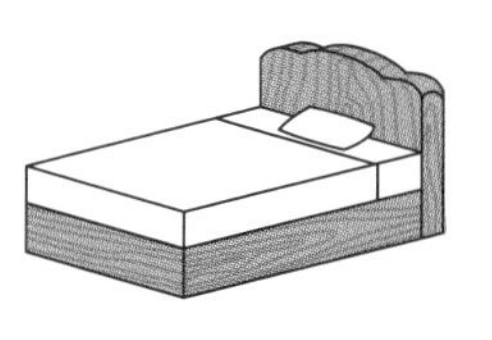

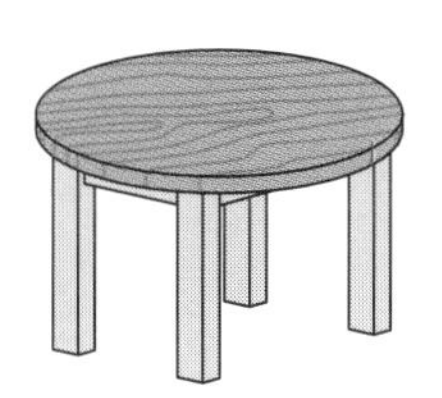

例８－１　製造原価報告書

問題　製造原価報告書を作成しなさい。

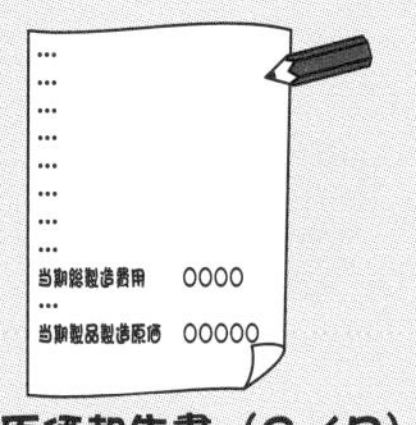

① 材料　　**製造原価報告書（C／R）**

	期首有高	当期仕入高	期末有高
主要材料	￥120,000	￥850,000	￥170,000
補助材料	￥50,000	￥285,000	￥70,000

② 賃金

	前期未払高	当期支払高	当期未払高
直接工	￥140,000	￥375,000	￥120,000
間接工	￥55,000	￥190,000	￥60,000

なお、直接工賃金の消費高（要支払額）はすべて直接労務費である。

③ 経費
外注加工賃　　　　：￥125,000
減価償却費　　　　：￥265,000

④ 製造間接費予定配賦額：￥720,000

⑤ 仕掛品
期首有高　　　　：￥250,000
期末有高　　　　：￥300,000

【考え方】

製造原価報告書を作成するためには、当期総製造費用の内訳と当期製品製造原価を算出しておく必要があります。そこで、勘定連絡図を作成し、資料をまとめてみます。

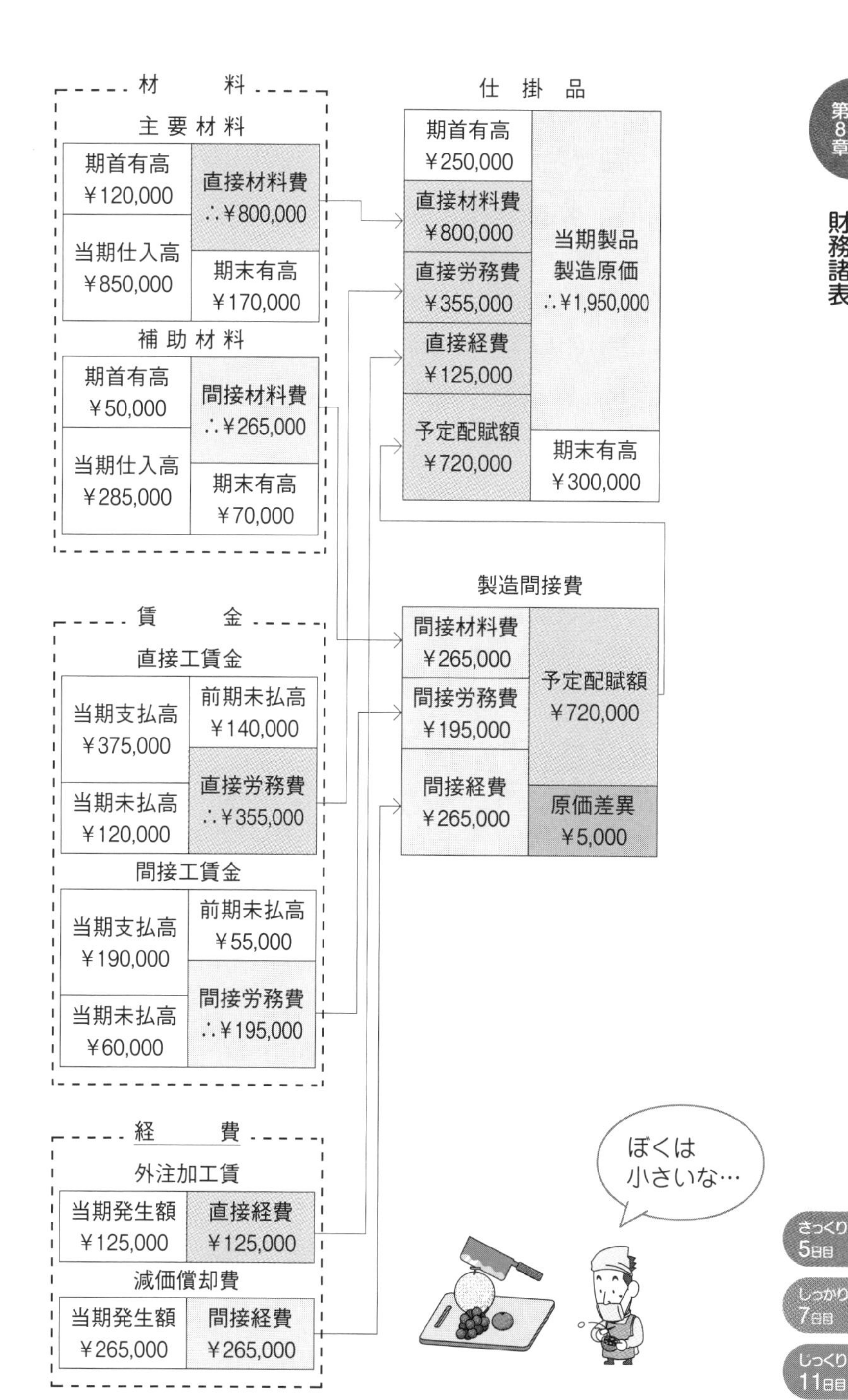

第8章
財務諸表

さっくり 5日目
しっかり 7日目
じっくり 11日目

【解答1】（形態別分類を重視した形式）

当期総製造費用を材料費・労務費・経費に分類します。

製造原価報告書

Ⅰ 材料費			
1 期首材料棚卸高	170,000		
2 当期材料仕入高	1,135,000		
合計	1,305,000		
3 期末材料棚卸高	240,000		
当期材料費		1,065,000	←主要材料費と補助材料費の合計
Ⅱ 労務費			
1 直接工賃金	355,000		
2 間接工賃金	195,000		
当期労務費		550,000	←直接労務費と間接労務費の合計
Ⅲ 経費			
1 外注加工賃	125,000		
2 減価償却費	265,000		
当期経費		390,000	←直接経費と間接経費の合計
合計		2,005,000	
製造間接費配賦差異		⊖5,000	
当期総製造費用		2,000,000	
期首仕掛品棚卸高		250,000	
合計		2,250,000	
期末仕掛品棚卸高		300,000	
当期製品製造原価		1,950,000	←完成品原価

製造間接費配賦差異5,000（不利差異）を控除することで、予定配賦額が当期総製造費用の中に含まれます

【解答2】(製品との関連による分類を重視した形式)

当期総製造費用を製造直接費・製造間接費に分類します。

製造原価報告書

Ⅰ 直接材料費			
1 期首材料棚卸高	120,000		
2 当期材料仕入高	850,000		
合計	970,000		
3 期末材料棚卸高	170,000	800,000	←主要材料費
Ⅱ 直接労務費		355,000	
Ⅲ 直接経費			
1 外注加工賃		125,000	
Ⅳ 製造間接費			
1 間接材料費	265,000		←補助材料費
2 間接工賃金	195,000		
3 減価償却費	265,000		
小計	725,000		←製造間接費の実際発生額
製造間接費配賦差異	⊖5,000		
製造間接費配賦額		720,000	
当期総製造費用		2,000,000	
期首仕掛品棚卸高		250,000	
合計		2,250,000	
期末仕掛品棚卸高		300,000	
当期製品製造原価		1,950,000	←完成品原価

製造間接費配賦差異5,000(不利差異)を控除することで、予定配賦額が当期総製造費用の中に含まれます

2 損益計算書

製造業における損益計算書は、商業における損益計算書とほぼ同じですが、売上原価の内訳が異なります。商業では「商品」という単語が用いられますが、製造業では「製品」という単語を用います。

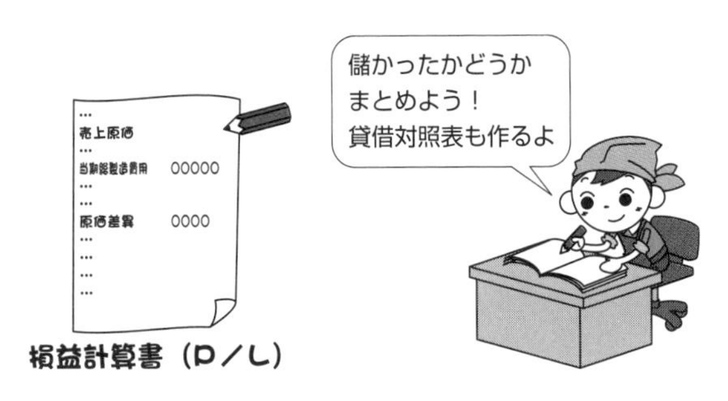

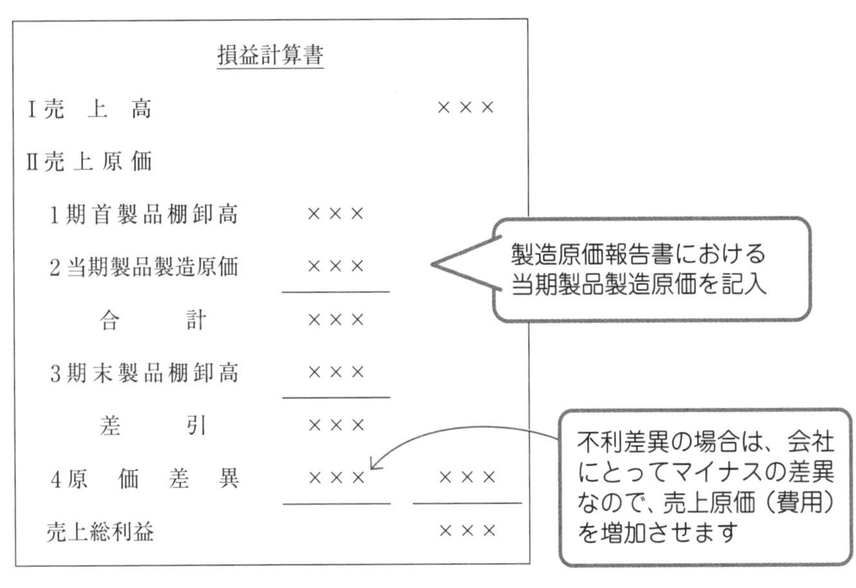

損益計算書

Ⅰ売上高		×××
Ⅱ売上原価		
1期首製品棚卸高	×××	
2当期製品製造原価	×××	
合計	×××	
3期末製品棚卸高	×××	
差引	×××	
4原価差異	×××	×××
売上総利益		×××

原価差異が発生している場合、売上原価に直課（賦課）されます。原価差異が不利差異なら売上原価に加算し、有利差異であれば売上原価から減算します。

なお、売上総利益以降の内容は、商業における損益計算書と異なる点はありません。

この損益計算書の売上原価は、原価差異を除けば、実は製品勘定に対応したものです。つまり、製品勘定の数値を報告書形式にまとめたものと言えます。

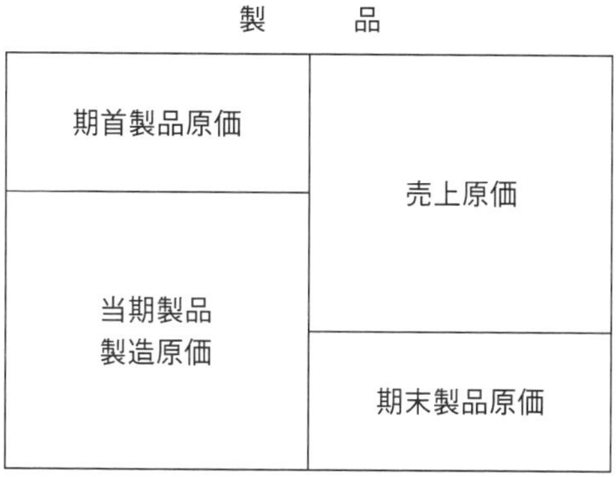

製　品

期首製品原価	売上原価
当期製品 製造原価	期末製品原価

重要　売上原価と製品勘定の関係

損益計算書の売上原価の内訳は、製品勘定の内容に基づいて記入します。原価差異がある場合は、借方差異（不利差異）であれば売上原価の計算上、加算します。

例8－2　損益計算書

問題　例8－1に基づき、損益計算書を作成しなさい。なお、製造間接費配賦差異は、全額、売上原価に直課（賦課）する。

① 製品
　期首有高　：¥155,000
　期末有高　：¥205,000
② 販　売　費：¥235,000
③ 一般管理費：¥560,000
④ 売　上　高：¥3,500,000

【考え方】

製造間接費配賦差異は、原則として会計年度末に売上原価に直課（賦課）します。本問における製造間接費配賦差異¥5,000は不利差異であるため、売上原価に対して直課（賦課）することになります。工業簿記上の仕訳を表すと次の通りです。

借方科目	金額	貸方科目	金額
売上原価	5,000	製造間接費配賦差異	5,000

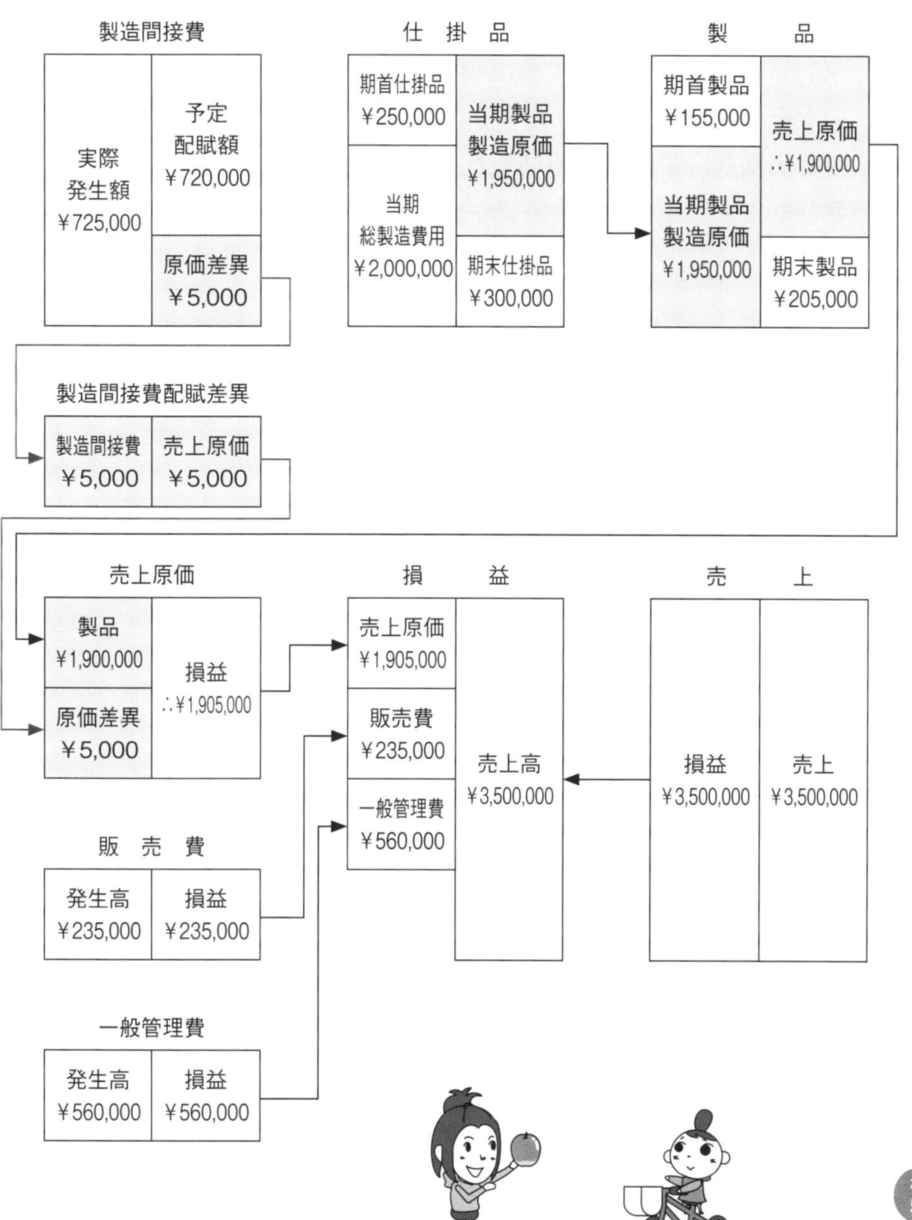
製造間接費
実際
発生額
¥725,000
予定
配賦額
¥720,000
原価差異
¥5,000
仕　掛　品
期首仕掛品
¥250,000
当期
総製造費用
¥2,000,000
当期製品
製造原価
¥1,950,000
期末仕掛品
¥300,000
製　　品
期首製品
¥155,000
当期製品
製造原価
¥1,950,000
売上原価
∴¥1,900,000
期末製品
¥205,000
製造間接費配賦差異
製造間接費
¥5,000
売上原価
¥5,000
売上原価
製品
¥1,900,000
原価差異
¥5,000
損益
∴¥1,905,000
損　　益
売上原価
¥1,905,000
販売費
¥235,000
一般管理費
¥560,000
売上高
¥3,500,000
売　　上
損益
¥3,500,000
売上
¥3,500,000
販　売　費
発生高
¥235,000
損益
¥235,000
一般管理費
発生高
¥560,000
損益
¥560,000

期首製品￥155,000と当期製品製造原価￥1,950,000の合計から期末製品￥205,000を控除すれば、販売された製品の製造原価、つまり、売上原価￥1,900,000を計算することができます。この金額に製造間接費配賦差異￥5,000（不利差異）を加算すれば、損益計算書に計上される売上原価の金額が求まります。

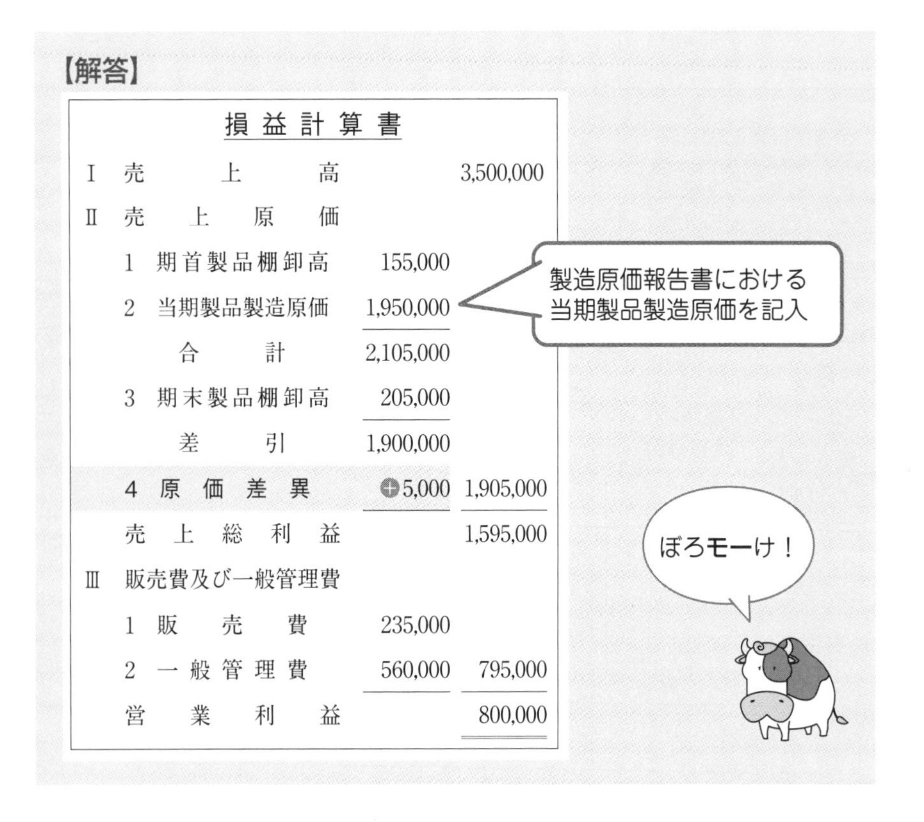

【解答】

損益計算書

Ⅰ 売上高		3,500,000
Ⅱ 売上原価		
1 期首製品棚卸高	155,000	
2 当期製品製造原価	1,950,000	
合計	2,105,000	
3 期末製品棚卸高	205,000	
差引	1,900,000	
4 原価差異	⊕5,000	1,905,000
売上総利益		1,595,000
Ⅲ 販売費及び一般管理費		
1 販売費	235,000	
2 一般管理費	560,000	795,000
営業利益		800,000

3 貸借対照表

製造業における貸借対照表は、商業における貸借対照表とほぼ同じです。材料、仕掛品、製品、機械装置などの製造業特有の勘定科目が計上されるだけで、形式面で異なる点はありません。

貸借対照表

資産		負債・純資産	
流動資産		流動負債	
現金預金	×××	買掛金	×××
売掛金	×××	借入金	×××
材料	×××	未払費用	×××
仕掛品	×××	前受金	×××
製品	×××	⋮	
⋮			
固定資産		固定負債	
建物	×××	長期借入金	×××
機械装置	×××	⋮	
備品	×××		
土地	×××		
⋮		純資産	
		資本金	×××
		資本剰余金	×××
		利益剰余金	×××
		⋮	
資産合計	×××	負債・純資産合計	×××

確認テスト

問題

仕掛品勘定と損益計算書を完成させなさい。

① 棚卸資産

	期首有高	当期仕入高	期末有高
主要材料	¥ 21,000	¥675,000	¥ 24,000
補助材料	¥ 1,500	¥180,200	¥ 1,700
仕掛品	¥315,500	—	¥440,000
製品	¥420,000	—	¥560,000

② 消耗工具器具備品費　¥20,000

③ 労務費

	前期未払高	当期支払高	当期未払高
直接工賃金	¥ 14,200	¥485,000	¥ 15,500
間接工賃金	¥ 15,000	¥385,000	¥ 13,600
給料	¥ 19,000	¥320,000	¥ 21,000

直接工賃金の消費高はすべて直接労務費である。

④ 経費

ア　外注加工賃　¥ 145,000

イ　電力料　¥ 226,000

ウ　減価償却費　¥ 380,000

⑤ 製造間接費

ア　製造間接費年間予算額　¥1,420,000

イ　年間基準操業度　1,000機械作業時間

ウ　当期実際操業度　　1,060機械作業時間

製造間接費は機械作業時間を基準として予定配賦している。

⑥　売上高　　　　　　　　　¥4,300,000

⑦　販売費及び一般管理費　　¥　513,000

仕　掛　品

前期繰越	(　　　)	製　　品	(　　　)
材　　料	(　　　)	次期繰越	(　　　)
賃　　金	(　　　)		
経　　費	(　　　)		
製造間接費	(　　　)		
	(　　　)		(　　　)

損益計算書

Ⅰ 売上高		(　　　)
Ⅱ 売上原価		
1 期首製品棚卸高	(　　　)	
2 当期製品製造原価	(　　　)	
合計	(　　　)	
3 期末製品棚卸高	(　　　)	
差引	(　　　)	
4 原価差異	(　　　)	(　　　)
売上総利益		(　　　)
Ⅲ 販売費及び一般管理費		(　　　)
営業利益		(　　　)

解答

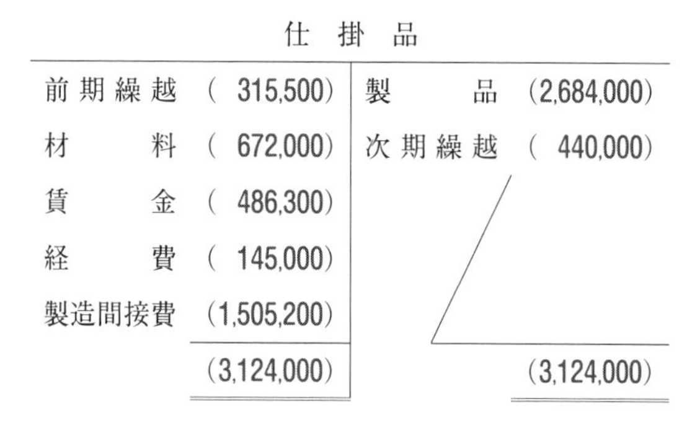

仕掛品

借方		貸方	
前期繰越	(315,500)	製　　品	(2,684,000)
材　　料	(672,000)	次期繰越	(440,000)
賃　　金	(486,300)		
経　　費	(145,000)		
製造間接費	(1,505,200)		
	(3,124,000)		(3,124,000)

損益計算書

Ⅰ	売上高		(4,300,000)
Ⅱ	売上原価		
	1　期首製品棚卸高	(420,000)	
	2　当期製品製造原価	(2,684,000)	
	合　計	(3,104,000)	
	3　期末製品棚卸高	(560,000)	
	差　引	(2,544,000)	
	4　原価差異	(6,400)	(2,550,400)
	売上総利益		(1,749,600)
Ⅲ	販売費及び一般管理費		(513,000)
	営業利益		(1,236,600)

解 説

＜製造直接費の計算＞

直接材料費：主要材料の消費高が直接材料費になります。

主要材料の消費高：期首有高＋当期仕入高－期末有高
　　＝￥21,000＋￥675,000－￥24,000
　　＝￥672,000

直接労務費：直接工賃金の消費高が直接労務費になります。

直接工賃金の消費高：当期支払高＋当期未払高－前期未払高
　　＝￥485,000＋￥15,500－￥14,200
　　＝￥486,300

直接経費：外注加工賃￥145,000が直接経費になります。

＜製造間接費の計算＞

補助材料の消費高：期首有高＋当期仕入高－期末有高
　　＝￥1,500＋￥180,200－￥1,700
　　＝￥180,000　→　間接材料費として処理

間接工賃金の消費高：当期支払高＋当期未払高－前期未払高
　　＝￥385,000＋￥13,600－￥15,000
　　＝￥383,600　→　間接労務費として処理

給料の消費高：当期支払高＋当期未払高－前期未払高
　　　　　　　＝￥320,000＋￥21,000－￥19,000
　　　　　　　＝￥322,000　→　間接労務費として処理

間接材料費：￥180,000＋￥20,000＝￥200,000
間接労務費：￥383,600＋￥322,000＝￥705,600
間接経費：￥226,000＋￥380,000＝￥606,000
製造間接費実際発生額：￥200,000＋￥705,600＋￥606,000
　　　　　　　　　　　　　　　　　　　＝￥1,511,600
予定配賦率：￥1,420,000÷1,000時間＝@￥1,420
予定配賦額：@￥1,420×1,060時間＝￥1,505,200

製造間接費配賦差異：￥1,505,200－￥1,511,600
　　　　　　　　　　　　　　　＝△￥6,400（借方差異）

第9章 標準原価計算

学習進度目安

さっくり 7日間	しっかり 10日間	じっくり 15日間	◉第9章で学習すること
6日目	8日目	11日目	① 標準原価計算
		12日目	② 原価差異の計算
	9日目	13日目	③ 標準原価の記帳

しっかり原価管理をしよう！

1 標準原価計算

イントロダクション

　これまでは１ヶ月が経過した時に、工場で発生した製造原価を製品に配分するという手続について学習しました。このような計算を実際原価計算といいます。これから見ていく標準原価計算は、事前に製品単位あたりの原価を決めておき、その金額に基づいて製品の原価を計算していきます。

1 標準原価とは

　標準原価とは、あらかじめ会社の中で決めておいた製品原価の目標額のことを指します。日々、会社の中では、なるべく実際に発生する製造原価を低く抑えられるように努力がなされていますが、目標額を決めておけばより効果的に製造原価を管理することができます。

コトバ

標準原価：製品を製造するときにかかる原価の目標金額

2 原価標準とは

これまでの章では、実際に発生した製造原価を完成品と仕掛品に按分する計算手続を見てきました。これを実際原価計算といいます。実際原価計算では、実際価格に実際消費量を掛け算することで実際原価を計算します。

実際原価	＝	実際価格	×	実際消費量

もしくは、予定価格や予定賃率を用いた計算も確認しましたが、これも実際原価の計算に含まれます。

実際原価	＝	予定価格	×	実際消費量

実際消費量を計算に用いている限り、実際原価計算になります

他方、標準原価計算では、まず、製品1単位あたりの標準原価（これを**原価標準**といいます）を費目ごとに設定します。例えば、カーテンを作っている会社を想定します。カーテンを1枚作るのに、1kgあたり@¥500の布が標準的に6kgかかるとします。この場合、製品1単位あたりの直接材料費は¥3,000（@¥500×6kg）と計算されます。

コトバ
原価標準：製品を1単位製造するのにかかる原価の目標金額

製品1単位あたり標準直接材料費　＝　標準価格×標準消費量

次に、カーテンを1枚作るのに、時給@¥800の工員が標準的に5時間の加工作業を施すとします。この場合、製品1単位あたりの直接労務費は¥4,000（@¥800×5時間）と計算されます。

製品1単位あたり標準直接労務費　＝　標準賃率×標準作業時間

また、カーテンを1枚作るのに、@¥500の製造間接費が直接作業時間に応じて発生するとします。この場合、製品1単位あたりの製造間接費は¥2,500（@¥500×5時間）と計算されます。

製品1単位あたり標準製造間接費 ＝ 標準配賦率×標準作業時間

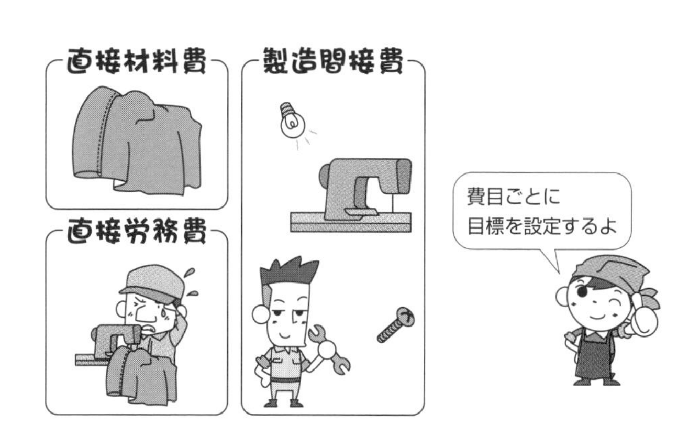

各費目ごとに設定された原価標準を1つの用紙にまとめたものを標準原価カードといいます。

標準原価カード

費　　目	標準単価	標準消費量	標準原価
直接材料費	@¥500	6 kg	¥3,000
直接労務費	@¥800	5時間	¥4,000
製造間接費	@¥500	5時間	¥2,500
			¥9,500

コトバ

標準原価カード：期首に設定した費目ごとの目標をまとめたカードです。これを用いて、標準原価を計算します。

直接労務費と製造間接費の
標準を合わせて、加工費の標
準を求めることができます

なお、製造間接費の標準配賦率は、製造間接費予算額と基準操業度を用いて計算します。

製造間接費標準配賦率 = 製造間接費予算額 ÷ 基準操業度

さらに、製造間接費の標準配賦率を変動費率と固定費率に分けることがあります。変動費率は製造間接費変動予算額と基準操業度を用いて計算し、固定費率は製造間接費固定予算額と基準操業度を用いて計算します。

標準変動費率 = 製造間接費変動予算額 ÷ 基準操業度
標準固定費率 = 製造間接費固定予算額 ÷ 基準操業度

直接経費については基本的に登場
することはありませんが、単価に数
量や時間を掛け算することで原価
標準が求まります

例9－1　原価標準の設定

問題　次の資料をもとにして、標準原価カードを作成しなさい。

① 直接材料費データ
製品1個製造するのに、1kgあたり¥50の材料を標準的に10kg要する。

② 直接労務費データ
製品1個製造するのに、1時間あたりの賃率¥800の工員が標準的に5時間作業する。

③ 製造間接費データ
当工場の製造間接費月間予算額は¥2,750,000である。これは、月間の実際的生産能力5,500時間を基準操業度として想定した際の発生予定額である。なお、製造間接費は直接工の直接作業に応じて生じるものとする。

【解答】

標準原価カード

費　　目	標準単価	標準消費量	標準原価
直接材料費	@¥ 50	10kg	¥500
直接労務費	@¥800	5時間	¥4,000
製造間接費	@¥500	5時間	¥2,500
			¥7,000

第9章
標準原価計算

さっくり 6日目
しっかり 8日目
じっくり 11日目

【考え方】

標準原価計算で最も初めに行う原価標準の設定が求められています。原価標準の設定は与えられた資料を標準原価カードという形式に落とし込むだけです。

直接材料費、直接労務費に関しては、与えられた標準単価と標準消費量をそのまま使用すればよいです。製造間接費については、標準配賦率を算定することが求められているため、月間予算額と基準操業度を用いて計算します。

標準配賦率 ＝ ￥2,750,000 ÷ 5,500時間
＝ @￥500

また、製造間接費は直接工の直接作業に応じて生じるものとするとあるため、直接作業時間を基準に配賦しています。したがって、標準直接作業時間5時間を標準配賦率に掛け算することで、製品1個あたりの標準配賦額を求めることができます。

3　標準原価の計算

原価標準を用いて、完成品や仕掛品の標準原価を計算することができます。完成品の標準原価は、原価標準に完成品数量を掛けることで算定できます。

完成品の標準原価　＝　原価標準　×　完成品数量

仕掛品の標準原価を算定するにあたっては、完成品の原価標準に仕掛品数量を掛けても求めることはできません。なぜなら、完成品1単位と仕掛品1単位が負担する加工費（直接労務費と製造間接費の合計）が異なるためです。したがって、仕掛品については、直接材料費と加工費を分けて標準原価を計算します。

＜仕掛品の標準原価＞

標準直接材料費　＝　製品単位あたりの標準直接材料費×実在量

標準直接労務費　＝　製品単位あたりの標準直接労務費×完成品換算量

標準製造間接費　＝　製品単位あたりの標準製造間接費×完成品換算量

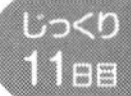

例9－2　標準原価の計算

問題　完成品、月初仕掛品、月末仕掛品の標準原価を計算しなさい。

① 生産データ

月初仕掛品	160個（1/2）
当月投入	1,000個
合　　計	1,160個
月末仕掛品	240個（1/2）
完成品	920個

・材料は工程の始点で投入する。
・（　　）は加工進捗度を表す。

② 製品1個あたりの標準原価

標準原価カード

費　目	標準単価	標準消費量	標準原価
直接材料費	@¥ 50	10kg	¥500
直接労務費	@¥800	5時間	¥4,000
製造間接費	@¥500	5時間	¥2,500
			¥7,000

【解答】

完成品原価	¥6,440,000
月初仕掛品原価	¥600,000
月末仕掛品原価	¥900,000

【考え方】

標準原価の計算をする前に、資料として与えられた生産データを次のようにボックス図にして整理します。

直接材料費（実在量）

月初仕掛品
160個

完成品
920個

当月投入
1,000個

月末仕掛品
240個

加工費（完成品換算量）

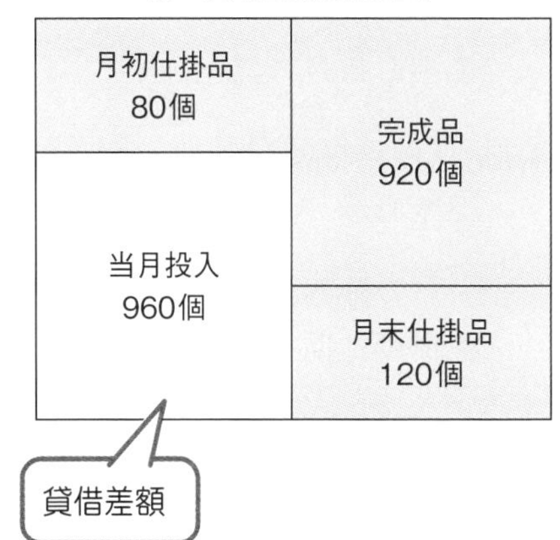

標準原価カードに記載されている原価標準を用いて、完成品原価、月初仕掛品原価、月末仕掛品原価を計算します。

完成品原価は、標準原価カードによると、完成品１個作るのに標準的に￥7,000かかると与えられているため、この値に完成品数量920個を掛けることで計算できます。

完成品の標準原価　＝　@￥7,000　×　920個
　　　　　　　　　＝　￥6,440,000

仕掛品原価は、月初仕掛品も月末仕掛品も計算方法は同じです。仕掛品は完成品と異なり、１個あたりが負担する加工費（直接労務費と製造間接費の合計）が加工進捗度によって違うため、加工費は完成品換算量に基づいて計算します。また、直接材料費は、始点で投入されているため、完成品１個でも仕掛品１個でも、１個あたりが負担する直接材料費は同じなので、実在量に基づいて計算します。

月初仕掛品から計算すると、月初仕掛品実在量160個、完成品換算量80個（160個×1/2）なので、160個分の標準直接材料費、80個分の標準直接労務費、80個分の標準製造間接費を計算します。

月初仕掛品の標準直接材料費	：	@¥500 × 160個 ＝ ¥80,000
月初仕掛品の標準直接労務費	：	@¥4,000 × 80個 ＝ ¥320,000
月初仕掛品の標準製造間接費	：	@¥2,500 × 80個 ＝ ¥200,000
月初仕掛品の標準原価	：	¥80,000 + ¥320,000 + ¥200,000 ＝ ¥600,000

月末仕掛品も同様に計算すると、月末仕掛品実在量240個、完成品換算量120個（240個×1/2）なので、240個分の標準直接材料費、120個分の標準直接労務費、120個分の標準製造間接費を計算します。

月末仕掛品の標準直接材料費	：	@¥500 × 240個 ＝ ¥120,000
月末仕掛品の標準直接労務費	：	@¥4,000 × 120個 ＝ ¥480,000
月末仕掛品の標準製造間接費	：	@¥2,500 × 120個 ＝ ¥300,000
月末仕掛品の標準原価	：	¥120,000 + ¥480,000 + ¥300,000 ＝ ¥900,000

なお、標準直接労務費@¥4,000と標準製造間接費@¥2,500については、両者の合計である標準加工費@¥6,500という形で計算してもよいです。

月初仕掛品の標準直接材料費	:	@¥500 × 160個 = ¥80,000
月初仕掛品の標準加工費	:	@¥6,500 × 80個 = ¥520,000
月初仕掛品の標準原価	:	¥80,000 + ¥520,000 = ¥600,000

月末仕掛品の標準直接材料費	:	@¥500 × 240個 = ¥120,000
月末仕掛品の標準加工費	:	@¥6,500 × 120個 = ¥780,000
月末仕掛品の標準原価	:	¥120,000 + ¥780,000 = ¥900,000

重要

完成品原価¥6,440,000は完成品920個製造したときの原価の目標額を表します。

月初仕掛品¥600,000、月末仕掛品¥900,000も同様に、それぞれ160個（加工進捗度1/2）、240個（加工進捗度1/2）を製造したときの原価の目標額を表します。

2 原価差異の計算

イントロダクション

標準原価と実際原価にズレが生じることがあります。この場合、原価差異を計算し、なぜそのような原価差異が生じたのか分析を行います。

1 原価差異の計算

標準原価は原価の発生目標額を表すもので、これと実際に発生した原価との間にズレが生じることがあります。このズレのことを原価差異といいますが、いくらズレが生じたのか計算する必要があります。

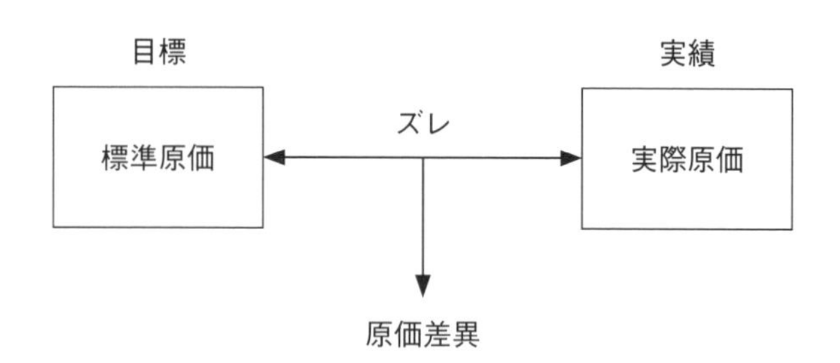

標準原価差異：当月投入の標準原価と当月投入の実際原価との差額

原価差異の計算にあたっては、「**当月投入の標準原価**」と当月投入の実際原価の差額として計算を行います。そもそも当月に生じた実際原価は、当月投入分から生じたものと考えられるので、当月投入の標準原価と比べる必要があります。

仕掛品

月初仕掛品

完成品

実際原価

標準原価

当月投入

月末仕掛品

原価差異

さっくり6日目
しっかり8日目
じっくり11日目

例9－3　原価差異の計算

問題　原価差異を計算しなさい。

① 生産データ

月初仕掛品	160個	(1/2)
当月投入	1,000個	
合　　計	1,160個	
月末仕掛品	240個	(1/2)
完成品	920個	

・材料は工程の始点で投入する。
・(　　) は加工進捗度を表す。

② 製品1個あたりの標準原価

標準原価カード

費　目	標準単価	標準消費量	標準原価
直接材料費	@¥ 50	10kg	¥500
直接労務費	@¥800	5時間	¥4,000
製造間接費	@¥500	5時間	¥2,500
			¥7,000

③ 当月の実際原価データ

・実際直接材料費　　：¥594,000

・実際直接労務費　　　：￥3,900,000
・製造間接費実際発生額：￥2,760,000

【解答】

原価差異：￥514,000（不利差異）

【考え方】

原価差異は、当月投入の標準原価と実際原価の差額として計算します。

直接材料費（実在量）

月初仕掛品 160個	完成品 920個
当月投入 1,000個	月末仕掛品 240個

加工費（完成品換算量）

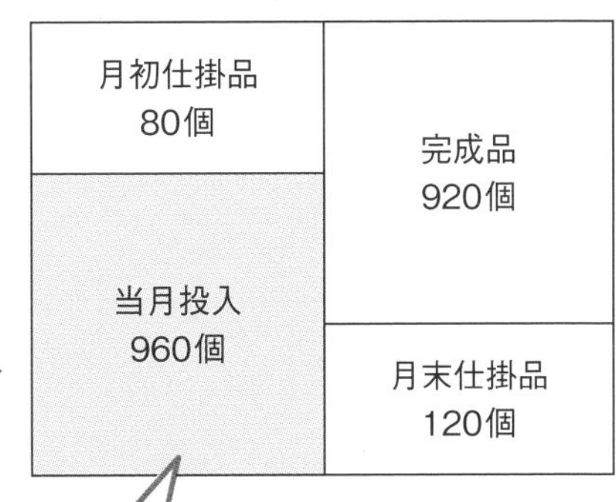

まず、標準直接材料費から計算すると、当月に完成品1,000個分の直接材料が投入されているため、これに完成品１個あたりの標準直接材料費@￥500を掛け算します。

当月投入の標準直接材料費：@￥500×1,000個 ＝ ￥500,000

次に、標準直接労務費を計算しますが、当月に完成品960個分の直接作業がなれているため、これに完成品１個あたりの標準直接労務費@￥4,000を掛け算します。

当月投入の標準直接労務費：@￥4,000×960個 ＝ ￥3,840,000

最後に、標準製造間接費を計算しますが、当月に完成品960個分の加工作業がなされているため、これに完成品１個あたりの標準製造間接費を掛け算します。

当月投入の標準製造間接費：@¥2,500×960個 ＝ ¥2,400,000

以上の計算結果を合計すると、当月投入の標準原価が求まります。

当月投入の標準原価：

¥500,000＋¥3,840,000＋¥2,400,000 ＝ ¥6,740,000

他方、当月投入の実際原価は次のようになります。

当月投入の実際原価：

¥594,000＋¥3,900,000＋¥2,760,000 ＝ ¥7,254,000

よって、原価差異を計算すると次のようになります。

原価差異：¥6,740,000－¥7,254,000 ＝ △¥514,000（不利差異）

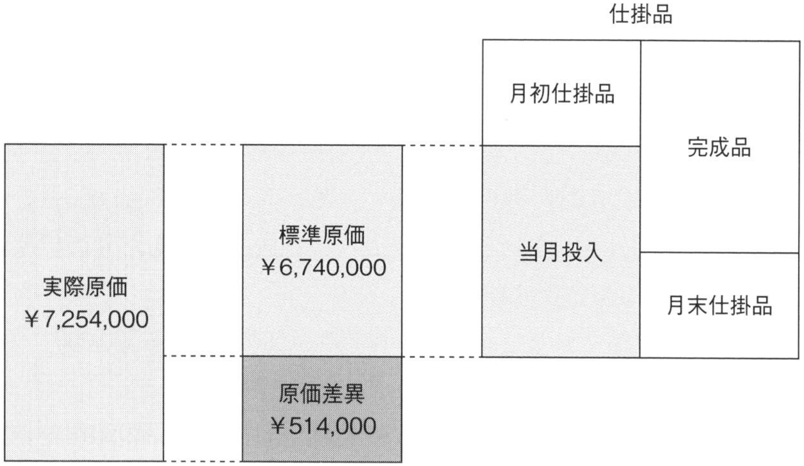

なお、原価差異については、直接材料費、直接労務費、製造間接費という費目ごとに計算することができます。単に¥514,000の不利差異が生じたという情報だけでは、何が問題だったのかが分からないので、その内訳を計算します。

費　目	標　準	実　際	差　異
直接材料費	¥500,000	¥594,000	△¥94,000
直接労務費	¥3,840,000	¥3,900,000	△¥60,000
製造間接費	¥2,400,000	¥2,760,000	△¥360,000
合　計	¥6,740,000	¥7,254,000	△¥514,000

このように費目ごとに原価差異を計算すれば、どの費目に大きな問題があるのかがわかります。しかしながら、この情報だけでは、なぜこのような原価差異が生じたのかまでは分からないので、より詳細な分析が必要となります。これについては次頁以降で学習します。

コトバ

直接材料費差異：標準原価差異のうち、直接材料費の差異
直接労務費差異：標準原価差異のうち、直接労務費の差異
製造間接費差異：標準原価差異のうち、製造間接費の差異

2 直接材料費差異の内訳

直接材料費に関する原価差異がなぜ生じたのか、分析を行うことができます。具体的には、**価格差異**と**数量差異**に原価差異を細分化することができます。

価格差異とは、標準価格と実際価格がズレたことによる原価差異を表すものです。標準価格と実際価格の差に実際消費量を掛け算することで求めることができます。

価格差異　＝　（標準価格－実際価格）×実際消費量

数量差異とは、標準消費量と実際消費量がズレたことによる原価差異を表すものです。標準消費量と実際消費量の差に標準価格を掛け算することで求めることができます。

数量差異　＝　標準価格×（標準消費量－実際消費量）

なお、以下のような図を用いて、価格差異と数量差異を計算することができます。

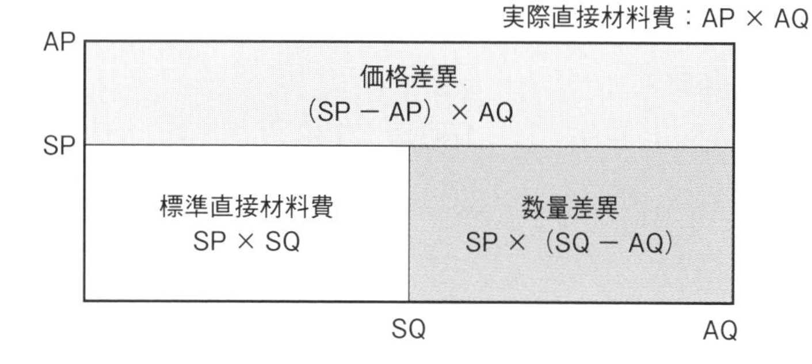

各略語の意味は次の通りです。

＜略　語＞
ＡＰ：　実際価格（Actual Price）
ＳＰ：　標準価格（Standard Price）
ＡＱ：　実際消費数量（Actual Quantity）
ＳＱ：　標準消費数量（Standard Quantity）

ここに注意！

この図は下書きなので、標準価格の方が大きくても、実際価格の下側に標準価格を書き込んでください。また、標準消費数量の方が大きかったとしても、実際消費数量の左側に標準消費数量を書き込んでください。

例9－4　直接材料費差異の分析

問題　直接材料費差異を価格差異と数量差異に分析しなさい。

① 生産データ

月初仕掛品	160個	(1/2)
当月投入	1,000個	
合　　計	1,160個	
月末仕掛品	240個	(1/2)
完 成 品	920個	

・材料は工程の始点で投入する。
・(　　) は加工進捗度を表す。

② 製品１個あたりの標準原価

標準原価カード

費　　目	標準単価	標準消費量	標準原価
直接材料費	@¥ 50	10kg	¥500
直接労務費	@¥800	5時間	¥4,000
製造間接費	@¥500	5時間	¥2,500
			¥7,000

③ 当月の実際直接材料費：@¥55×10,800kg
　　　　　　　　　　　　＝¥594,000

【解答】

価格差異：	￥54,000（不利差異）
数量差異：	￥40,000（不利差異）

【考え方】

例９－３より、直接材料費差異は￥94,000（不利差異）です。これを、価格差異と数量差異に分析します。まず、実在量に関して生産データをまとめます。

直接材料費（実在量）

月初仕掛品 160個	完成品 920個
当月投入 1,000個	月末仕掛品 240個

次に、当月に完成品1,000個分の直接材料が投入されていることから標準消費量を計算します。

当月投入に関する標準消費量：1,000個×10kg ＝ 10,000kg

しっかり 8日目

最後に、以下のような図を利用し、価格差異と数量差異を計算します。

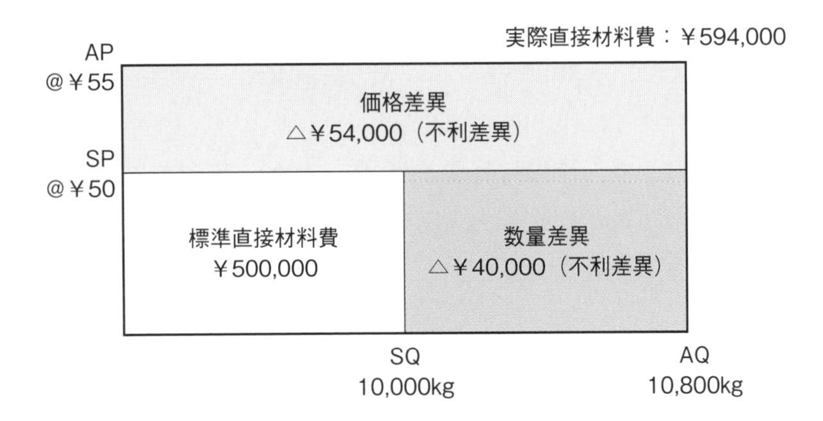

価格差異：

(@￥50－@￥55)×10,800kg ＝ △￥54,000（不利差異）

数量差異：

@￥50×(10,000g－10,800kg)＝ △￥40,000（不利差異）

差異の解釈

価格差異は、標準価格よりも@￥５高い金額で10,800kgの材料を消費したことにより発生しており、￥54,000の不利な経済的影響を会社に与えたことがわかります。

数量差異は、標準的に10,000kgの消費でおさえるべきところを10,800kgも材料を消費したことで、800kg分超過しています。このことにより￥40,000の不利な経済的影響を会社に与えたことがわかります。

3 直接労務費差異の内訳

直接労務費に関する原価差異がなぜ生じたのか、分析を行うことができます。具体的には、**賃率差異**と**時間差異**に原価差異を細分化することができます。

賃率差異とは、標準賃率と実際賃率がズレたことによる原価差異を表すものです。標準賃率と実際賃率の差に実際作業時間を掛け算することで求めることができます。

賃率差異　＝　（標準賃率－実際賃率）×実際作業時間

時間差異とは、標準作業時間と実際作業時間がズレたことによる原価差異を表すものです。標準作業時間と実際作業時間の差に標準賃率を掛け算することで求めることができます。

時間差異　＝　標準賃率×（標準作業時間－実際作業時間）

なお、以下のような図を用いて、賃率差異と時間差異を計算することができます。

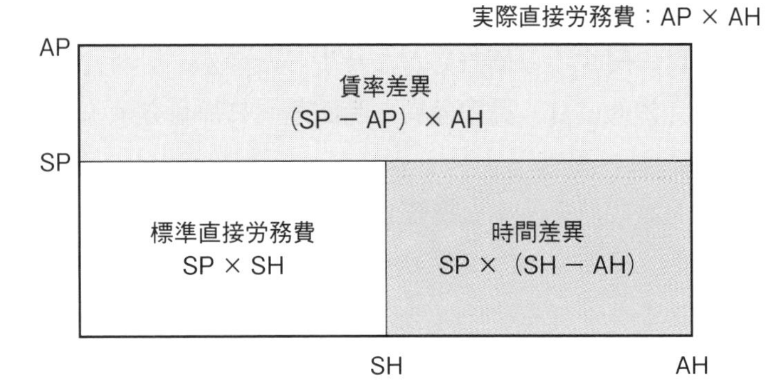

各略語の意味は次の通りです。

＜略　語＞	
AP：	実際賃率（Actual Price）
SP：	標準賃率（Standard Price）
AH：	実際直接作業時間（Actual Hour）
SH：	標準直接作業時間（Standard Hour）

ここに注意！

この図は下書きなので、標準賃率の方が大きくても、実際賃率の下側に標準賃率を書き込んでください。また、標準直接作業時間の方が大きかったとしても、実際直接作業時間の左側に標準直接作業時間を書き込んでください。

例9－5　直接労務費差異の分析

問題　直接労務費差異を賃率差異と時間差異に分析しなさい。

① 生産データ

月初仕掛品	160個（1/2）
当月投入	1,000個
合　　計	1,160個
月末仕掛品	240個（1/2）
完成品	920個

・材料は工程の始点で投入する。

・（　　）は加工進捗度を表す。

② 製品1個あたりの標準原価

標準原価カード

費　目	標準単価	標準消費量	標準原価
直接材料費	@￥ 50	10kg	￥500
直接労務費	@￥800	5時間	￥4,000
製造間接費	@￥500	5時間	￥2,500
			￥7,000

③ 当月の実際直接労務費：@￥750×5,200時間
　　　　　　　　　　　　＝￥3,900,000

【解答】

賃率差異：	￥260,000（有利差異）
時間差異：	￥320,000（不利差異）

【考え方】

例９－３より、直接労務費差異は￥60,000（不利差異）です。これを、賃率差異と時間差異に分析します。まず、完成品換算量に関して生産データをまとめます。

直接労務費（完成品換算量）

月初仕掛品 80個	完成品 920個
当月投入 960個	
	月末仕掛品 120個

次に、当月に完成品960個分の直接作業が行われていることから標準作業時間を計算します。

当月投入に関する標準作業時間：960個×５時間 ＝ 4,800時間最後に、以下のような図を利用し、賃率差異と時間差異を計算します。

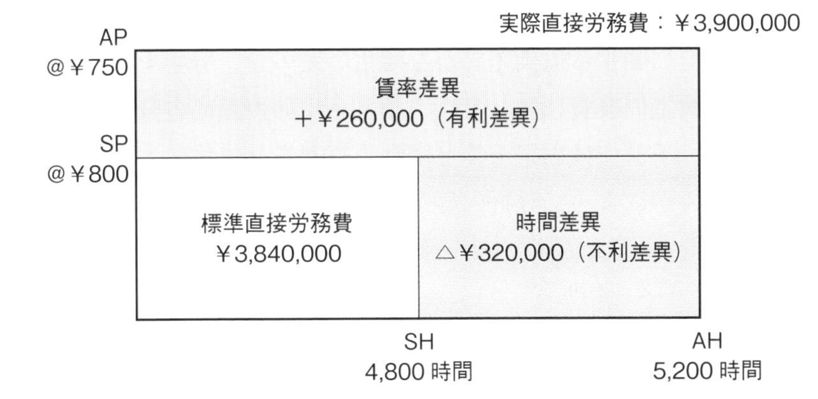

賃率差異：
（@￥800－@￥750）×5,200時間 ＝ ＋￥260,000（有利差異）
時間差異：
@￥800×（4,800時間－5,200時間）＝ △￥320,000（不利差異）

差異の解釈

賃率差異は、標準賃率よりも@￥50低い金額で5,200時間作業したことにより発生しており、￥260,000の有利な経済的影響を会社に与えたことがわかります。

時間差異は、標準的に4,800時間の作業で抑えるべきところを、400時間超過しています。このことにより￥320,000の不利な経済的影響を会社に与えたことがわかります。

4 製造間接費差異の内訳

製造間接費に関する原価差異がなぜ生じたのか、分析を行うことができます。製造間接費に関しては、予算を用いた差異の分析を行います。ここで、予算には固定予算と変動予算があります。どちらの予算を利用するのかによって分析内容が異なります。

固定予算

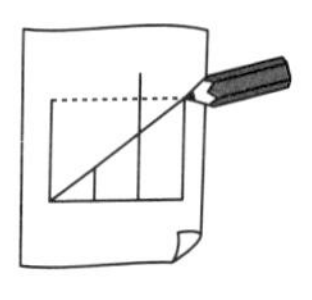

公式法変動予算

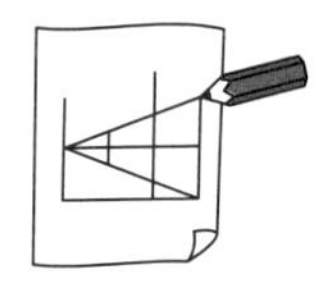

<固定予算による分析>

まずは、固定予算を使った分析です。この方法では、製造間接費差異を**予算差異**、**操業度差異**、**能率差異**という3つの差異に細分化できます。予算差異と操業度差異は第3章で登場したものと全く同じですが、標準原価計算を適用している場合、能率差異という新たな差異が計算されます。これは、標準操業度と実際操業度がズレたことにより生じる差異です。名前の通り、作業能率の良否によって生じます。

原価差異	計算方法	意　味
予算差異	予算許容額　－　実際発生額	製造間接費の浪費または節約
操業度差異	標準配賦率×（実際操業度－基準操業度）	生産能力の利用度
能率差異	標準配賦率×（標準操業度－実際操業度）	作業能率の良否

なお、差異の計算にあたっては、以下のような図を利用することで分析を行うことができます。

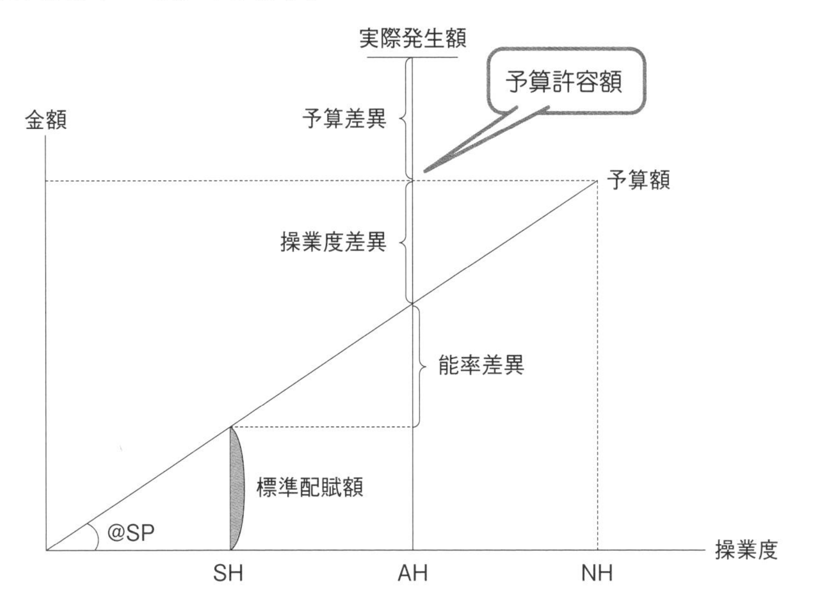

各略語の意味は次の通りです。

＜略　語＞

ＳＰ：　標準配賦率（Standard Price）
ＡＨ：　実際操業度（Actual Hour）
ＳＨ：　標準操業度（Standard Hour）
ＮＨ：　基準操業度（Normal Hour）

例9－6　固定予算による分析

問題　製造間接費差異を固定予算に基づき予算差異、操業度差異、能率差異に分析しなさい。

① 生産データ

月初仕掛品	160個	(1/2)
当月投入	1,000個	
合　　計	1,160個	
月末仕掛品	240個	(1/2)
完　成　品	920個	

・材料は工程の始点で投入する。
・（　　）は加工進捗度を表す。

② 製品1個あたりの標準原価

標準原価カード

費　　目	標準単価	標準消費量	標準原価
直接材料費	@￥ 50	10kg	￥500
直接労務費	@￥800	5時間	￥4,000
製造間接費	@￥500	5時間	￥2,500
			￥7,000

・月間基準操業度：5,500直接作業時間

・月間製造間接費予算額：¥2,750,000

③ 当月の実際操業度　　：5,200直接作業時間

④ 当月の実際製造間接費：¥2,760,000

【解答】

予算差異：	¥10,000（不利差異）
操業度差異：	¥150,000（不利差異）
能率差異：	¥200,000（不利差異）

【考え方】

例9－3より、製造間接費差異は¥360,000（不利差異）とわかっています。差異分析を行うにあたり、まず、完成品換算量に関して生産データをまとめます。

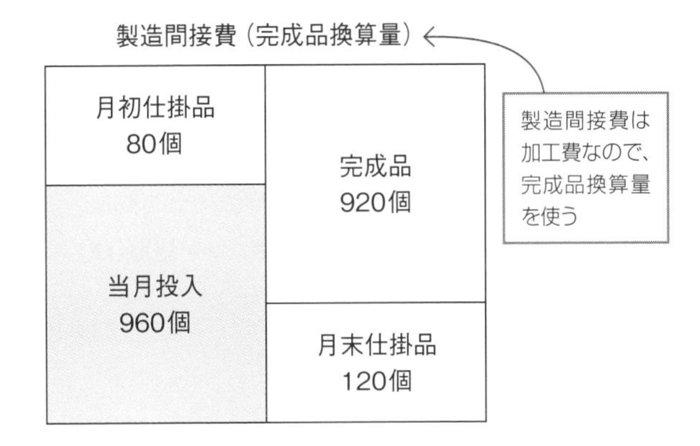

次に、当月に完成品960個分の直接作業が行われていることから標準操業度を計算します。

当月投入に関する標準操業度：960個×5時間 ＝ 4,800時間

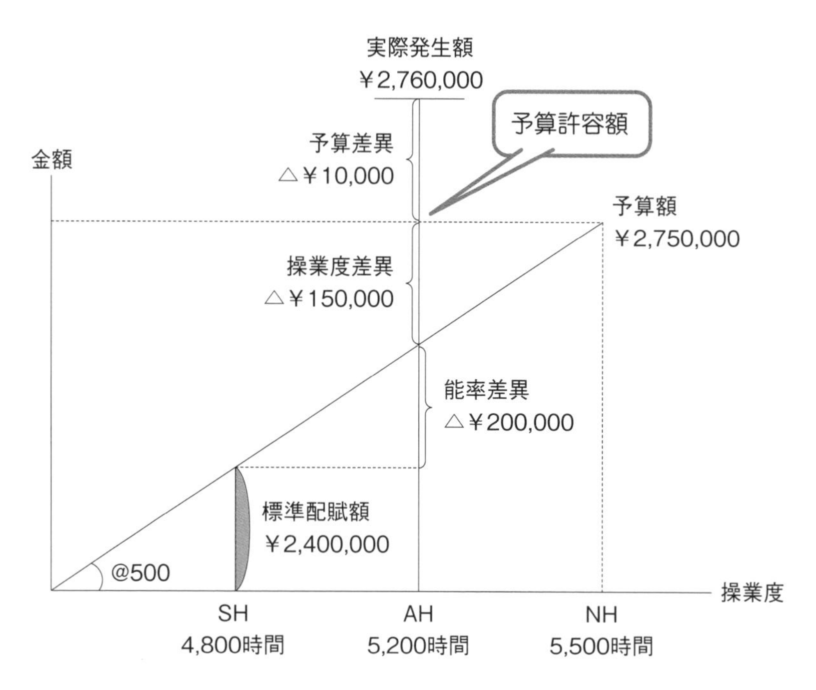

予算差異：

¥2,750,000－¥2,760,000 ＝ △10,000（不利差異）

操業度差異：

@¥500×(5,200時間－5,500時間) ＝ △¥150,000（不利差異）

能率差異：

@¥500×(4,800時間－5,200時間) ＝ △¥200,000（不利差異）

差異の解釈

予算差異は、5,200時間分実際に操業した時の製造間接費の発生予定額¥2,750,000と実際発生額¥2,760,000の差額として計算されており、¥10,000の浪費が生じています。

操業度差異は、基準操業度5,500時間よりも実際操業度が300時間少なかった、つまり、生産能力を300時間持て余したことにより¥150,000の損失が生じています。

能率差異は、完成品960個分の直接作業を行った時に標準的に4,800時間の作業で済ませなければいけないところ、実際にはそれよりも400時間多くかかったことにより生じたもので、会社に対して¥200,000の不利な経済的影響を与えています。

＜変動予算による分析＞

次に、変動予算を用いた製造間接費の差異分析ですが、製造間接費差異をいくつの差異に分解するのかによって、四分法、三分法①、三分法②の３パターンがあります。

<table>
<tr><th>四分法</th><th>三分法①</th><th>三分法②</th></tr>
<tr><td>予算差異</td><td>予算差異</td><td>予算差異</td></tr>
<tr><td>変動費能率差異</td><td rowspan="2">能率差異</td><td>能率差異</td></tr>
<tr><td>固定費能率差異</td><td rowspan="2">操業度差異</td></tr>
<tr><td>操業度差異</td><td>操業度差異</td></tr>
</table>

【四分法】

四分法では、予算差異、変動費能率差異、固定費能率差異、操業度差異の４つの差異を計算します。予算差異と操業度差異は第３章で登場したものと全く同じですが、変動費能率差異と固定費能率差異が新たに計算されます。

原価差異	計算方法
予算差異	予算許容額 － 実際発生額
操業度差異	固定費率×（実際操業度－基準操業度）
変動費能率差異	変動費率×（標準操業度－実際操業度）
固定費能率差異	固定費率×（標準操業度－実際操業度）

変動費能率差異とは、作業能率の良否により生じる変動製造間接費の浪費・節約を表すものです。他方、固定費能率差異とは、特段意味のある差異ではありません。というのも、名前からすると作業能率の良否により生じる固定製造間接費の浪費・節約を表すように思われますが、そもそも固定費は作業能率の良否にかかわらず一定額発生するものです。そのため、固定費能率差異は単に変動費能率

差異を算定するためのおまけだと考えればよいです。

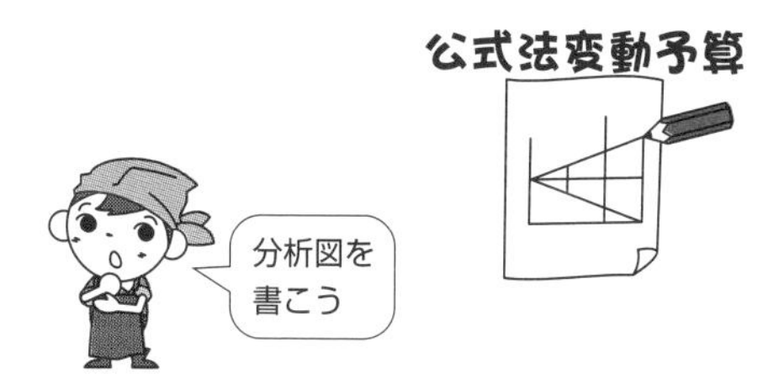

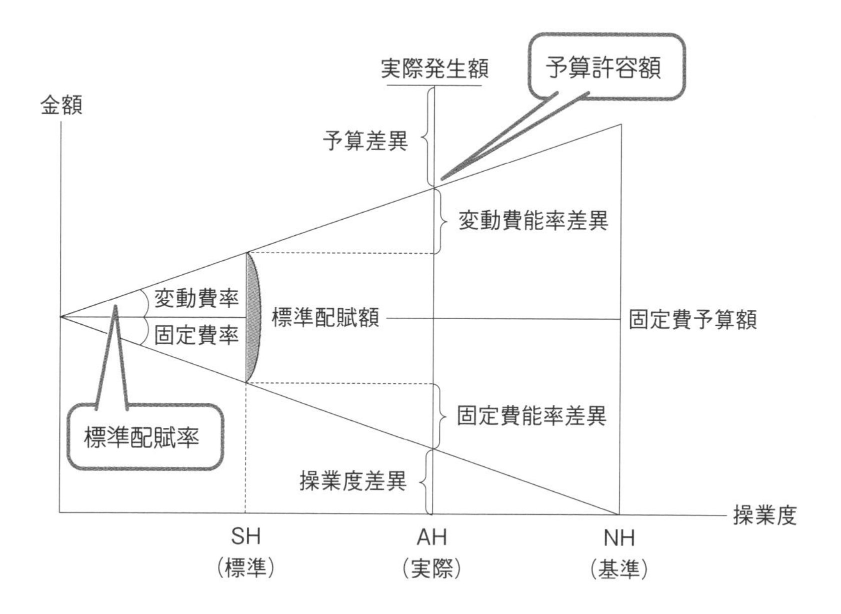

【三分法①】

三分法①では、予算差異、操業度差異、能率差異の3つの差異を計算します。予算差異と操業度差異は四分法と全く同じですが、四分法における変動費能率差異と固定費能率差異をまとめて能率差異として計算します。

原価差異	四分法との関係
予算差異	四分法と同じ
操業度差異	四分法と同じ
能率差異	変動費能率差異＋固定費能率差異

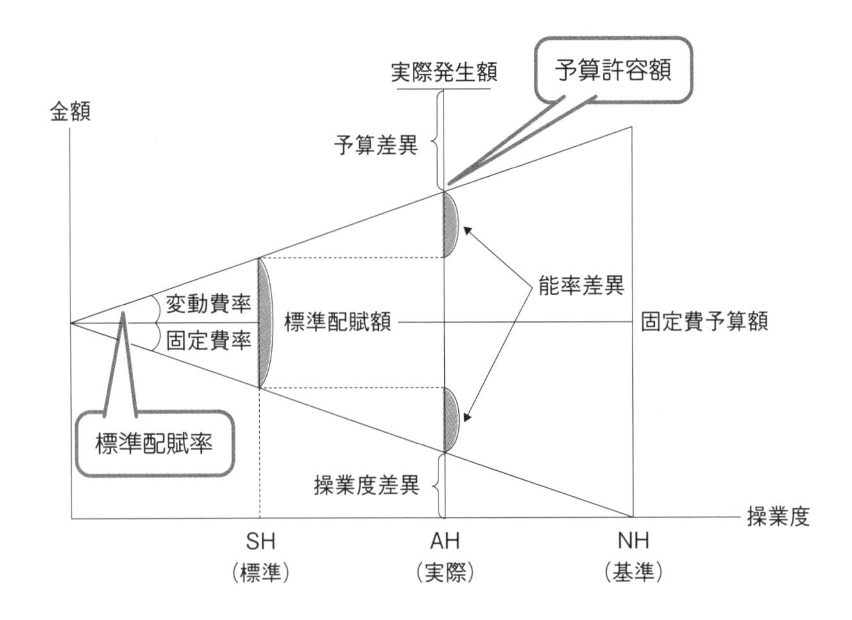

【三分法②】

三分法②では、予算差異、操業度差異、能率差異の３つの差異を計算します。予算差異は四分法と全く同じですが、操業度差異は四分法における固定費能率差異と操業度差異を合算し、能率差異は四分法における変動費能率差異のことを指します。

原価差異	四分法との関係
予算差異	四分法と同じ
操業度差異	固定費能率差異＋操業度差異
能率差異	変動費能率差異

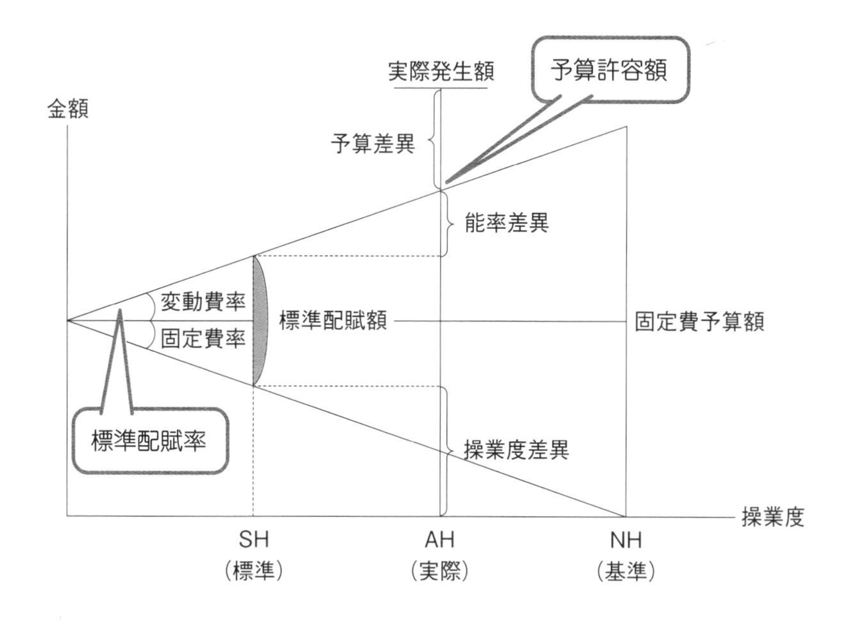

三分法①と三分法②について

三分法は①と②がありますが、これは便宜上、①と②という番号を付けているだけですので、試験では変動費能率差異と固定費能率差異から能率差異を計算する三分法（三分法①）という表現や、固定費能率差異を操業度差異に含める三分法（三分法②）という具合に分析方法に関する指示が出されます。

また、そもそもなぜ2つの計算方法があるのかといいますと、両者で一長一短があるからです。三分法①では能率差異の中に固定費能率差異が含まれてしまいますが、既に説明した通り、固定費は能率の良否にかかわらず一定額生じるものです。そのため、固定費能率差異を能率差異の中に含めるのは問題があります。その点、三分法②では能率差異は変動費だけで計算されるため、まさに能率の良否を表すものとなります。次に、三分法①では操業度差異を実際操業度と基準操業度の差額として計算しているため、どれだけ生産能力を持て余したのか計算することができますが、三分法②では操業度差異の中に固定費能率差異が含まれるため、操業度差異が意味のない数字となってしまいます。

以上のことから、三分法①は能率差異の計算は正しく行えませんが、操業度差異を正しく計算できます。三分法②は能率差異の計算は正しく行えますが、操業度差異は正しく計算できません。このような一長一短から、2つの方法があります。

例9－7　変動予算による分析

問題　製造間接費差異を変動予算に基づき予算差異、操業度差異、能率差異に分析しなさい。

① 生産データ

月初仕掛品	160個	(1/2)
当月投入	1,000個	
合　　計	1,160個	
月末仕掛品	240個	(1/2)
完成品	920個	

・材料は工程の始点で投入する。

・(　　) は加工進捗度を表す。

② 製品1個あたりの標準原価

標準原価カード

費目	標準単価	標準消費量	標準原価
直接材料費	@¥ 50	10kg	¥500
直接労務費	@¥800	5時間	¥4,000
製造間接費	@¥500	5時間	¥2,500
			¥7,000

・月間基準操業度：5,500直接作業時間

・月間固定製造間接費予算額：¥1,650,000

③ 当月の実際操業度　　　：5,200直接作業時間

④ 当月の実際製造間接費：¥2,760,000

【解答】

	予算差異	変動費能率差異	固定費能率差異	操業度差異
四分法	¥70,000 （不利差異）	¥80,000 （不利差異）	¥120,000 （不利差異）	¥90,000 （不利差異）
三分法①	予算差異	能率差異		操業度差異
	¥70,000 （不利差異）	¥200,000 （不利差異）		¥90,000 （不利差異）
三分法②	予算差異	能率差異	操業度差異	
	¥70,000 （不利差異）	¥80,000 （不利差異）	¥210,000 （不利差異）	

【考え方】

例９－３より、製造間接費配賦差異は¥360,000（不利差異）とわかっています。差異分析を行うにあたり、まず、完成品換算量に関して生産データをまとめます。

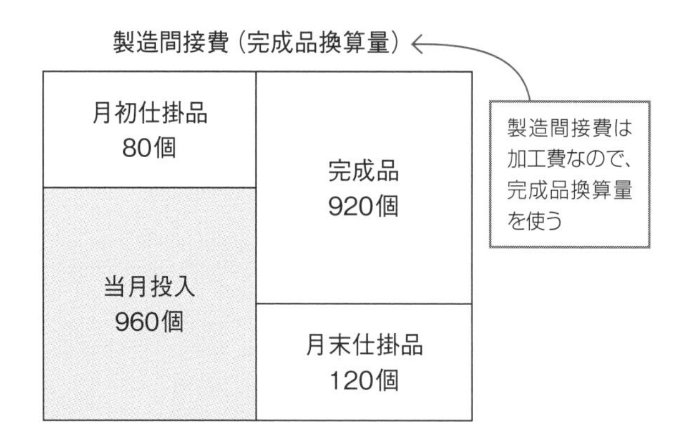

次に、当月に完成品960個分の直接作業が行われていることから標準操業度を計算します。

当月投入に関する標準操業度：960個×５時間 ＝ 4,800時間

また、月間固定製造間接費予算額¥1,650,000と基準操業度5,500時間より、固定費率を計算することができます。

固定費率：¥1,650,000÷5,500時間 ＝ @¥300

製造間接費の標準配賦率@¥500は、変動費率と固定費率の合計であるため、この関係を利用して変動費率を計算することができます。

変動費率：@¥500－@¥300 ＝ @¥200

以上のデータをもとにして、四分法、三分法①、三分法②によるそれぞれの計算を確認します。

【四分法】

予算差異、変動費能率差異、固定費能率差異、操業度差異が計算されます。

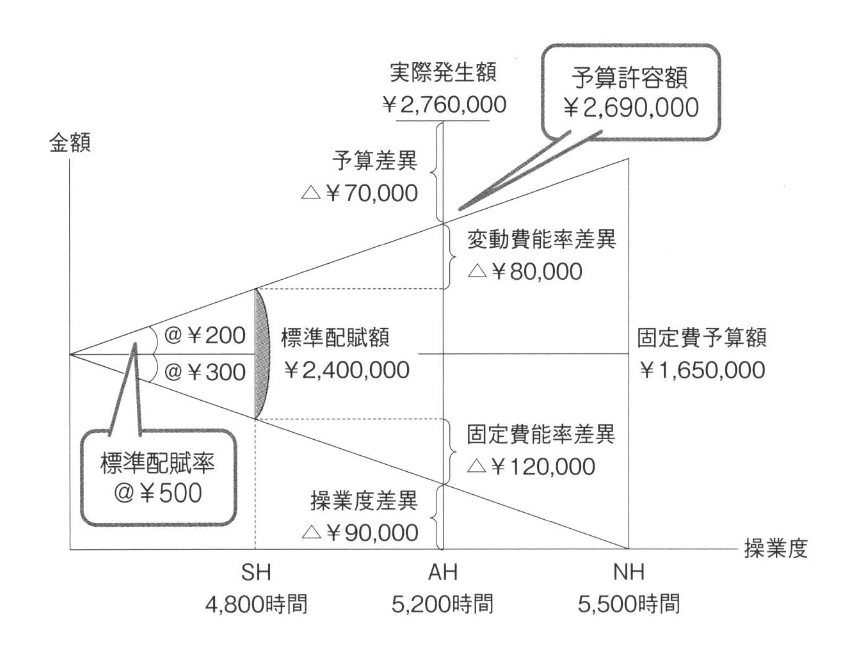

予算差異：

（@￥200×5,200時間＋￥1,650,000）－￥2,760,000 ＝ △￥70,000

変動費能率差異：

@￥200×（4,800時間－5,200時間）＝ △￥80,000

固定費能率差異：

@￥300×（4,800時間－5,200時間）＝ △￥120,000

操業度差異：

@￥300×（5,200時間－5,500時間）＝ △￥90,000

四分法による差異の解釈

予算差異は、5,200時間分実際に操業した時の製造間接費の発生予定額￥2,690,000と実際発生額￥2,760,000の差額として計算でき、￥70,000の浪費が生じています。

変動費能率差異は、完成品960個分の直接作業を行った時に標準的に4,800時間の作業で済ませなければいけないところ、実際にはそれよりも400時間多くかかったことにより生じたもので、そのことにより変動製造間接費￥80,000の無駄が生じています。

操業度差異は、基準操業度5,500時間よりも実際操業度が300時間少なかった、つまり、生産能力を300時間持て余したことにより￥90,000の損失が生じています。

固定費能率差異は、上記のいずれの差異にも分類されないあまりですので、特に積極的な意味はありません。

【三分法①】

予算差異、能率差異、操業度差異が計算されます。

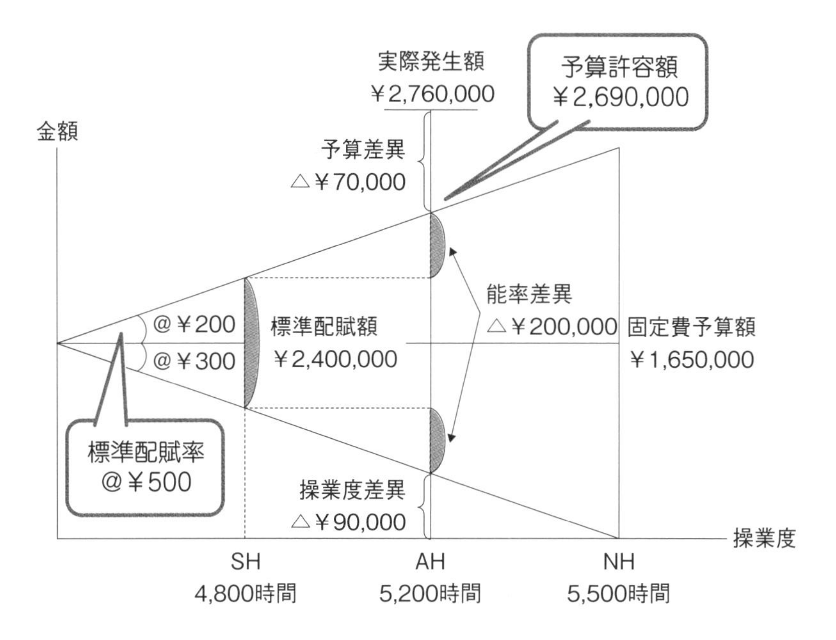

四分法による計算結果から、それぞれの差異を計算することができます。

予算差異：四分法と同じ。

= △¥70,000（不利差異）

能率差異：変動費能率差異＋固定費能率差異

= △¥80,000＋(△¥120,000) = △¥200,000（不利差異）

操業度差異：四分法と同じ。

= △¥90,000（不利差異）

【三分法②】

予算差異、能率差異、操業度差異が計算されます。

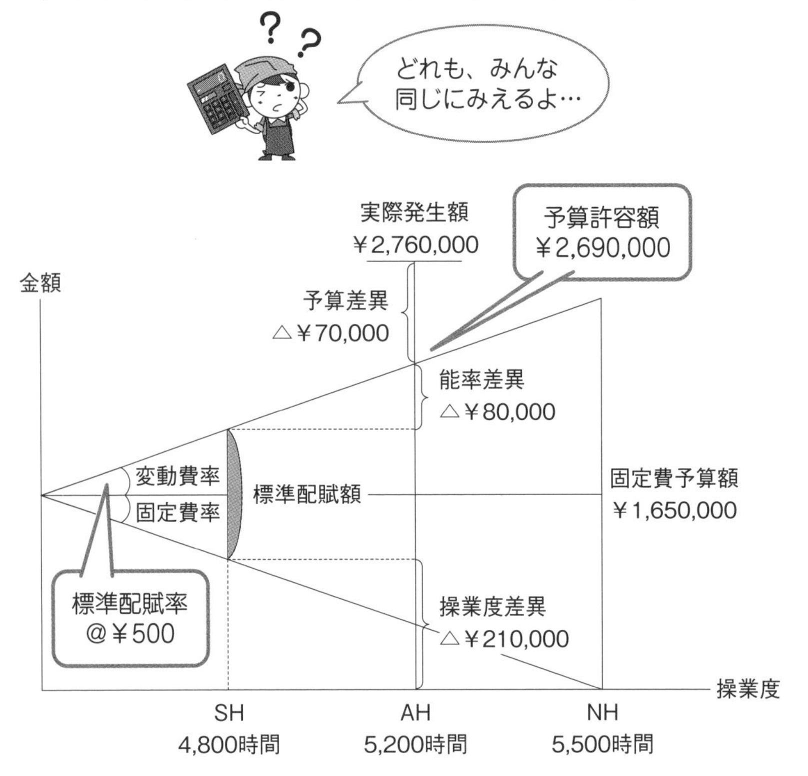

四分法による計算結果から、それぞれの差異を計算することができます。

予算差異：四分法と同じ。

= △¥70,000（不利差異）

能率差異：変動費能率差異と同じ。

= △¥80,000（不利差異）

操業度差異：固定費能率差異＋操業度差異

= △¥120,000＋(△¥90,000) = △¥210,000

3 標準原価の記帳

イントロダクション

標準原価計算を採用している会社では、標準原価を使って帳簿記入を行います。シングル・プラン、パーシャル・プランという2つの記帳方法があるので両者の違いに着目しながらおさえましょう。

1 シングル・プラン

標準原価計算を採用している会社では、標準原価を用いて帳簿記録をとります。標準原価をどのタイミングで帳簿に組込むのかにより、**シングル・プラン**と**パーシャル・プラン**の2つの方法があります。

シングル・プランとは、製造直接費と製造間接費を仕掛品勘定へ振替える際に標準原価を利用する方法です。この方法によると、仕掛品勘定は、月初仕掛品原価、当月投入原価、完成品原価、月末仕掛品原価のすべてが標準原価で記録がとられます。

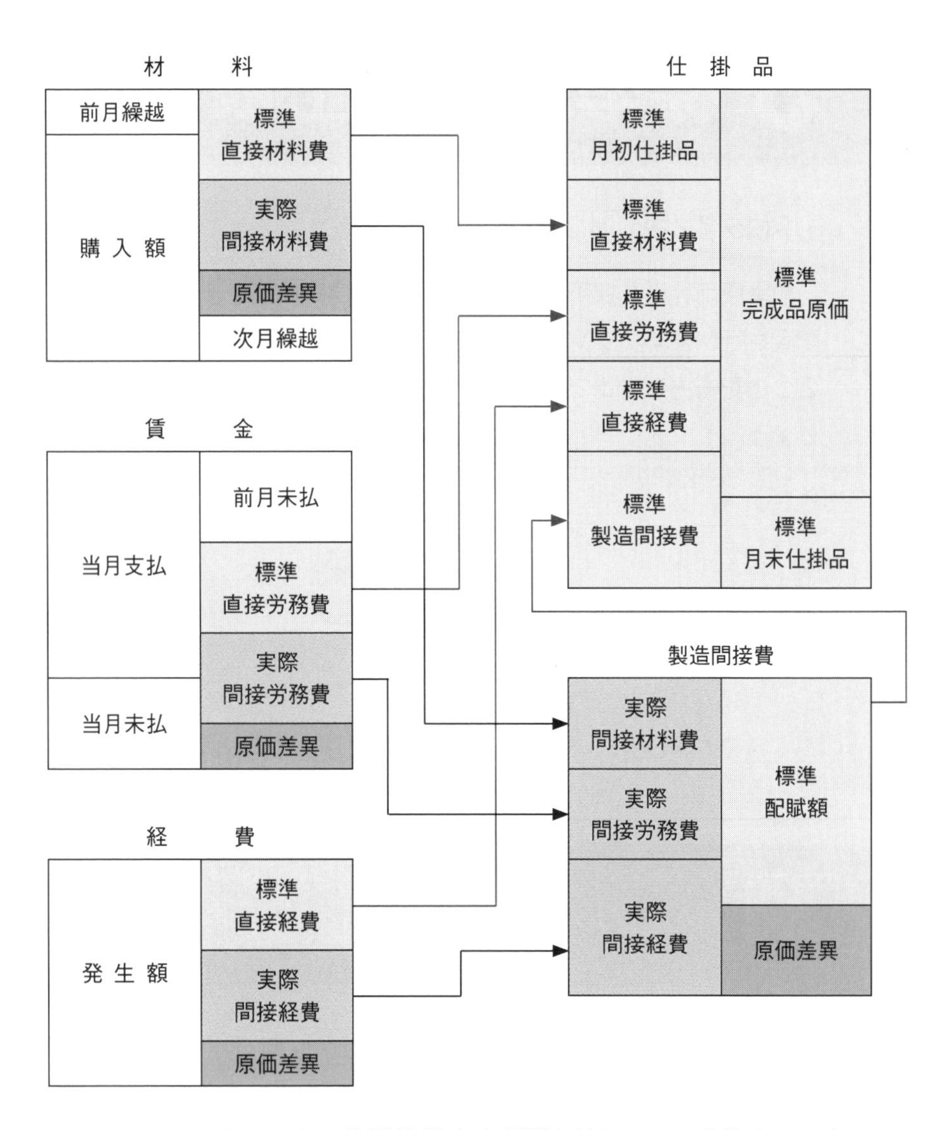

シングル・プランは、仕掛品勘定を標準原価のみで計算することに由来して「シングル」と名付けられています。仕掛品勘定はすべて標準原価で計算され、費目別の勘定（材料・賃金・経費・製造間接費勘定）に原価差異が記録されます。

2 パーシャル・プラン

パーシャル・プランとは、製造直接費と製造間接費を仕掛品勘定へ振替える際に実際原価を利用する方法です。完成品原価と仕掛品原価を計算する際に標準原価を利用し、当月投入原価は実際原価を利用します。

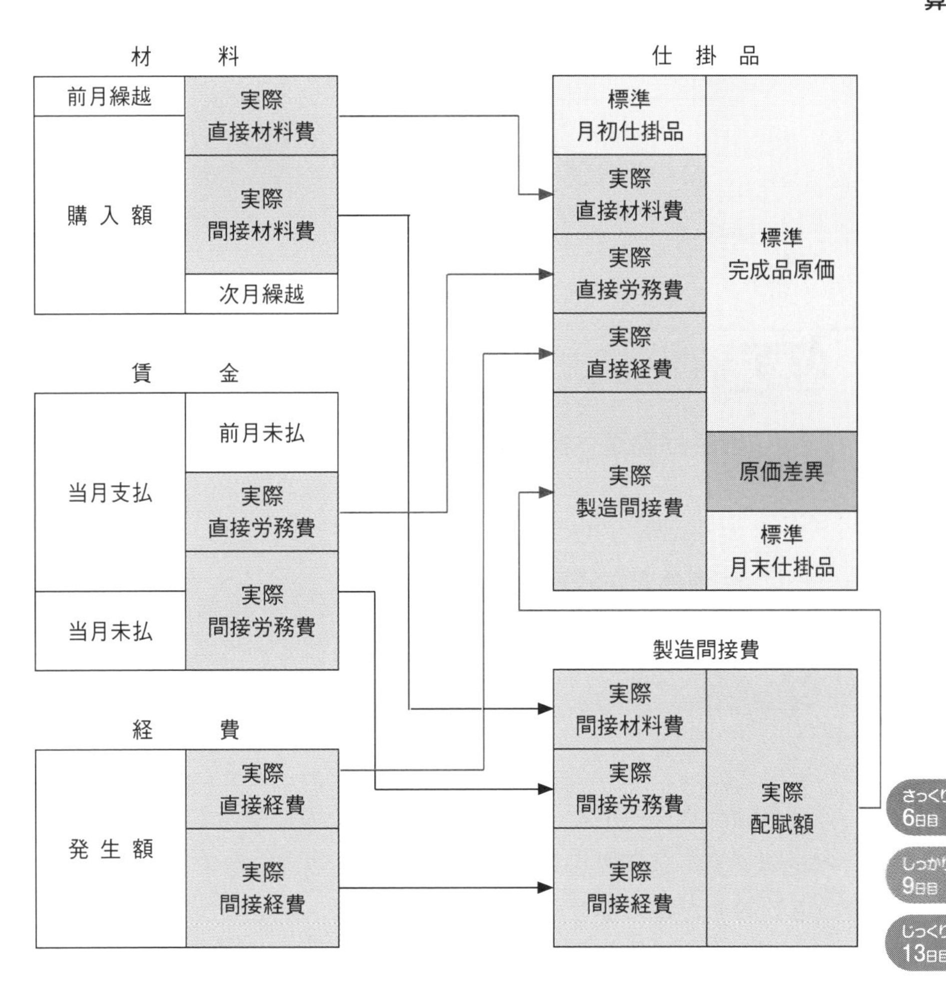

パーシャル・プランは、仕掛品勘定を部分的に標準原価で計算することに由来して、「パーシャル（Partial）」と名付けられています。仕掛品勘定の当月投入原価は実際原価で計算されますが、完成品、仕掛品は標準原価で計算されます。また、パーシャル・プランによると仕掛品勘定で原価差異が記録されます。

重要 シングル・プランとパーシャル・プランの違い

① 仕掛品勘定へ振替えるときの金額

シングル・プラン → 標準原価

パーシャル・プラン → 実際原価

② 原価差異を認識する勘定

シングル・プラン → 各費目の勘定

パーシャル・プラン → 仕掛品勘定

標準原価計算を採用している場合の勘定記入については、まず、パーシャル・プランを学習した上で、シングル・プランをパーシャル・プランと比較しながら押さえるのが効率的です。そこで、パーシャル・プランについて先に確認していきましょう。

例9－8　パーシャル・プラン

問題　パーシャル・プランにより、問1および問2に答えなさい。

問1　材料・賃金・製造間接費・仕掛品の各勘定に記入しなさい。

問2　標準原価差異の分析をしなさい。なお、製造間接費差異の分析は公式法変動予算（四分法）によること。

① 生産データ

月初仕掛品	160個	(1/2)
当月投入	1,000個	
合　計	1,160個	
月末仕掛品	240個	(1/2)
完成品	920個	

・材料は工程の始点で投入する。

・(　　) は加工進捗度を表す。

② 製品1個あたりの標準原価

標準原価カード

費　目	標準単価	標準消費量	標準原価
直接材料費	@¥ 50	10kg	¥500
直接労務費	@¥800	5時間	¥4,000
製造間接費	@¥500	5時間	¥2,500
			¥7,000

・月間基準操業度：5,500直接作業時間

・月間固定製造間接費予算額：¥1,650,000

③ 当月の実際直接材料費：@¥55×10,800kg

＝¥594,000

④ 当月の実際直接労務費：@￥750×5,200時間
＝￥3,900,000

⑤ 当月の実際操業度　　：5,200直接作業時間

⑥ 当月の実際製造間接費：￥2,760,000

【解答】

問1

材　料

借方		貸方	
前月繰越	×××	仕掛品	594,000
買掛金	×××	次月繰越	×××
	×××		×××

賃　金

借方		貸方	
現金	×××	未払賃金	×××
未払賃金	×××	仕掛品	3,900,000
	×××		×××

製造間接費

借方		貸方	
諸口	2,760,000	仕掛品	2,760,000

仕掛品

借方		貸方	
前月繰越	600,000	製品	6,440,000
材料	594,000	次月繰越	900,000
賃金	3,900,000	標準原価差異	514,000
製造間接費	2,760,000		
	7,854,000		7,854,000

問2

直接材料費差異	¥ 94,000	（不利差異）
価格差異	¥ 54,000	（不利差異）
数量差異	¥ 40,000	（不利差異）
直接労務費差異	¥ 60,000	（不利差異）
賃率差異	¥ 260,000	（有利差異）
時間差異	¥ 320,000	（不利差異）
製造間接費差異	¥ 360,000	（不利差異）
予算差異	¥ 70,000	（不利差異）
変動費能率差異	¥ 80,000	（不利差異）
固定費能率差異	¥ 120,000	（不利差異）
操業度差異	¥ 90,000	（不利差異）

【考え方】

パーシャル・プランでは、各費目の勘定から仕掛品勘定へ振替える処理（原価投入時の処理）までを実際原価で記帳し、その後の処理を標準原価で記帳します。この場合、標準原価差異は仕掛品勘定で把握できるので、これを仕掛品勘定から原価差異の勘定へ振替えます。

問１　勘定記入

まず、準備として、例９－２や例９－３で学習したように、月初仕掛品、完成品、月末仕掛品、そして、当月投入の標準原価を計算しておきます。

①月初仕掛品の記入

月初仕掛品は前月の月末仕掛品なので、標準原価で記入します。そこで、月初仕掛品の標準原価である￥600,000をもって、仕掛品勘定に前月繰越の記入をします。

②完成品原価の振替

月末を迎えると、当月の完成品数量が把握できるので、完成品の標準原価である￥6,440,000で、仕掛品勘定から製品勘定へ振替える仕訳をし、転記も行います。

借方科目	金額	貸方科目	金額
製品	6,440,000	仕掛品	6,440,000

③月末仕掛品の記入

月末を迎えると、完成品数量ととともに、月末仕掛品の数量や加工進捗度が分かるので、月末仕掛品の標準原価である￥900,000をもって、仕掛品勘定に次月繰越の記入をします。

④ 原価投入時の処理

月末を迎えてからしばらく経過したあと、当月に投入された直接材料費などが求まります。つまり、費目ごとの実際原価が求まるので、各費目の勘定から仕掛品勘定へ振替える仕訳を実際原価で行い、転記もします。

借方科目	金額	貸方科目	金額
仕掛品	594,000	材料	594,000
仕掛品	3,900,000	賃金	3,900,000
仕掛品	2,760,000	製造間接費	2,760,000

⑤ 原価差異の振替

投入された原価を仕掛品勘定へ実際原価で振替えることで、仕掛品勘定の残高は、当月投入の標準原価と実際原価の差額、つまり、原価差異の総額となります。これを、原価差異の勘定へ振替えます。

借方科目	金額	貸方科目	金額
標準原価差異	514,000	仕掛品	514,000

原価差異の総額：¥6,740,000 − ¥7,254,000
= △¥514,000（不利差異）

第9章 標準原価計算

さっくり 6日目
しっかり 9日目
じっくり 13日目

問２　標準原価差異の分析

例９－３で学習したように、原価差異の総額は、直接材料費差異、直接労務費差異、製造間接費差異に分析できます。

直接材料費差異：￥500,000－￥594,000
　　　　　　　　＝△￥94,000（不利差異）
直接労務費差異：￥3,840,000－￥3,900,000
　　　　　　　　＝△￥60,000（不利差異）
製造間接費差異：￥2,400,000－￥2,760,000
　　　　　　　　＝△￥360,000（不利差異）

直接材料費差異や直接労務費差異は、例９－４や例９－５で学習した図を描くことで、直接材料費差異は価格差異と数量差異に、直接労務費差異は賃率差異と時間差異に分析できます。

また、製造間接費差異は、例９－７で学習した図を描くことで、四分法での差異分析を行い、予算差異、変動費能率差異、固定費能率差異、操業度差異に分析できます。

例9－9　シングル・プラン

問題　シングル・プランにより、問1および問2に答えなさい。

問1　材料・賃金・製造間接費・仕掛品の各勘定に記入しなさい。

問2　標準原価差異の分析をしなさい。なお、製造間接費差異の分析は公式法変動予算（四分法）によること。

① 生産データ

月初仕掛品	160個	(1/2)
当月投入	1,000個	
合　　計	1,160個	
月末仕掛品	240個	(1/2)
完成品	920個	

・材料は工程の始点で投入する。

・(　　) は加工進捗度を表す。

② 製品1個あたりの標準原価

標準原価カード

費　　目	標準単価	標準消費量	標準原価
直接材料費	@￥ 50	10kg	￥500
直接労務費	@￥800	5時間	￥4,000
製造間接費	@￥500	5時間	￥2,500
			￥7,000

・月間基準操業度：5,500直接作業時間

・月間固定製造間接費予算額：￥1,650,000

③ 当月の実際直接材料費：@￥55×10,800kg

＝￥594,000

④ 当月の実際直接労務費：@￥750×5,200時間
　　　　　　　　　　　＝￥3,900,000
⑤ 当月の実際操業度　　：5,200直接作業時間
⑥ 当月の実際製造間接費：￥2,760,000

【解答】

問1

材　料

借方		貸方	
前月繰越	×××	仕掛品	500,000
買掛金	×××	直接材料費差異	94,000
		次月繰越	×××
	×××		×××

賃　金

借方		貸方	
現金	×××	未払賃金	×××
未払賃金	×××	仕掛品	3,840,000
		直接労務費差異	60,000
	×××		×××

製造間接費

借方		貸方	
諸口	2,760,000	仕掛品	2,400,000
		製造間接費差異	360,000
	2,760,000		2,760,000

仕掛品			
前月繰越	600,000	製品	6,440,000
材料	500,000	次月繰越	900,000
賃金	3,840,000		
製造間接費	2,400,000		
	7,340,000		7,340,000

問2

直接材料費差異	¥ 94,000	（不利差異）
価格差異	¥ 54,000	（不利差異）
数量差異	¥ 40,000	（不利差異）
直接労務費差異	¥ 60,000	（不利差異）
賃率差異	¥ 260,000	（有利差異）
時間差異	¥ 320,000	（不利差異）
製造間接費差異	¥ 360,000	（不利差異）
予算差異	¥ 70,000	（不利差異）
変動費能率差異	¥ 80,000	（不利差異）
固定費能率差異	¥ 120,000	（不利差異）
操業度差異	¥ 90,000	（不利差異）

【考え方】

シングル・プランでは、各費目の勘定から仕掛品勘定へ振替える処理（原価投入時の処理）から標準原価で記帳します。この場合、各費目の勘定で費目ごとの原価差異が把握できるので、これを各費目の勘定から原価差異の勘定へ振替えます。

問１　勘定記入

まず、準備として、例９－２や例９－３で学習したように、月初仕掛品、完成品、月末仕掛品、そして、当月投入の標準原価を計算しておきます。

① 月初仕掛品の記入

月初仕掛品は前月の月末仕掛品なので、標準原価で記入します。そこで、月初仕掛品の標準原価である¥600,000をもって、仕掛品勘定に前月繰越の記入をします。

② 完成品原価の振替

月末を迎えると、当月の完成品数量が把握できるので、完成品の標準原価である¥6,440,000で、仕掛品勘定から製品勘定へ振替える仕訳をし、転記も行います。

借方科目	金額	貸方科目	金額
製品	6,440,000	仕掛品	6,440,000

③月末仕掛品の記入

月末を迎えると、完成品数量とともに、月末仕掛品の数量や加工進捗度が分かるので、月末仕掛品の標準原価である¥900,000をもって、仕掛品勘定に次月繰越の記入をします。

④ 原価投入時の処理

月末を迎えた段階で当月投入の標準原価は計算できるので、各費目の勘定から仕掛品勘定へ振替える仕訳を標準原価で行い、転記もします。

借方科目	金額	貸方科目	金額
仕掛品	500,000	材料	500,000
仕掛品	3,840,000	賃金	3,840,000
仕掛品	2,400,000	製造間接費	2,400,000

⑤ 原価差異の振替

月末を迎えてからしばらく経過したあと、費目ごとの当月投入の実際原価が求まります。つまり、各費目の勘定において、費目ごとの当月投入の標準原価と実際原価との差額である原価差異が把握できます。そこで、費目ごとの原価差異を各費目の勘定から原価差異の勘定へ振替えます。

直接材料費差異：￥500,000－￥594,000
　　　　　　　　＝△￥94,000（不利差異）
直接労務費差異：￥3,840,000－￥3,900,000
　　　　　　　　＝△￥60,000（不利差異）
製造間接費差異：￥2,400,000－￥2,760,000
　　　　　　　　＝△￥360,000（不利差異）

借方科目	金額	貸方科目	金額
直接材料費差異	94,000	材料	94,000
直接労務費差異	60,000	賃金	60,000
製造間接費差異	360,000	製造間接費	360,000

問２　標準原価差異の分析

すでに、原価差異の総額を直接材料費差異、直接労務費差異、製造間接費差異に分析できています。

例９－８と同じように考えて、直接材料費差異は価格差異と数量差異に、直接労務費差異は賃率差異と時間差異に分析できます。

また、製造間接費差異は、予算差異、変動費能率差異、固定費能率差異、操業度差異に分析できます。

確認テスト

問題

以下の資料に基づき、直接材料費差異、直接労務費差異、製造間接費差異の分析をしなさい。但し、製造間接費差異の分析は公式法変動予算によること。なお（　　）には借方または貸方と記入すること。

① 生産データ

月初仕掛品	1,500個	(0.6)
当月投入	9,000個	
合　　計	10,500個	
月末仕掛品	2,000個	(0.25)
完成品	8,500個	

ア 材料は工程の始点で投入する。

イ （　　）は加工進捗度を示す。

② 製品1個あたりの標準原価

標準原価カード（製品1個あたり）

費目	標準単価	標準消費量	標準原価
直接材料費	￥200/　kg	6　kg	￥1,200
直接労務費	￥700/時間	2時間	￥1,400
製造間接費	￥800/時間	3時間	￥2,400
完成品1個あたりの標準原価			￥5,000

ア 標準配賦率￥800/時間のうち、変動費率は￥500/時間である。

イ 年間固定製造間接費予算額　￥90,000,000

③　当月実際原価データ

ア　実際直接材料費　￥202/kg×53,600kg＝￥10,827,200

イ　実際直接労務費　￥705/時間×16,300時間＝￥11,491,500

ウ　実際操業度　　　24,500機械作業時間

エ　製造間接費実際発生額　￥19,630,000

(1)　直接材料費差異の分析

価格差異	¥	(	)差異
数量差異	¥	(	)差異

(2)　直接労務費差異の分析

賃率差異	¥	(	)差異
時間差異	¥	(	)差異

(3)　製造間接費差異の分析

予算差異	¥	(	)差異
変動費能率差異	¥	(	)差異
固定費能率差異	¥	(	)差異
操業度差異	¥	(	)差異

解答

(1) 直接材料費差異の分析

価格差異	¥ 107,200	(借方)	差異
数量差異	¥ 80,000	(貸方)	差異

(2) 直接労務費差異の分析

賃率差異	¥ 81,500	(借方)	差異
時間差異	¥ 70,000	(借方)	差異

(3) 製造間接費差異の分析

予算差異	¥ 120,000	(貸方)	差異
変動費能率差異	¥ 100,000	(借方)	差異
固定費能率差異	¥ 60,000	(借方)	差異
操業度差異	¥ 150,000	(借方)	差異

解 説

直接材料費

月初仕掛品 1,500個	完成品 8,500個
当月投入 9,000個	月末仕掛品 2,000個

加 工 費

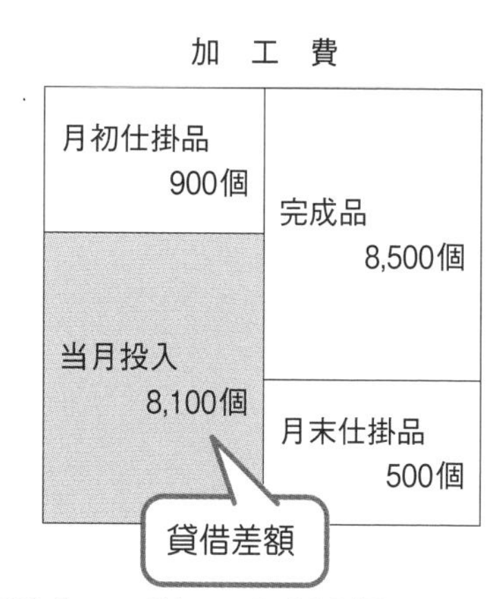

当月投入の標準直接材料費：¥200/kg × 6 kg × 9,000個

＝¥10,800,000

当月投入の標準直接労務費：¥700/時間 × 2 時間 × 8,100個

＝¥11,340,000

当月投入の標準配賦額：¥800/時間 × 3 時間 × 8,100個

＝¥19,440,000

（1） 直接材料費差異の分析

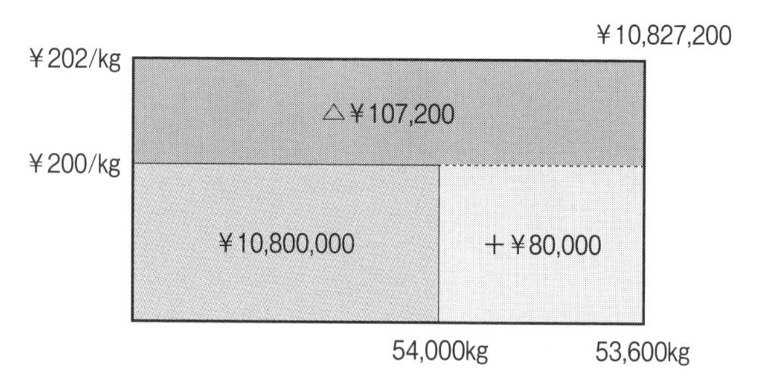

標準消費数量：6kg×9,000個＝54,000kg

価格差異：(￥200/kg－￥202/kg)×53,600kg
＝△￥107,200（借方差異）

数量差異：￥200/kg×(54,000kg－53,600kg)
＝＋￥80,000（貸方差異）

(2) 直接労務費差異の分析

￥11,491,500
￥705/時間
△￥81,500
￥700/時間
￥11,340,000
△￥70,000
16,200時間
16,300時間

標準直接作業時間：2時間×8,100個＝16,200時間

賃率差異：(￥700/時間－￥705/時間)×16,300時間
＝△￥81,500（借方差異）

時間差異：￥700/時間×(16,200時間－16,300時間)
＝△￥70,000（借方差異）

(3) 製造間接費差異の分析

製造間接費差異：￥19,440,000－￥19,630,000
＝△￥190,000（借方差異）

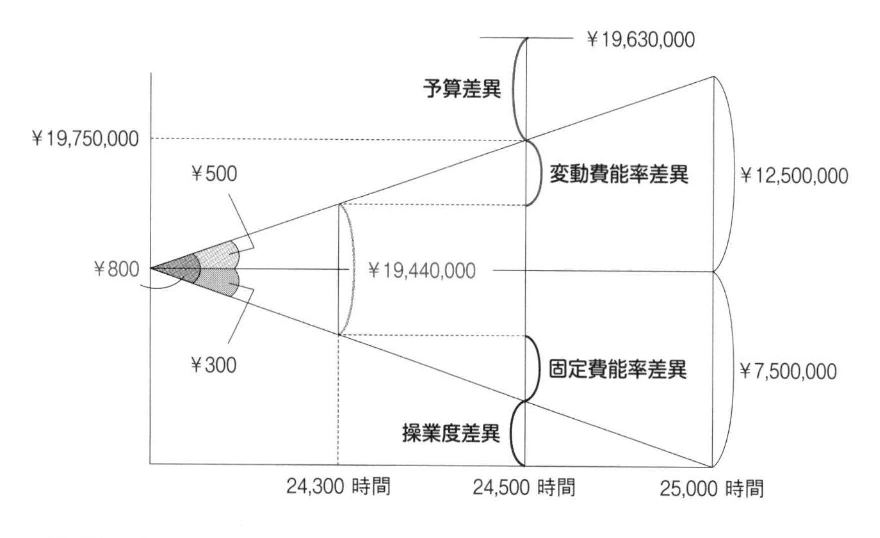

標準操業度：3時間×8,100個＝24,300時間

固定費率：標準配賦率¥800/時間－変動費率¥500/時間

＝¥300/時間

予算差異：¥19,750,000－¥19,630,000

＝＋¥120,000（貸方差異）

変動費能率差異：¥500/時間×(24,300時間－24,500時間)

＝△¥100,000（借方差異）

固定費能率差異：¥300/時間×(24,300時間－24,500時間)

＝△¥60,000（借方差異）

年間基準操業度：¥90,000,000÷¥300/時間＝300,000時間

月間基準操業度：300,000時間÷12ヶ月＝25,000時間

操業度差異：¥300/時間×(24,500時間－25,000時間)

＝△¥150,000（借方差異）

第10章 直接原価計算

学習進度目安

さっくり 7日間	しっかり 10日間	じっくり 15日間
7日目	9日目	14日目
	10日目	15日目

◉第10章で学習すること

① 利益計画

② 直接原価計算

③ 損益分岐点分析

1 利益計画

イントロダクション

会社では通常、利益計画と呼ばれる予定を立てます。将来どれだけ売上が生じて、費用がどれだけかかるのか、利益をいくら獲得できるのかについて見積もるのです。そのような見積もりを行う時に利用される原価計算を直接原価計算といいます。

1 次期の目標を決める

利益計画とは、会社が向こう１年間でどれだけ売上を上げて、費用をどの程度に抑えることができるのか、その結果、利益をいくら稼ぐことができるのかを見積損益計算書として表したものです。言うなれば利益計画とは、事前に作る損益計算書です。会社では利益計画を策定し、実績がその通りになるよう日々経営努力がなされます。

利益計画は通常、当期の実績をベースに策定されます。「次期の利益は当期の２倍にしよう」といった具合です。ここで、利益と売上の動き方に着目します。というのも、利益を２倍にするために、売上を２倍にする必要はないのです。

＜数字例＞

当期は製品100個を生産し、100個すべてを@￥100で販売しました。製品を１個製造するのに変動費が@￥40、固定費が総額￥3,000かかりました。次期の生産量と販売量を当期の２倍にしてみましょう。

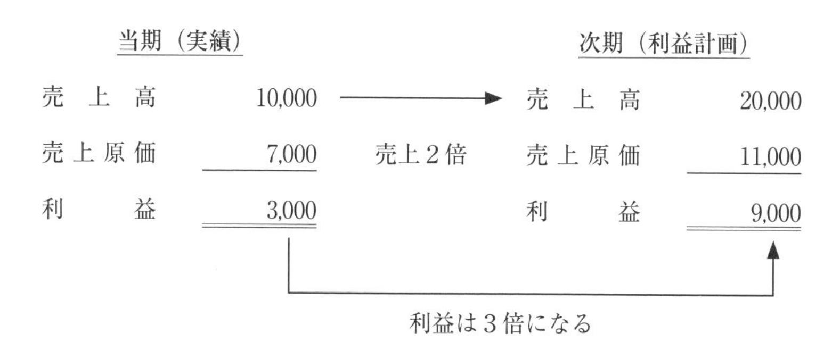

当期（実績）			次期（利益計画）	
売　上　高	10,000	→	売　上　高	20,000
売上原価	7,000	売上２倍	売上原価	11,000
利　　　益	3,000		利　　　益	9,000

次期の売上原価：@￥40 × 100個 × ２倍 + ￥3,000 = ￥11,000

この数字例からわかるように、売上が２倍になっても売上原価は２倍になりません。固定費￥3,000が生産量にかかわらず生じるため、生産量を上げた分だけ製品１個あたりの負担する固定費が小さくなり、製品単位原価が小さくなるからです。その結果、売上が２倍になったとき、利益はそれ以上の３倍になっています。

＜数字例＞

先ほどの数字例で次期の生産量のみを200個に変え、販売量およびその他の条件を同じとした時の利益を求めます。

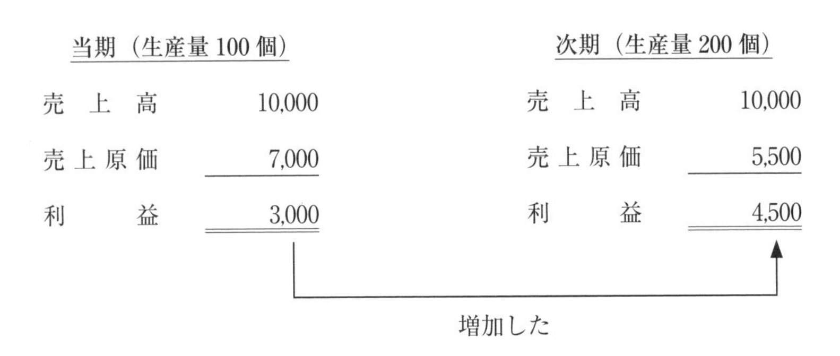

完成品原価（200個）：@¥40 × 200個 + ¥3,000 = ¥11,000

完成品単位原価：¥11,000 ÷ 200個 = @55

売上原価（100個）：¥55 × 100個 = ¥5,500

このように固定費を製品原価に含める計算を行うと、製品をいくつ作ったのかによって製品１個あたりの製造原価が変動し、生産量が利益に影響を与えることになります。

利益計画はなるべくわかりやすく立てたいため、「製品が２倍売れるから利益も２倍になるな」という具合に、販売量に比例させて利益をとらえたいのです。

そこで、利益計画の際には変動費のみで製品原価を計算する方法が役に立ちます。この方法を直接原価計算といいます。

2 高低点法

第３章の変動予算でも登場しましたが、改めて確認しておきますと、変動費とは、操業度に応じて比例的に増減する原価であるのに対し、固定費とは、操業度にかかわらず一定額生じる原価です。

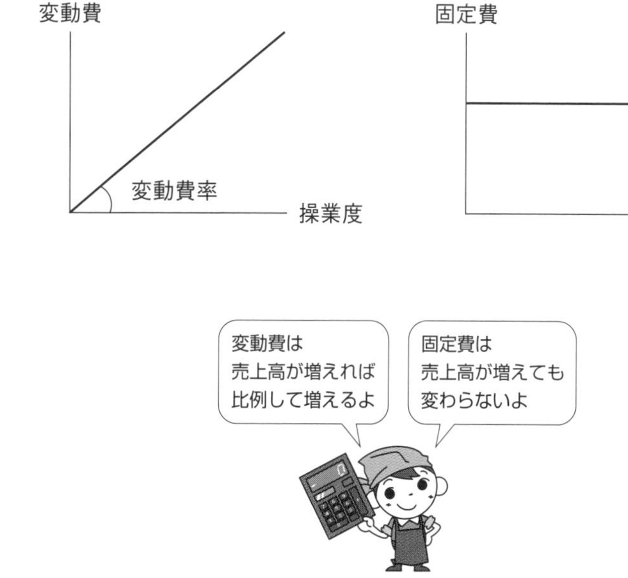

利益計画を立てる際には、売上高（操業度）に応じて費用がどのように変わるのかが知りたいため、このように変動費と固定費に原価を分ける必要があります。変動費と固定費に原価を分けることを固変分解といい、固変分解の代表的な手法に高低点法があります。これは、正常操業圏（正常な操業度の範囲）にある過去の製造原価に関する実績データのうち、最も操業度が高い点と最も操業度が低い点の２点のデータを直線で結び、固変分解を行います。

例10－1　高低点法

問題　高低点法により、変動費率と固定費を計算しなさい。また、3,900個の製品製造を行った際の製造原価を見積もりなさい。

	製造原価	操業度（生産量）
1月	¥2,200,000	3,200個
2月	¥2,328,000	3,600個
3月	¥2,400,000	3,800個
4月	¥2,452,000	4,000個
5月	¥2,180,000	4,800個
6月	¥2,320,000	3,400個

当社の過去数年の平均操業度は3,800個であり、当該操業度の周辺25％が正常操業圏と考える。

【解答】

変動費率：	@¥315
固定費　：	¥1,192,000
製造原価：	¥2,420,500

【考え方】

高低点法では、正常操業圏にある操業度が最も高い点と最も低い点の２点を直線で結び、原価の推移を表します。ここで、本問の正常操業圏を計算すると、3,800個から前後25％となります。

下限：3,800個－3,800個×25％＝ 2,850個
上限：3,800個＋3,800個×25％＝ 4,750個

よって、正常操業圏は、2,850個～ 4,750個となります。この範囲にある操業度が最も高い点と低い点を探します。なお、5月の4,800個は正常操業圏から外れているため除外します。

最も操業度が高い点：4月の4,000個（￥2,452,000）
最も操業度が低い点：1月の3,200個（￥2,200,000）

上記の2点を直線で結び、直線の傾きである変動費率（操業度1単位増加した時の変動費の増加額）を計算します。

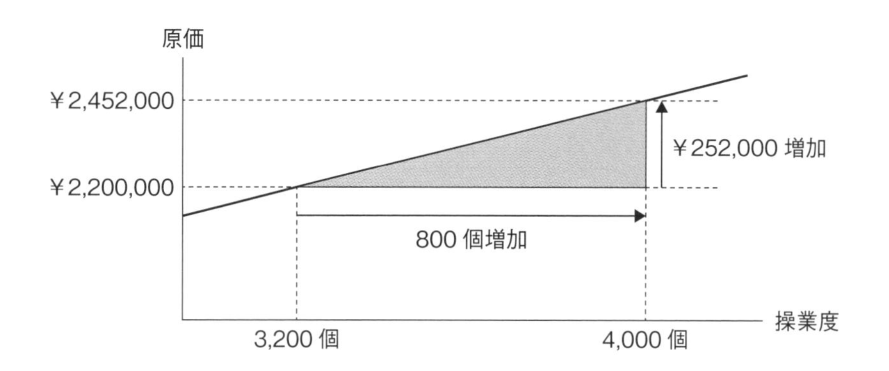

$$変動費率 = \frac{￥2,452,000 - ￥2,200,000}{4,000個 - 3,200個}$$

$$= @￥315$$

この変動費率から各座標における変動費を計算し、総原価（変動費と固定費の合計）から控除することで固定費を計算します。

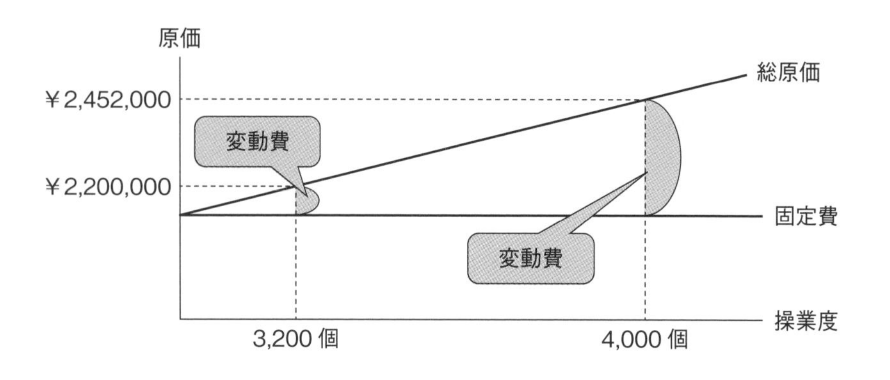

固定費　＝　¥2,200,000 − @¥315 × 3,200個　もしくは
¥2,452,000 − @¥315 × 4,000個

＝　¥1,192,000

以上から、操業度3,900個の時の製造原価は次のようになります。

製造原価：@¥315×3,900個＋¥1,192,000 ＝ ¥2,420,500

2 直接原価計算

イントロダクション

変動費と固定費に原価を分類することで、原価の推移を直線的に表すことができましたが、これまで皆さんが学習した原価計算では、せっかく変動費と固定費に原価を分類しても、それを無視して製品原価を計算することになります。そこで、新しく直接原価計算と呼ばれる計算を見ていきます。

1 直接原価計算とは

これまで皆さんが学習してきた原価計算は、全部原価計算と呼ばれるものです。これは、製品製造にあたって生じたすべての原価、つまり変動製造原価も固定製造原価も区別せずに製品原価として計算する方法です。それに対して、直接原価計算とは、製品製造にあたって生じた原価のうち、変動製造原価だけを製品原価とし、固定製造原価については期間原価（損益計算書に費用としてそのまま計上）とする方法です。

ここで、全部原価計算における原価分類と直接原価計算における原価分類を確認すると次のようになります。

【全部原価計算における原価分類】

直接材料費	直接材料費
直接労務費	加　工　費
直接経費	
製造間接費	

【直接原価計算における原価分類】

直接材料費	直接材料費	変動 製造原価
直接労務費	変動加工費	
直接経費		
変動 製造間接費		
固定 製造間接費	固定加工費	固定 製造原価

直接原価計算では製造直接費と製造間接費のうち変動費部分である変動製造間接費が変動製造原価となり、製品原価として計算されます。製造間接費のうち固定費部分である固定製造間接費は固定製造原価となり、期間原価として計算されます。このような原価分類がなされるため、勘定連絡図も次のようになります。

【直接原価計算の勘定連絡図】

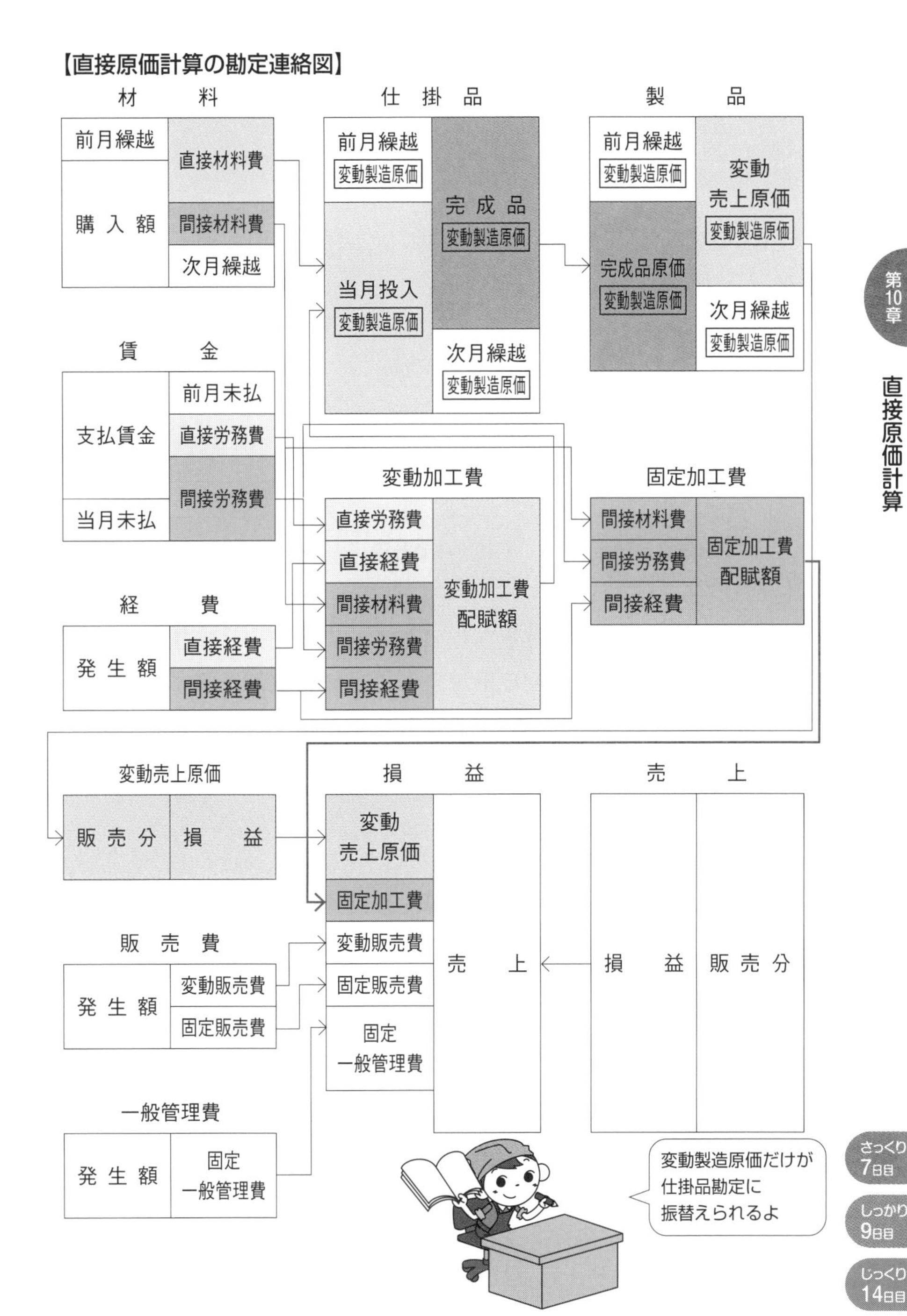

2 原価計算の全体像

「○○原価計算」という名前のものをこれまでいくつも見てきましたが、全体像を示すとこのようになります。

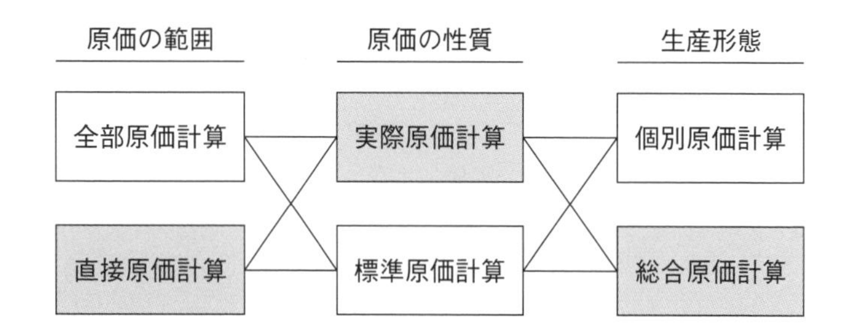

これまでは全部原価計算を前提にして、完成品や仕掛品の実際原価もしくは標準原価を個別原価計算もしくは総合原価計算により計算してきました。この章では、直接原価計算を前提にして、完成品や仕掛品の実際原価を総合原価計算により求めます。

<試験で出題されないため取り扱っていない組み合わせ>

・全部原価計算＋標準原価計算＋個別原価計算
・直接原価計算＋実際原価計算＋個別原価計算
・直接原価計算＋標準原価計算＋個別原価計算
・直接原価計算＋標準原価計算＋総合原価計算

例10－2　全部原価計算と直接原価計算

問題　全部原価計算と直接原価計算により、期末仕掛品原価、完成品原価、完成品単位原価を計算しなさい。

① 生産データ

期首仕掛品	400個	(1/2)
当 期 投 入	2,500個	
合　　計	2,900個	
期末仕掛品	900個	(2/3)
完 成 品	2,000個	

・材料は工程の始点で投入する。

・(　　) は加工進捗度を表す。

・期末仕掛品の評価は先入先出法による。

② 原価データ

期首仕掛品

直接材料費	変動加工費	固定加工費
¥16,600	¥14,200	¥9,600

当期投入

直接材料費	変動加工費	固定加工費
¥110,000	¥158,400	¥120,000

【解答】

	全部原価計算	直接原価計算
期末仕掛品原価	¥109,200	¥79,200
完 成 品 原 価	¥319,600	¥220,000
完成品単位原価	@¥159.8	@¥110

【考え方】

まず、全部原価計算を行いますが、これまで通りに計算すればよいです。全部原価計算では変動製造原価と固定製造原価を区別しませんので、資料として与えられている変動加工費と固定加工費については合算して計算を行います。

期首仕掛品加工費：¥14,200＋¥9,600 ＝ ¥23,800

当期投入加工費　：¥158,400＋¥120,000 ＝ ¥278,400

これまで通り、直接材料費は実在量を基準に完成品と期末仕掛品に原価を按分し、加工費は完成品換算量を基準に完成品と期末仕掛品に原価を按分します。

直接材料費（実在量）

期首仕掛品 400個	完成品 2,000個
当期投入 2,500個	期末仕掛品 900個

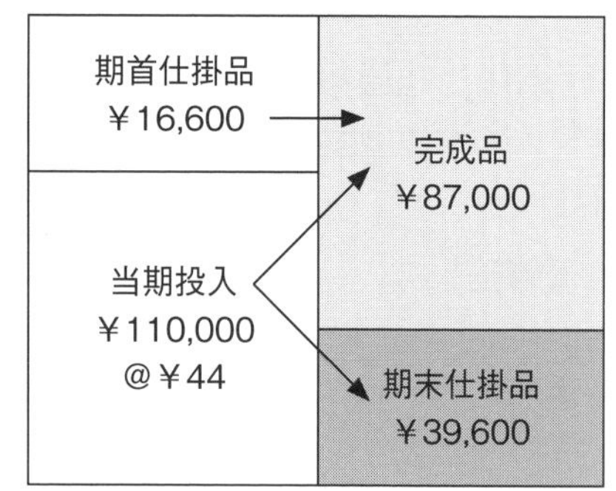

期末仕掛品が負担する直接材料費

$$¥110,000 \times \frac{900個}{2,500個} = ¥39,600$$

完成品が負担する直接材料費

(¥16,600＋¥110,000)－¥39,600 ＝ ¥87,000　もしくは

¥16,600＋@¥44×(2,000個－400個)＝ ¥87,000

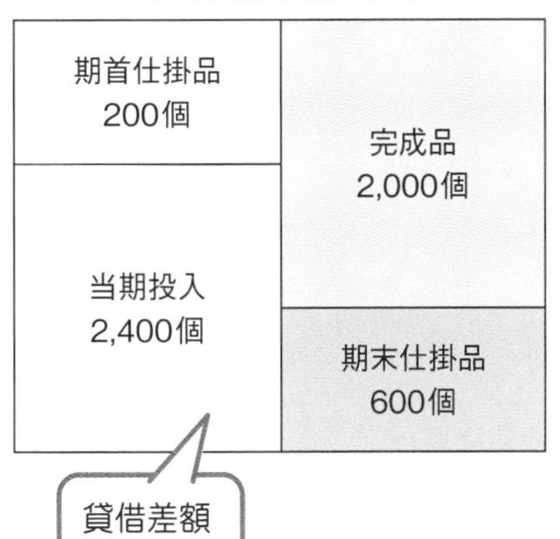

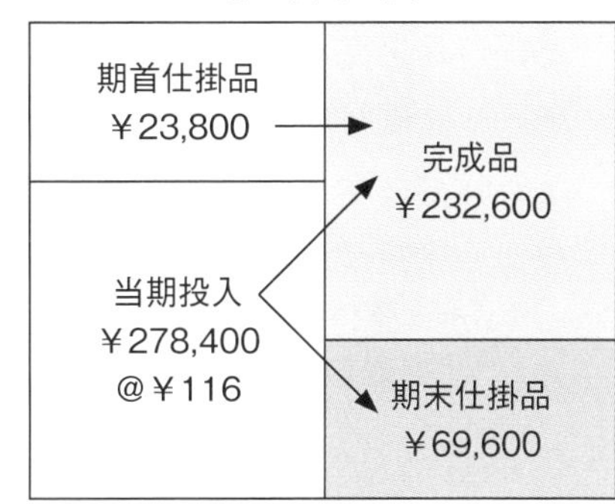

期末仕掛品が負担する加工費

$$¥278,400 \times \frac{600個}{2,400個} = ¥69,600$$

完成品が負担する加工費

(¥23,800＋¥278,400)－¥69,600 ＝ ¥232,600　もしくは

¥23,800＋@¥116×(2,000個－200個)＝ ¥232,600

以上より、全部原価計算における期末仕掛品原価、完成品原価、完成品単位原価を計算すると次の通りです。

全部原価計算

期末仕掛品原価	：¥39,600 + ¥69,600 = ¥109,200
完成品原価	：¥87,000 + ¥232,600 = ¥319,600
完成品単位原価	：¥319,600 ÷ 2,000個 = @¥159.8

次に、直接原価計算を行いますが、直接原価計算は製造原価のうち変動製造原価のみを製品原価としますので、直接材料費と変動加工費のみを完成品と期末仕掛品へ按分計算します。この時、これまで通り、直接材料費については実在量を基準に計算し、変動加工費については完成品換算量を基準に計算します。

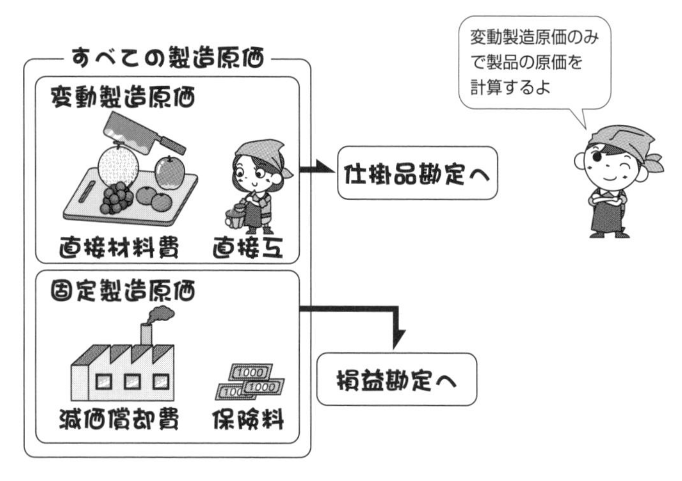

直接材料費（実在量）

直接材料費（金額）

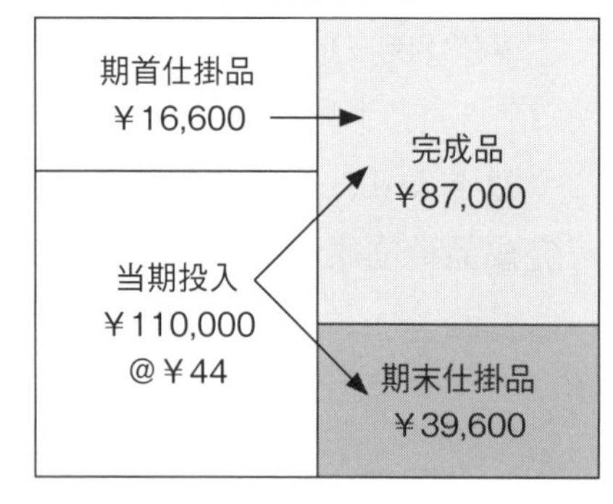

期末仕掛品が負担する直接材料費

$$¥110,000 \times \frac{900個}{2,500個} = ¥39,600$$

完成品が負担する直接材料費

(¥16,600＋¥110,000)－¥39,600 ＝ ¥87,000　もしくは

¥16,600＋@¥44×(2,000個－400個)＝ ¥87,000

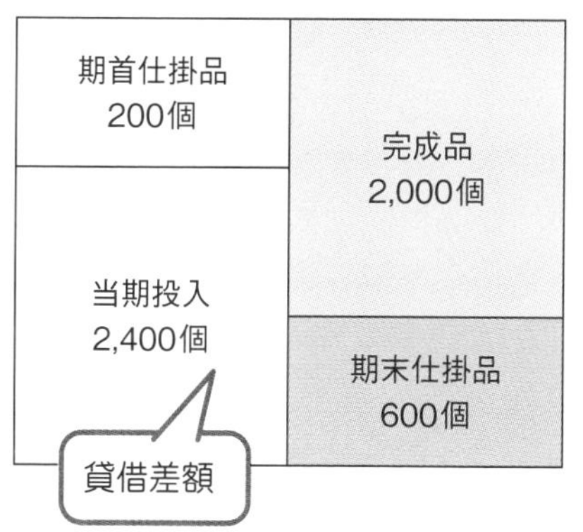

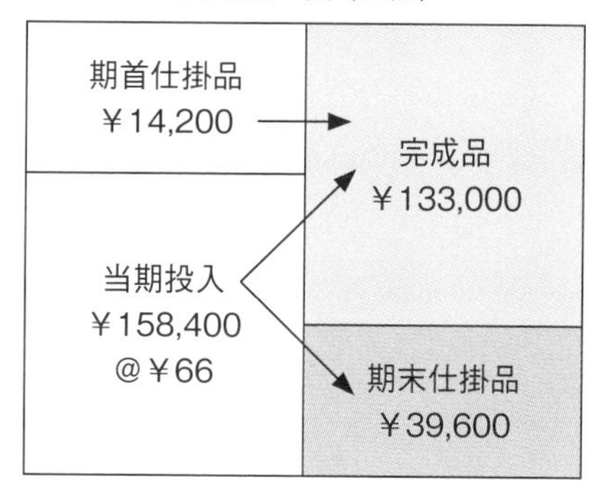

期末仕掛品が負担する加工費

$$¥158,400 \times \frac{600個}{2,400個} = ¥39,600$$

完成品が負担する加工費

(¥14,200＋¥158,400)－¥39,600 ＝ ¥133,000　もしくは

¥14,200＋@¥66×(2,000個－200個)＝ ¥133,000

以上より、直接原価計算における期末仕掛品原価、完成品原価、完成品単位原価を計算すると次の通りです。

直接原価計算

期末仕掛品原価	：¥39,600 + ¥39,600 = ¥79,200
完成品原価	：¥87,000 + ¥133,000 = ¥220,000
完成品単位原価	：¥220,000 ÷ 2,000個 = @¥110

3 損益計算書

直接原価計算を採用している場合、特有の損益計算書を会社内部で作成し、利益計画を表します。売上高から変動費を控除し、「**貢献利益**」と呼ばれる利益を求めます。さらに、貢献利益から固定費を控除することで、営業利益が求まります。

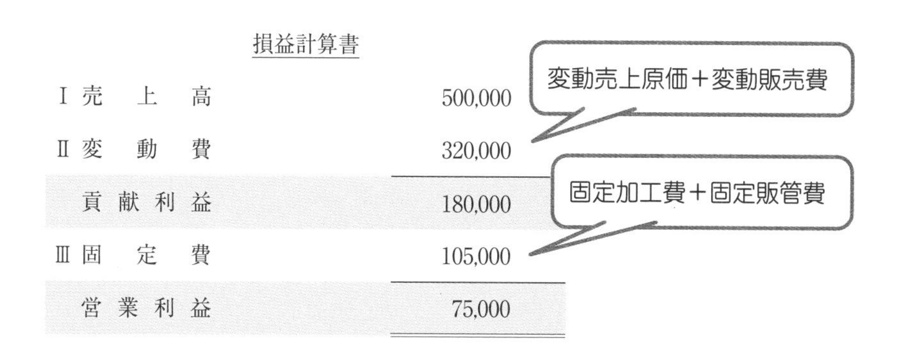

損益計算書

Ⅰ	売　上　高	500,000
Ⅱ	変　動　費	320,000
	貢 献 利 益	180,000
Ⅲ	固　定　費	105,000
	営 業 利 益	75,000

なお、この損益計算書は簡略化した形式であるため、もっと詳細なものを作ることもできます。売上高から変動売上原価を控除し、「**変動製造マージン**」を計算します。さらにそこから、変動販売費を控除すれば、貢献利益が求まります。

損益計算書

Ⅰ 売　上　高		500,000
Ⅱ 変動売上原価		
期首製品棚卸高	70,000	
当期製品製造原価	280,000	
合　計	350,000	
期末製品棚卸高	50,000	300,000
変動製造マージン		200,000
Ⅲ 変動販売費		20,000
貢献利益		180,000
Ⅳ 固　定　費		
固定加工費	70,000	
固定販売費	10,000	
固定一般管理費	25,000	105,000
営業利益		75,000

貢献利益

貢献利益は固定費の回収に貢献する利益ということで、このような名前が付けられています。通常、製品を製造販売して、販売代金からまず回収するのが変動費で、その後の余剰で固定費を回収するというのが一般的な経営者の感覚です。

もう少しわかりやすくいいますと、皆さんが屋台を出しているとします。販売価格@¥100の製品1個作るのに原材料（変動費）が@¥40、屋台の借賃（固定費）が月間で¥60,000かかるとします。この時、皆さんは利益計画を立てるにあたって何を考えるでしょうか。おそらく多くの方は、製品1個製造販売すれば@¥60の利益が生まれるから、家賃を回収するのに最低限1,000個は売らなければいけないなと考えるのではないでしょうか。ここで登場する@¥60というのがまさに貢献利益で、この貢献利益により固定費の回収が行われます。

例10－3　全部原価計算による損益計算書

問題　例10－２における全部原価計算による損益計算書を作成しなさい。

① 販売データ

当期完成品2,000個をすべて@￥300で販売した。期首・期末に製品はなかった。

② 販売費及び一般管理費

・変動販売費：@￥10

・固定販売費：￥15,000

・一般管理費：￥90,000

一般管理費はすべて固定費である。

【考え方】

全部原価計算による損益計算書の作成が求められているため、変動費と固定費の区別はなくします。また、売上高や販売費の金額を求めると次の通りです。

売上高：@￥300×2,000個 ＝ ￥600,000

販売費：@￥10×2,000個＋￥15,000 ＝ ￥35,000

【全部原価計算の勘定連絡図】

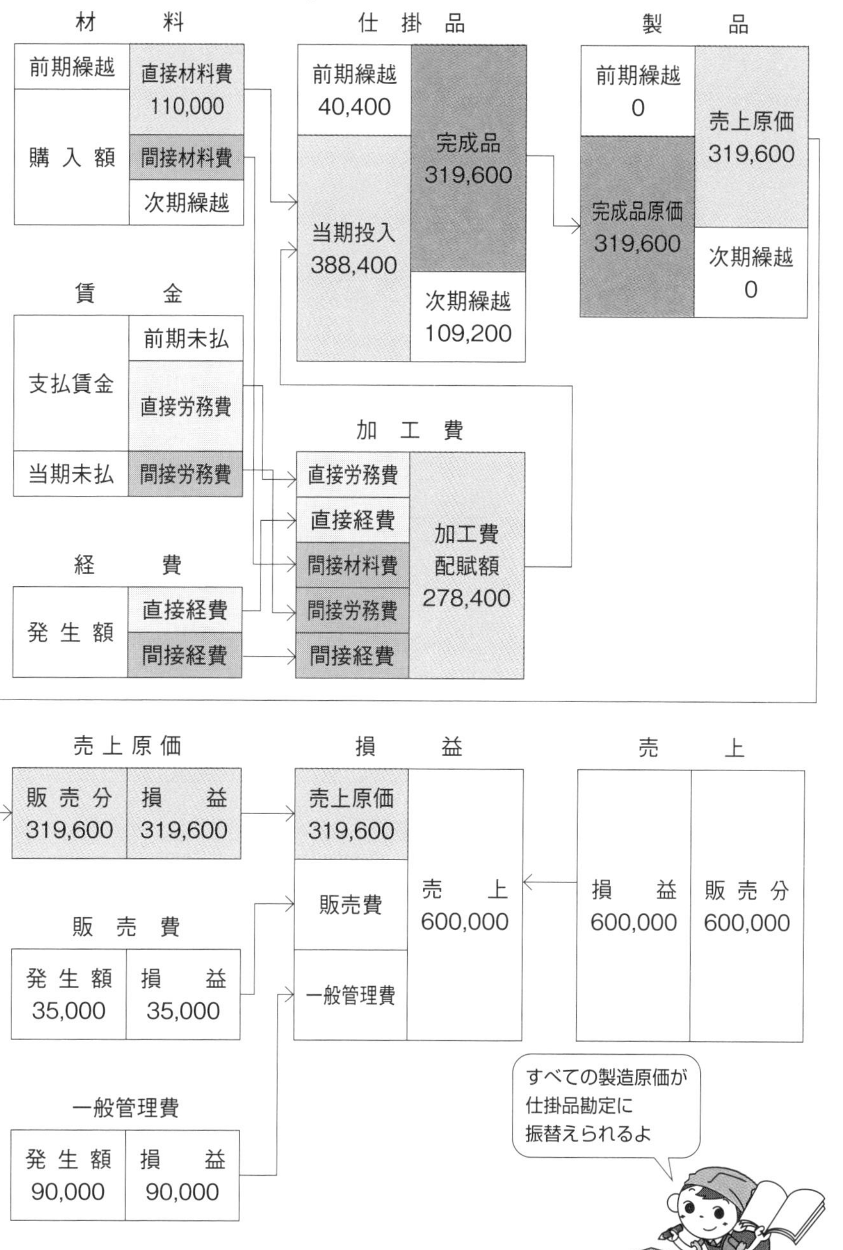

【解答】

損益計算書

Ⅰ売　上　高		600,000
Ⅱ売　上　原　価		
期首製品棚卸高	0	
当期製品製造原価	319,600	
合　計	319,600	
期末製品棚卸高	0	319,600
売上総利益		280,400
Ⅲ販売費及び一般管理費		
販　売　費	35,000	
一般管理費	90,000	125,000
営業利益		155,400

当期製品製造原価を記入

全部原価計算における損益計算書

全部原価計算における損益計算書は、職能別に業績を表示していると見ることができます。職能とは仕事の内容のことであり、売上原価では製造活動の業績を、販管費では販売活動や一般管理活動の業績を表すと考えられます。

例10－4　直接原価計算による損益計算書

問題　例10－２における直接原価計算による損益計算書を作成しなさい。

① 販売データ

当期完成品2,000個をすべて@￥300で販売した。期首・期末に製品はなかった。

② 販売費及び一般管理費

・変動販売費：@￥10

・固定販売費：￥15,000

・一般管理費：￥90,000

一般管理費はすべて固定費である。

【考え方】

直接原価計算による損益計算書の作成が求められているため、変動費と固定費の区別が重要となります。また、売上高や変動販売費の金額を求めると次の通りです。

売上高：@￥300×2,000個 ＝ ￥600,000

変動販売費：@￥10×2,000個 ＝ ￥20,000

【直接原価計算の勘定連絡図】

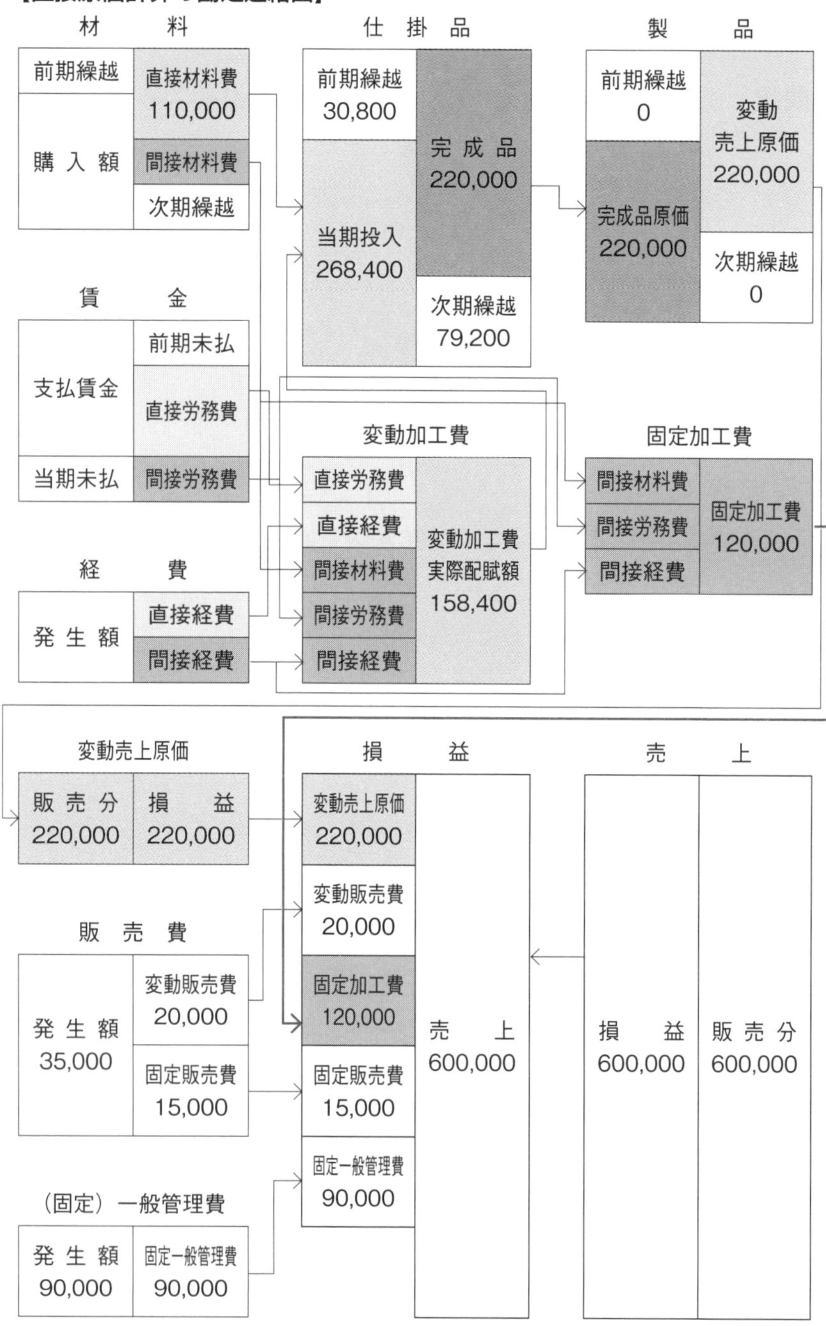

【解答】

損益計算書

Ⅰ売上高		600,000
Ⅱ変動売上原価		
期首製品棚卸高	0	
当期製品製造原価	220,000	
合計	220,000	
期末製品棚卸高	0	220,000
変動製造マージン		380,000
Ⅲ変動販売費		20,000
貢献利益		360,000
Ⅳ固定費		
固定加工費	120,000	
固定販売費	15,000	
固定一般管理費	90,000	225,000
営業利益		135,000

第10章 直接原価計算

さっくり7日目 しっかり10日目 じっくり14日目

4 固定費調整

全部原価計算と直接原価計算の違いは、固定加工費の取り扱いにあります。全部原価計算では固定加工費を製品原価にするのに対し、直接原価計算では固定加工費を期間原価として処理します。そのため、両者で損益計算書の営業利益がズレることが多々あります。

期末になった時に外部公表用の損益計算書を作成しなければいけませんが、これは全部原価計算を前提として作る必要があります。直接原価計算による作成は認められていないため、会社内で直接原価計算を採用していても、期末になれば全部原価計算を行った場合と同様の結果になるように修正しなければならないのです。この際に行われる手続を「**固定費調整**」といいます。両者の計算結果の違いをもたらす固定加工費を完成品や仕掛品に配賦します。

全部原価計算の
利益を外部公表
するのでアル！

変な人が
いるよ！

見ちゃダメよ

【全部原価計算】

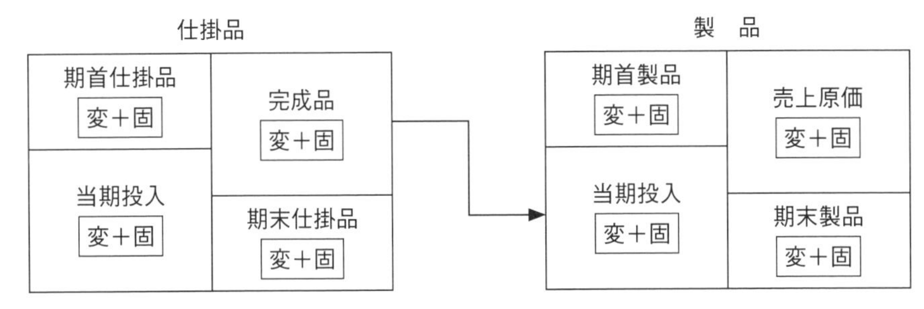

【直接原価計算】

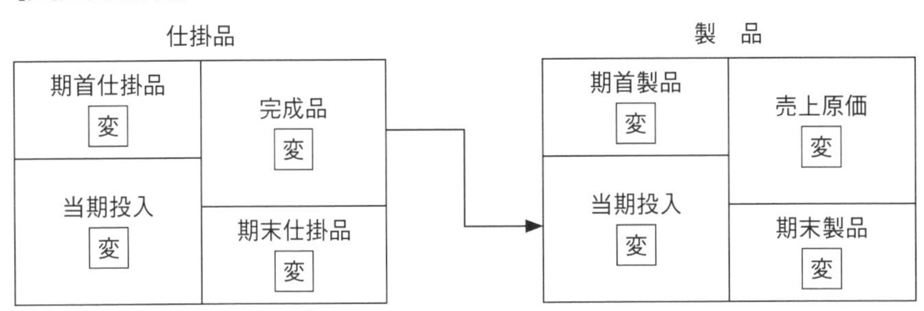

両者の違いである固定加工費のみを対象にして計算します。

【固定費調整】

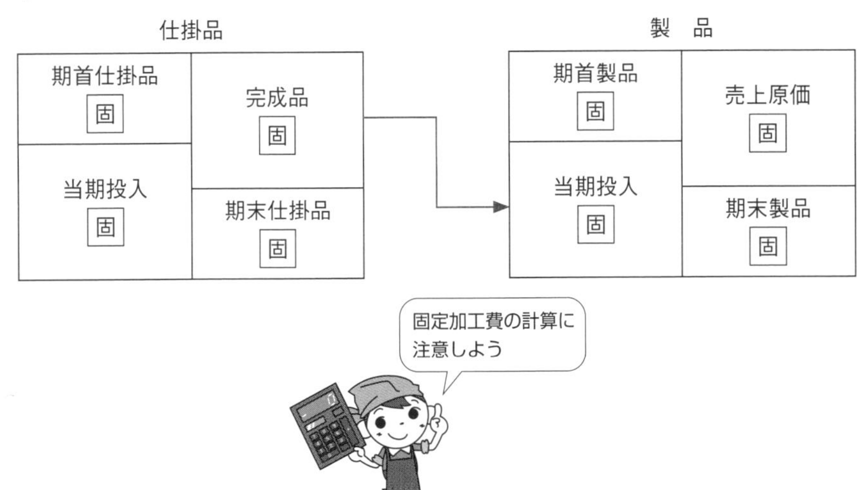

例10－5　固定費調整

問題　例10－4における固定費調整を行い、全部原価計算における営業利益を求めなさい。

【考え方】

　会社では内部管理用に直接原価計算を採用している場合、期末において公表財務諸表を作成するために、固定費調整を行って全部原価計算の計算結果となるようにします。直接原価計算と全部原価計算の違いは固定加工費の取り扱いにあり、直接原価計算では発生額がすべて期間原価として損益計算書上、費用処理されますが、全部原価計算で費用となる固定加工費はあくまで売上原価に含まれる分だけです。したがって、固定費調整では固定加工費だけを取り出して、売上原価や期末棚卸資産が負担する金額を計算します。

【全部原価計算】

仕掛品

期首仕掛品 40,400	完成品 319,600
当期投入 388,400	期末仕掛品 109,200

製　品

費用

期首製品 0	売上原価 319,600
当期投入 319,600	期末製品 0

【直接原価計算】

仕掛品

期首仕掛品 30,800	完成品 220,000
当期投入 268,400	期末仕掛品 79,200

製　品

費用

期首製品 0	売上原価 220,000
当期投入 220,000	期末製品 0

全部原価計算において費用となる製造原価は、売上原価に含まれる変動製造原価と固定加工費の合計であり、￥319,600です。他方、直接原価計算において費用となる製造原価は、売上原価に含まれる変動製造原価￥220,000と固定加工費の発生額￥120,000の合計である￥340,000となります。直接原価計算において費用となる金額が￥20,400多くなるため、全部原価計算よりも営業利益が小さくなります。このズレは費用となる固定加工費の金額が異なることに原因があるため、固定費調整を行います。

【固定費調整】

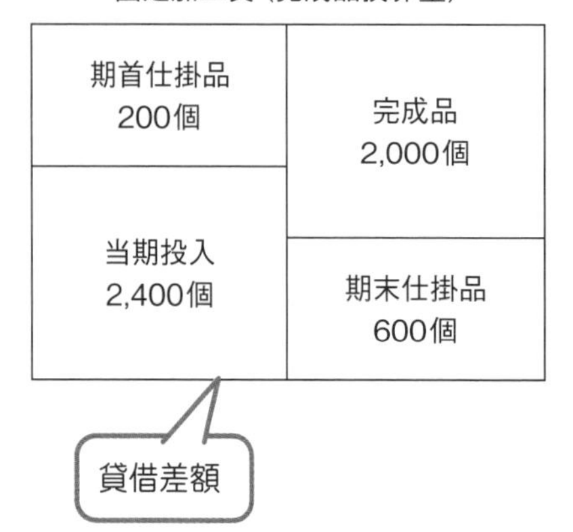

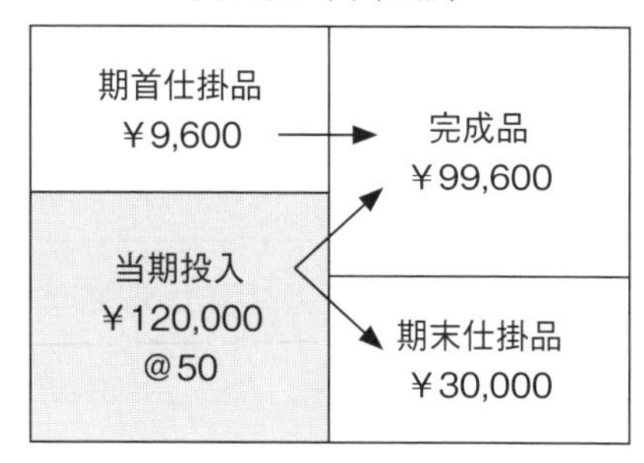

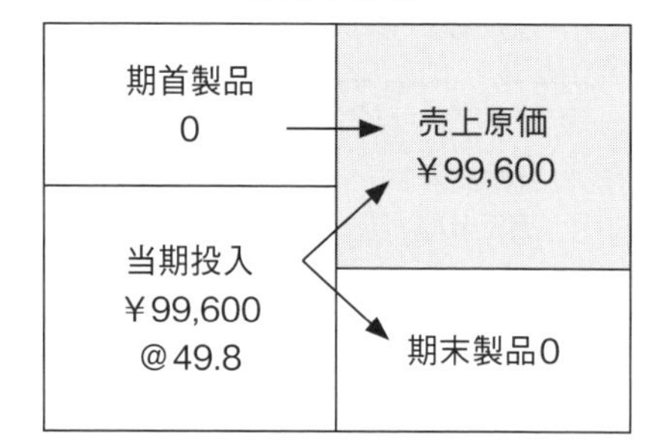

全部原価計算において費用となる固定加工費は￥99,600、直接原価計算において費用となる固定加工費は￥120,000です。両者の違いは勘定連絡を見ればわかりますが、期首棚卸資産と期末棚卸資産に含まれる固定加工費の差額と一致します。

（期末仕掛品￥30,000＋期末製品￥０）－（期首仕掛品￥9,600＋期首製品￥０）＝￥20,400

【解答】

損益計算書

Ⅰ 売上高		600,000
Ⅱ 変動売上原価		
期首製品棚卸高	0	
当期製品製造原価	220,000	
合計	220,000	
期末製品棚卸高	0	220,000
変動製造マージン		380,000
Ⅲ 変動販売費		20,000
貢献利益		360,000
Ⅳ 固定費		
固定加工費	120,000	
固定販売費	15,000	
固定一般管理費	90,000	225,000
営業利益		135,000

期末仕掛品に含まれる固定加工費	30,000	
期末製品に含まれる固定加工費	0	(＋) 30,000
期首仕掛品に含まれる固定加工費	9,600	
期首製品に含まれる固定加工費	0	(−) 9,600
全部原価計算における営業利益		155,400

固定費調整

全部原価計算と直接原価計算の費用となる固定加工費の違いをまとめておくと次のようになります。

全部原価計算の費用

固定加工費

借方	貸方
発生額 120,000	実際配賦額 120,000

直接原価計算の費用

仕掛品

借方	貸方
期首仕掛品 9,600	完成品 99,600
当期投入 120,000	期末仕掛品 30,000

製品

借方	貸方
期首製品 0	売上原価 99,600
完成品 99,600	期末製品 0

直接原価計算における費用となる固定加工費¥120,000からスタートして、期首棚卸資産（¥9,600＋¥0）を加算して、期末棚卸資産（¥30,000＋¥0）を減算すれば、全部原価計算における費用となる固定加工費¥99,600にたどり着きます。このように、期首棚卸資産に含まれる固定加工費<期末棚卸資産に含まれる固定加工費の場合、費用となる固定加工費が小さくなる分、全部原価計算の利益の方が大きくなります。

<固定費調整の一般式>

全部原価計算における営業利益

＝**直**接原価計算における営業利益＋期**末**棚卸資産に含まれる固定加工費－期**首**棚卸資産に含まれる固定加工費

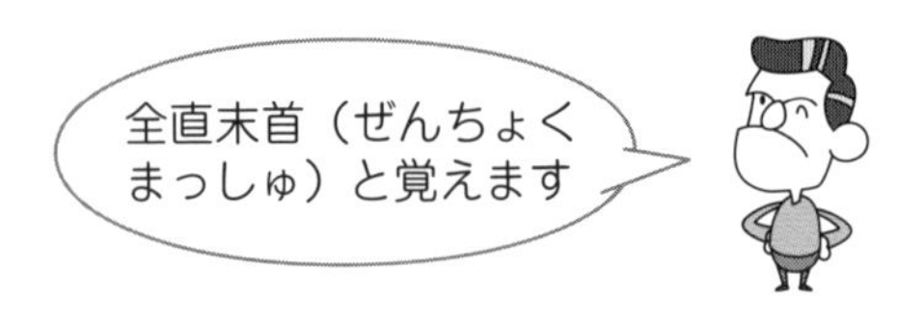

5 加工費の予定配賦

これまでは実際に発生した加工費を完成品・仕掛品に配賦してきましたが、加工費について予定配賦をすることがあります。この場合、加工費の予定配賦額と実際発生額との間にズレが生じ、「**加工費配賦差異**」が生じることになります。

<全部原価計算>

全部原価計算では、変動加工費だけでなく固定加工費も含めて製品・仕掛品に配賦するので、両方から配賦差異が生じます。なお、発生した加工費配賦差異は売上原価に直課（賦課）されます。

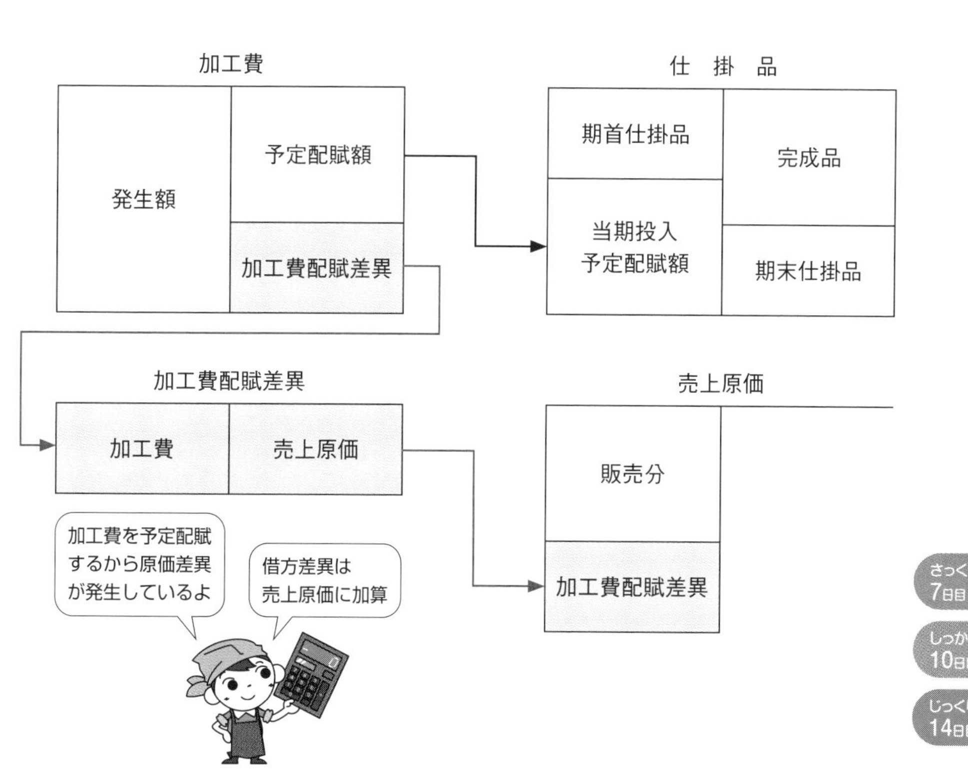

<直接原価計算>

直接原価計算では、変動加工費だけが予定配賦されるため、**変動加工費配賦差異**が生じることになります。固定加工費についてはそもそも配賦されず、実際に発生した金額が費用処理されます。なお、発生した変動加工費配賦差異は売上原価に直課（賦課）されます。

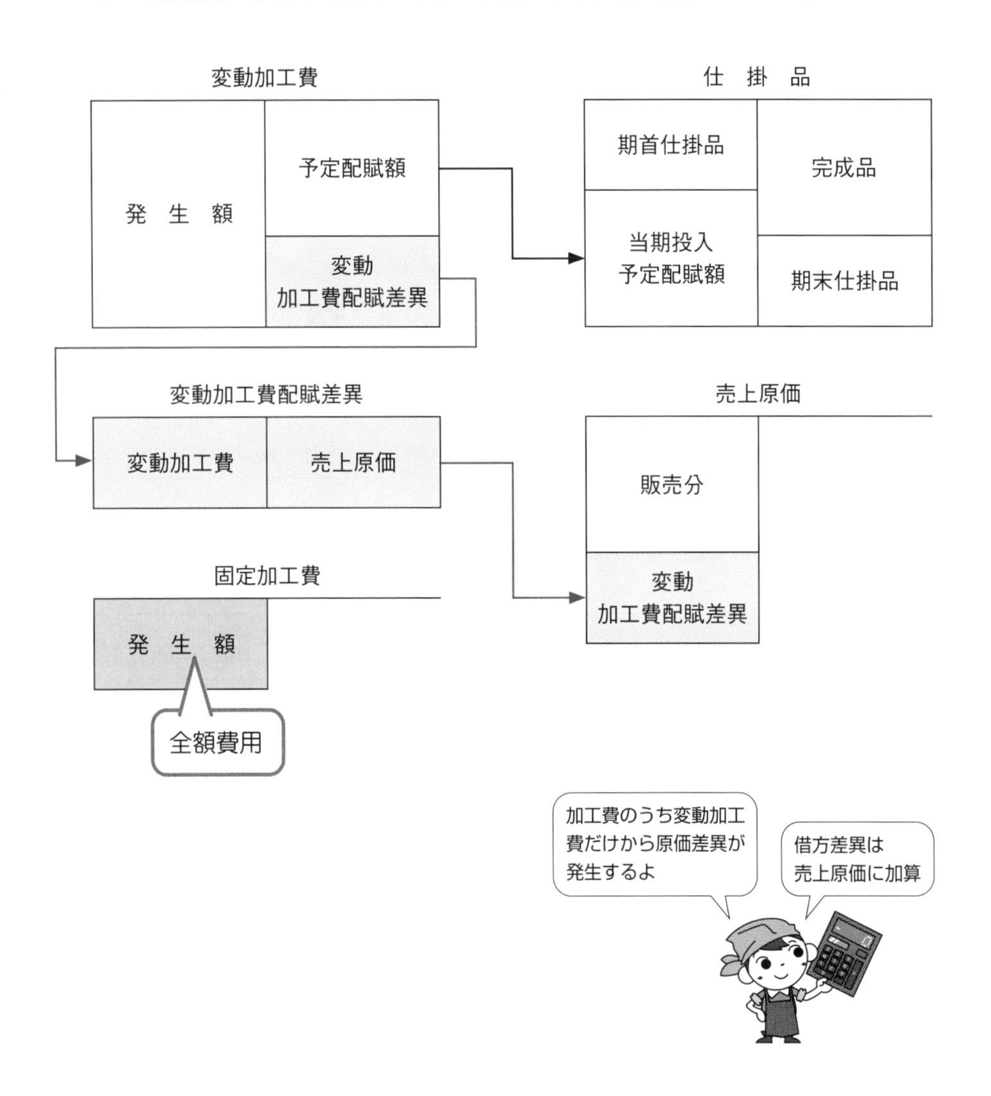

このように原価差異が出る場合、損益計算書上次のように表します。

損益計算書

Ⅰ 売　　上　　高		500,000
Ⅱ 変動売上原価		
期首製品棚卸高	70,000	
当期製品製造原価	280,000	
合　　計	350,000	
期末製品棚卸高	50,000	
差　　引	300,000	
原価差異	5,000	305,000
変動製造マージン		195,000
Ⅲ 変動販売費		20,000
貢献利益		175,000
Ⅳ 固　　定　　費		
固定加工費	70,000	
固定販売費	10,000	
固定一般管理費	25,000	105,000
営業利益		70,000

不利差異なら加算
有利差異なら減算

第10章 直接原価計算

さっくり7日目 しっかり10日目 じっくり14日目

3 損益分岐点分析

イントロダクション

ここでは利益計画を作る際に会社では最低限どれだけ製品を売らなければ赤字になってしまうのかという計算であったり、これだけの利益を確保するためにはどれだけ売上を上げる必要があるのかといったことを算出します。

1 損益分岐点とは

会社経営において必ず避けなければいけないことは何でしょうか。売上が減ることや費用が増えることでしょうか。確かに、それも経営者としては避けたいことですが、何よりも本業での儲けを表す営業利益が赤字になってしまうことは何としても回避したいと考えます。そこで経営者は、営業利益がゼロを下回らない最低ラインの売上（これを損益分岐点売上高といいます）がいくらなのかを知りたいのです。

2 変動費率と貢献利益率

損益分岐点売上高を計算する際に、まず、重要なものとして、**変動費率**と**貢献利益率**を確認します。変動費率とは、売上高に占める変動費の割合を表します。他方、貢献利益率とは、売上高に占める貢献利益の割合を表します。

$$変動費率 = \frac{変動費}{売上高}$$

$$貢献利益率 = \frac{貢献利益}{売上高}$$

以下の簡単な数字例で変動費率と貢献利益率を計算してみます。

損益計算書	
売上高	100
変動費	40
貢献利益	60

$$\text{変動費率} \quad : \quad \frac{¥40}{¥100} = 0.4\ (40\%)$$

$$\text{貢献利益率} \quad : \quad \frac{¥60}{¥100} = 0.6\ (60\%)$$

変動費率と貢献利益率は合算すると必ず1（100%）になります。そのため、貢献利益率を（1－変動費率）で計算することも可能です。

3 損益分岐点売上高

損益分岐点売上高とは、営業利益がゼロになる時の売上高です。次のように計算されます。

公式

$$損益分岐点売上高 = \frac{固定費}{貢献利益率}$$

この計算式を理解するために、次期の利益計画として次のような損益計算書に着目します。

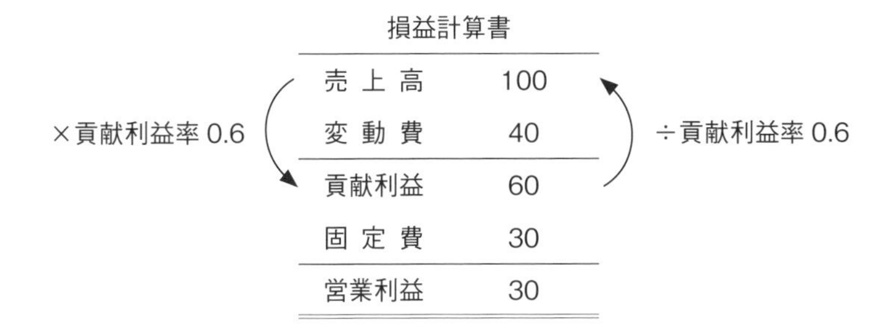

損益計算書

売上高	100
変動費	40
貢献利益	60
固定費	30
営業利益	30

売上高100に貢献利益率0.6を掛ければ貢献利益60が求まります。この関係を利用すれば、貢献利益60を貢献利益率0.6で割れば売上高を算定することができます。

貢献利益から固定費を控除すれば営業利益が求まるので、営業利益がゼロになるときの貢献利益は固定費の金額と同じになります。

この数字例であれば、貢献利益が30になれば営業利益はゼロになります。この貢献利益（固定費）30を貢献利益率0.6で割ればそのときの売上高（損益分岐点売上高）50を計算することができます。

損益分岐点売上高は、次のように損益分岐点売上高をSと置き、その時の損益計算書を作っても求めることができます。

損益計算書

売上高	S
変動費	0.4 S
貢献利益	0.6 S
固定費	30
営業利益	0

つまり、「0.6 S − 30 = 0」を満たすSが損益分岐点売上高なので、Sは50と求まります。

また、損益分岐点売上高が次期の計画売上高に占める割合のことを**損益分岐点比率**といいます。

公式

$$損益分岐点比率 = \frac{損益分岐点売上高}{計画売上高}$$

計画売上高100、損益分岐点売上高50であれば、損益分岐点比率は0.5（50％）と求まります。

4　安全余裕額

損益分岐点売上高は会社が確保しなければいけない最低ラインの売上高を表したわけですが、今度は、「計画している売上高からいくら売上高が減少しても営業利益がゼロを下回らないのか」を計算します。これを安全余裕額の計算といいます。次のように計算されます。

公式
安全余裕額　＝　計画売上高－損益分岐点売上高

先ほどの数字例を使うならば、計画売上高100から損益分岐点売上高50を控除すれば、安全余裕額50が求まります。つまり、計画している売上高よりも50売上高が減少しても、まだ営業利益はゼロを下回らないという、まさに計画している売上にどれだけ余裕があるかを表すものです。

さらに、安全余裕額が計画売上高に占める割合を安全余裕率といいます。

公式

$$\text{安全余裕率} = \frac{\text{安全余裕額}}{\text{計画売上高}}$$

計画売上高100、安全余裕額50であれば、安全余裕率は0.5（50％）と求まります。つまり、計画売上高よりも50％売上高が減少しても、まだ営業利益はゼロを下回らないということを表します。

また、損益分岐点比率と安全余裕率の合計は必ず1（100%）になります。

公式
損益分岐点比率＋安全余裕率＝1（100%）

損益分岐点比率と安全余裕率の関係を図で表すと次のようになります。

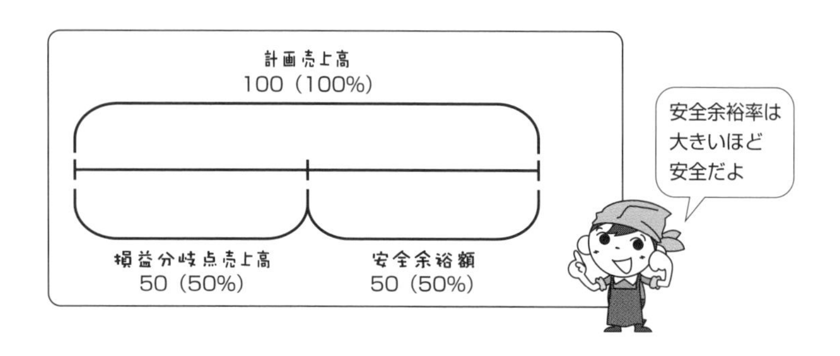

5 目標売上高の計算

経営者は、次期にこれくらいの利益が欲しいというように、目標営業利益を考えています。目標営業利益を獲得するための売上高を目標売上高といいますが、次のように計算します。

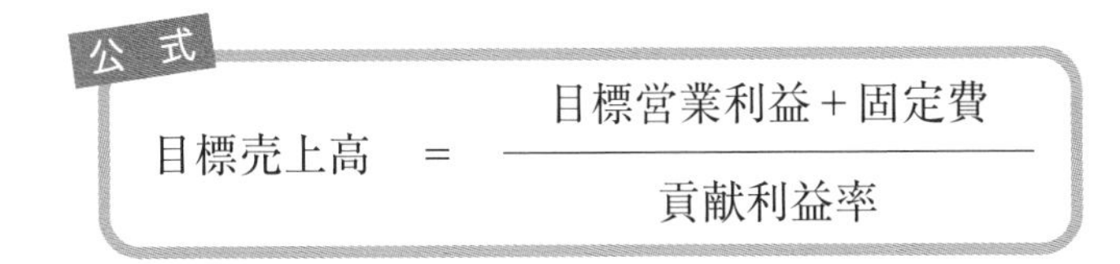
公式

$$目標売上高 = \frac{目標営業利益+固定費}{貢献利益率}$$

この計算式を理解するために、次のように目標営業利益30を獲得するための売上高を計算します。なお、固定費30、貢献利益率0.6と判明しているとします。

損益計算書

売上高	?
変動費	?
貢献利益	?
固定費	30
営業利益	30

（貢献利益から売上高へ：÷貢献利益率 0.6）

営業利益は貢献利益から固定費を控除すれば計算することができますので、営業利益30を獲得するための貢献利益は60と計算することができます。つまり、目標営業利益30＝目標貢献利益60となります。この時の売上高を算定するには、目標貢献利益60を貢献利益率0.6で割り算すれば、目標売上高100と求まります。

しっかり
10日目

この計算構造は損益分岐点売上高を計算する時と全く同じです。そもそも損益分岐点売上高とは「目標営業利益をゼロと置いた時の売上高」と考えることができるので、目標売上高の算式に目標営業利益ゼロを代入すると、損益分岐点売上高の算式と同じになります。

目標売上高の算式は、「目標貢献利益を貢献利益率で割る」という意味があります。

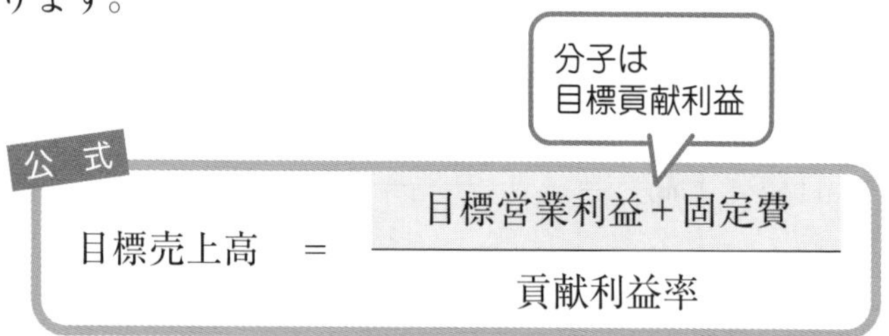

目標売上高は、次のように目標売上高をSと置き、そのときの損益計算書を作って求めることもできます。

損益計算書

	損益計算書	
	売　上　高	S
×貢献利益率 0.6	変　動　費	0.4 S
	貢献利益	0.6 S
	固　定　費	30
	営業利益	30

つまり、「0.6 S － 30 = 30」を満たすSが目標売上高なので、60を0.6で割ることでSは100と求まります。

例10－6　損益分岐点分析

問題　当期の損益計算書は次の通りである。①変動費率、②貢献利益率、③損益分岐点販売数量、④損益分岐点売上高、⑤損益分岐点比率、⑥安全余裕率、⑦目標営業利益を¥375,000とした時の目標売上高を計算しなさい。

損益計算書

Ⅰ 売　上　高	@¥300 × 2,000 個 =	600,000
Ⅱ 変動売上原価	@¥110 × 2,000 個 =	220,000
変動製造マージン		380,000
Ⅲ 変動販売費	@¥ 10 × 2,000 個 =	20,000
貢　献　利　益		360,000
Ⅳ 固　定　費		225,000
営　業　利　益		135,000

【解答】

①	0.4（40%）
②	0.6（60%）
③	1,250 個
④	¥375,000
⑤	0.625（62.5%）
⑥	0.375（37.5%）
⑦	¥1,000,000

【考え方】

まず、損益計算書をより見やすくするために、変動売上原価と変動販売費を合算して変動費として表していきます。

変動費：変動売上原価@¥110＋変動販売費@¥10 ＝ @¥120

損益計算書

Ⅰ 売　上　高	@¥300 × 2,000 個＝	600,000
Ⅱ 変　動　費	@¥120 × 2,000 個＝	240,000
貢　献　利　益		360,000
Ⅲ 固　定　費		225,000
営　業　利　益		135,000

この形式の損益計算書を用いて、①～⑦までの計算を行います。

① 変動費率

変動費率は、売上高が1単位増加したときの変動費の増加額を表すので、変動費を売上高で割れば求まります。

$$変動費率\quad : \quad \frac{¥240,000}{¥600,000} = 0.4\ (40\%)$$

② 貢献利益率

貢献利益率は、売上高が1単位増加した時の貢献利益の増加額を表すので、貢献利益を売上高で割れば求まります。

$$貢献利益率\quad : \quad \frac{¥360,000}{¥600,000} = 0.6\ (60\%)$$

③ 損益分岐点販売数量

損益分岐点販売数量は、営業利益がゼロになるときの販売数量を表します。製品1個販売したときの貢献利益は@¥180（@¥300－@¥120）なので、製品を何個販売すれば固定費¥225,000を回収できるのかを計算します。

$$損益分岐点販売数量\quad : \quad \frac{¥225,000}{¥180} = 1,250個$$

もしくは、④の損益分岐点売上高¥375,000を先に算定し、販売価額@¥300で割ることで求めることもできます。

④ 損益分岐点売上高

損益分岐点売上高は、営業利益がゼロになるときの売上高を表します。固定費を貢献利益率で割れば求まります。

$$損益分岐点売上高 \quad : \quad \frac{¥225,000}{0.6} = ¥375,000$$

⑤ 損益分岐点比率

損益分岐点比率は、計画売上高に占める損益分岐点売上高の割合を表すので、損益分岐点売上高を計画売上高で割れば求まります。

$$損益分岐点比率 \quad : \quad \frac{¥375,000}{¥600,000} = 0.625\ (62.5\%)$$

⑥ 安全余裕率

安全余裕額は、計画売上高が損益分岐点売上高をいくら上回っているのかを表すので、計画売上高¥600,000から損益分岐点売上高¥375,000を控除することで、¥225,000と求まります。この安全余裕額¥225,000が計画売上高¥600,000に占める割合が安全余裕率なので、安全余裕率は、安全余裕額を計画売上高で割れば求まります。

$$安全余裕率 \quad : \quad \frac{¥225,000}{¥600,000} = 0.375\ (37.5\%)$$

また、損益分岐点比率と安全余裕率の合計は１（100％）になるので、⑤で計算した損益分岐点比率0.625（62.5％）を１（100％）から控除することで求めることもできます。

安全余裕率　：　１（100％）－0.625（62.5％）＝0.375（37.5％）

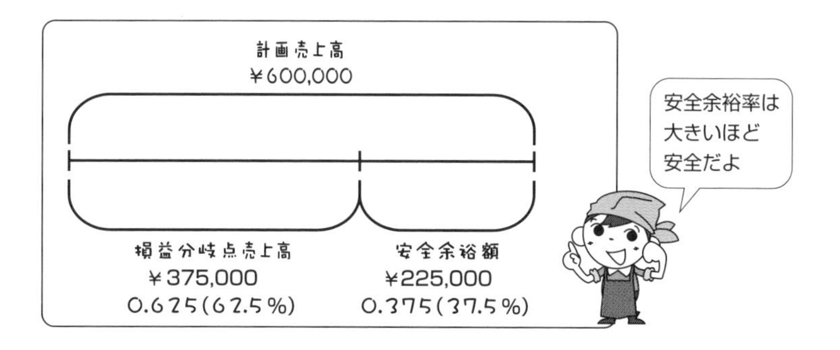

⑦ 目標営業利益￥375,000を達成する目標売上高

目標営業利益￥375,000を達成するための目標売上高を算定するには、目標貢献利益を算定し、貢献利益率で割り算すればよいです。目標貢献利益は、目標営業利益￥375,000に固定費￥225,000を合算することで￥600,000と求まります。

$$\text{目標売上高}\quad:\quad\frac{¥600{,}000}{0.6}\quad=\quad¥1{,}000{,}000$$

計算結果に不安があれば、売上高￥1,000,000のときの営業利益を試しに計算してみましょう。

損益計算書

Ⅰ 売　上　高		1,000,000
Ⅱ 変　動　費	×貢献利益率 0.6	
貢　献　利　益		600,000
Ⅲ 固　定　費		225,000
営　業　利　益		375,000

損益分岐点売上高についても計算結果に不安があれば、同様に売上高からスタートし営業利益がゼロになるかどうか確認すればよいでしょう。

損益計算書

Ⅰ 売　上　高		375,000
Ⅱ 変　動　費	×貢献利益率 0.6	
貢　献　利　益		225,000
Ⅲ 固　定　費		225,000
営　業　利　益		0

確認テスト

問題

当期の損益計算書は次の通りである。

損益計算書

Ⅰ	売上高	@¥300 ×	2,000個 =	600,000
Ⅱ	変動売上原価	@¥110 ×	2,000個 =	220,000
	変動製造マージン			380,000
Ⅲ	変動販売費	@¥ 10 ×	2,000個 =	20,000
	貢献利益			360,000
Ⅳ	固定費			225,000
	営業利益			135,000

① 次期に変動販売費を@¥15とした場合の営業利益を計算しなさい。ただし、販売価格、販売数量、他の原価はすべて当期と同様とする。

② 次期に営業利益¥315,000を達成するための販売価格を計算しなさい。ただし、販売数量、原価はすべて当期と同様とする。

①	営業利益	¥
②	販売価格	¥

解答

①	営業利益	¥	125,000
②	販売価格	¥	390

解説

① 変動販売費：@¥15×2,000個＝¥30,000

営業利益：¥380,000－¥30,000－¥225,000＝¥125,000

②

損益計算書

Ⅰ	売上高	@¥ X × 2,000個＝	2,000X
Ⅱ	変動売上原価	@¥110 × 2,000個＝	220,000
	変動製造マージン		
Ⅲ	変動販売費	@¥ 10 × 2,000個＝	20,000
	貢献利益		
Ⅳ	固定費		225,000
	営業利益		315,000

貢献利益：¥315,000＋¥225,000＝¥540,000

変動製造マージン：¥540,000＋¥20,000＝¥560,000

売上高：¥560,000＋¥220,000＝¥780,000

2,000X＝780,000

X＝780,000÷2,000

X＝390

第11章 本社工場会計

◉第11章で学習すること

学習進度目安

さっくり 7日間	しっかり 10日間	じっくり 15日間	
7日目	10日目	15日目	① 本社工場会計

1 本社工場会計

イントロダクション

本節では、本社と工場で分担して記帳を行う方法を学習します。商業簿記で学習する本支店会計と考え方は同じで、本店と支店との間の取引でなく、本社と工場との間の取引を見ます。

1 本社工場会計とは

工場の規模が大きくなると、本社だけでなく工場にも仕訳帳と総勘定元帳を用意し、工場で行われる製造活動については工場自身で会計処理を行わせます。つまり、製造活動に関わる勘定科目（材料、賃金、経費、製造間接費、仕掛品、製品など）を本社の帳簿から工場の帳簿へ移します。このように、会計処理を本社と工場とで分担する会計制度を、本社工場会計といいます。

コトバ

工場会計の独立：製造活動に関する勘定科目を本社から独立させて工場に設置すること

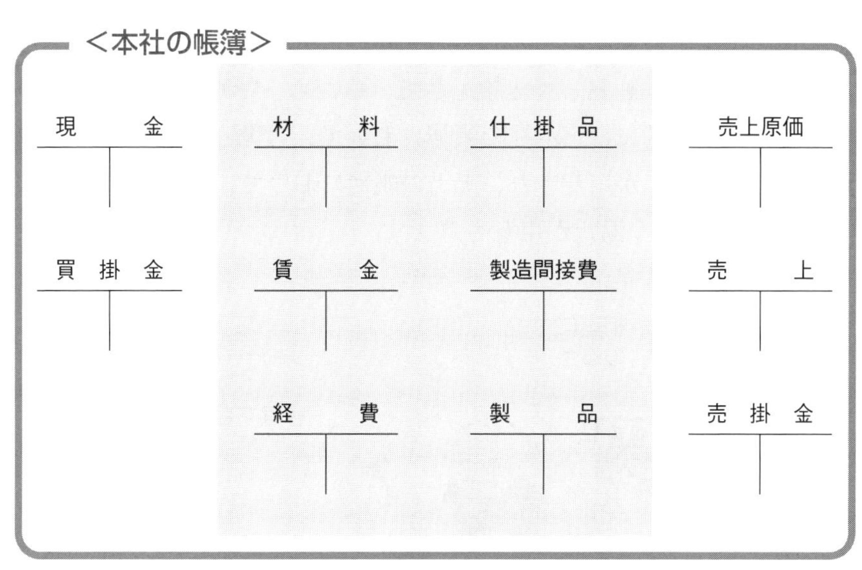

工場の帳簿へ移動

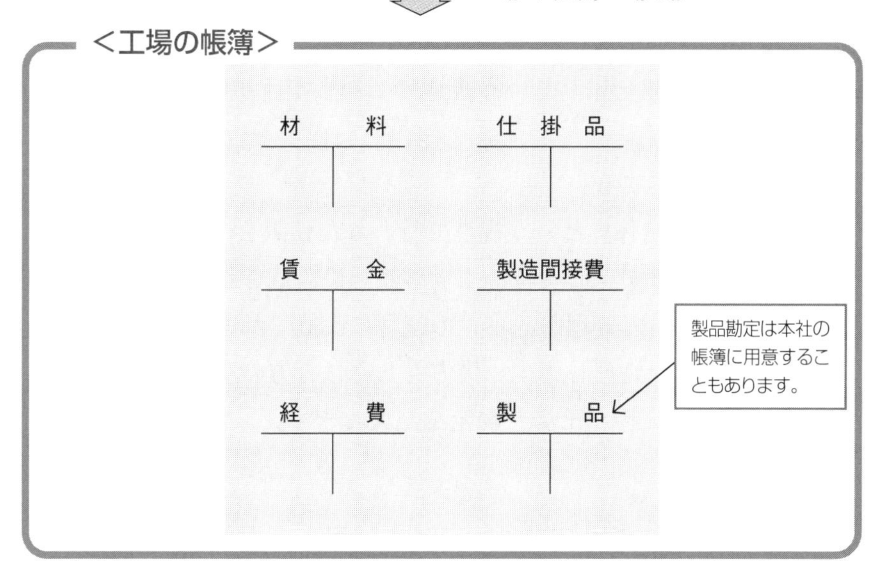

第11章 本社工場会計

さっくり7日目 しっかり10日目 じっくり15日目

2 特有の勘定科目

本社と工場との間で取引が行われる場合、本社工場会計では、本社と工場がそれぞれ独立して記帳をしているため、特殊な勘定科目が登場します。具体的には、本社の帳簿において、「**工場**」もしくは「**工場元帳**」という勘定が用意され、工場の帳簿において、「**本社**」もしくは「**本社元帳**」という勘定が用意されます。

<仕訳の考え方>

① 取引の仕訳を行う。

まずは、「会社全体」という視点でこれまで通り仕訳を行います。

② 取引を分解する。

次に、「会社全体」という視点で行われた仕訳を、本社と工場にそれぞれ分解します。この時、工場の帳簿に設置されている勘定科目については工場で処理し、本社の帳簿に設置されている勘定科目については本社で処理します。借方もしくは貸方の空欄になったところに「本社」勘定、「工場」勘定を記入します。

例11－1

問題　当社の工場では、本社から独立して記帳を行っている。なお、工場に設置されている勘定は次の通りである。

材　　料　　賃　　金　　製造間接費
仕 掛 品　　本　　社

本社で材料¥500を掛で購入し、工場の倉庫に受入れた。この時の仕訳を表しなさい。

【考え方】

本社工場会計を採用しており、本社から工場の帳簿へ「材料」「賃金」「製造間接費」「仕掛品」の4つの勘定科目が移設されています。また、本社では「工場」勘定、工場では「本社」勘定がそれぞれ設けられています。

まずは、会社全体という視点で取引の仕訳を考えます。

借方科目	金額	貸方科目	金額
材料	500	買掛金	500

これを工場と本社に対して分解します。

【本社の仕訳】

買掛金という負債の増加が生じます。また、工場の代わりに仕入れを行ったと考えられるため、工場に対する「債権」が増加したと考えます。

【解答1】

借方科目	金額	貸方科目	金額
工場	500	買掛金	500

債権の増加

【工場の仕訳】

材料という資産の増加が生じます。また、本社に代わりに仕入れを行ってもらったため、本社に対する「債務」が増加したと考えます。

【解答2】

借方科目	金額	貸方科目	金額
材料	500	本社	500

債務の増加

重要 工場での仕訳

会社全体での仕訳をもとに、工場で用意している勘定科目に着目して、取引を分解します。

例11－2

問題 当社の工場では、本社から独立して記帳を行っている。なお、工場に設置されている勘定は次の通りである。

材料	賃金	製造間接費
仕掛品	本社	

工場で材料￥300を消費した。このうち、製造直接費は￥200、製造間接費は￥100である。この時の仕訳を表しなさい。

【考え方】

本社工場会計を採用しており、本社から工場の帳簿へ「材料」「賃金」「製造間接費」「仕掛品」の４つの勘定科目が移設されています。また、本社では「工場」勘定、工場では「本社」勘定がそれぞれ設けられています。

まずは、会社全体という視点で取引の仕訳を考えます。

借方科目	金額	貸方科目	金額
仕掛品	200	材料	300
製造間接費	100		

これを工場と本社に対して分解します。

【本社の仕訳】

本社で設置されている勘定科目は変動しないため、処理が必要ありません。

【解答1】

仕訳なし

【工場の仕訳】

工場で設置されている勘定科目しか変動しないため、本社のことを考える必要はありません。

【解答2】

借方科目	金額	貸方科目	金額
仕掛品	200	材料	300
製造間接費	100		

問題 当社の工場では、本社から独立して記帳を行っている。なお、工場に設置されている勘定は次の通りである。

材料	賃金	製造間接費
仕掛品	本社	

本社で工場の工員の賃金￥800を現金で支払った。この時の仕訳を表しなさい。

【考え方】

本社工場会計を採用しており、本社から工場の帳簿へ「材料」「賃金」「製造間接費」「仕掛品」の４つの勘定科目が移設されています。また、本社では「工場」勘定、工場では「本社」勘定がそれぞれ設けられています。

第11章 本社工場会計

さっくり7日目
しっかり10日目
じっくり15日目

まずは、会社全体という視点で取引の仕訳を考えます。

借方科目	金額	貸方科目	金額
賃金	800	現金	800

これを工場と本社に対して分解します。

【本社の仕訳】

本社では現金の支払いがなされているため、現金という資産の減少が生じます。また、工場の代わりに支払ったと考えられるため、工場に対する債権が増加します。

【解答1】

借方科目	金額	貸方科目	金額
工場	800	現金	800

債権の増加

【工場の仕訳】

賃金という費用の増加が生じます。また、工場で発生した賃金の支払いを本社に行ってもらったため、本社に対する債務が増加します。

【解答2】

借方科目	金額	貸方科目	金額
賃金	800	本社	800

債務の増加

例11－4

問題　当社の工場では、本社から独立して記帳を行っている。なお、工場に設置されている勘定は次の通りである。

材　　料　　賃　　金　　製造間接費
仕 掛 品　　本　　社

工場で賃金￥500を消費した。このうち直接費は￥400、間接費は￥100である。この時の仕訳を表しなさい。

【考え方】

本社工場会計を採用しており、本社から工場の帳簿へ「材料」「賃金」「製造間接費」「仕掛品」の４つの勘定科目が移設されています。また、本社では「工場」勘定、工場では「本社」勘定がそれぞれ設けられています。

まずは、会社全体という視点で取引の仕訳を考えます。

借方科目	金額	貸方科目	金額
仕掛品	400	賃金	500
製造間接費	100		

これを工場と本社に対して分解します。

【本社の仕訳】

本社で設置している勘定科目は変動しないため、処理が必要ありません。

【解答1】

仕訳なし

【工場の仕訳】

工場で設置されている勘定科目しか変動しないため、本社のことを考える必要はありません。

【解答2】

借方科目	金額	貸方科目	金額
仕掛品	400	賃金	500
製造間接費	100		

例11－5

問題　当社の工場では、本社から独立して記帳を行っている。なお、工場に設置されている勘定は次の通りである。

材　　料　　賃　　金　　製造間接費
仕 掛 品　　本　　社

本社で工場の機械の減価償却費￥200を計上した。なお、減価償却は間接法による。この時の仕訳を表しなさい。

第11章

本社工場会計

【考え方】

本社工場会計を採用しており、本社から工場の帳簿へ「材料」「賃金」「製造間接費」「仕掛品」の４つの勘定科目が移設されています。また、本社では「工場」勘定、工場では「本社」勘定がそれぞれ設けられています。

さっくり 7日目
しっかり 10日目

しっくり 15日目

まずは、会社全体という視点で取引の仕訳を考えます。

借方科目	金額	貸方科目	金額
製造間接費	200	減価償却累計額	200

これを工場と本社に対して分解します。

【本社の仕訳】

本社で減価償却累計額の処理がなされるため、資産の減少の増加が生じます。また、工場の代わりに処理したと考えられるため、工場に対する債権が増加します。

【解答1】

借方科目	金額	貸方科目	金額
工場	200	減価償却累計額	200

債権の増加

【工場の仕訳】

減価償却費が生じます。また、工場で発生した減価償却累計額の処理を本社に行ってもらったため、本社に対する債務が増加します。

【解答2】

借方科目	金額	貸方科目	金額
製造間接費	200	本社	200

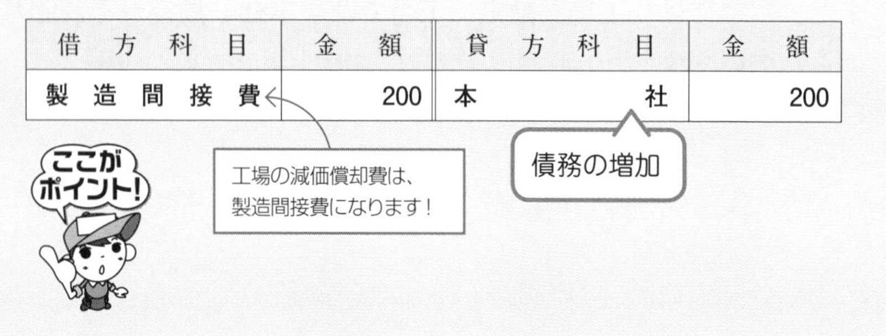

例11－6

問題　当社の工場では、本社から独立して記帳を行っている。なお、工場に設置されている勘定は次の通りである。

材　　料	賃　　金	製造間接費
仕 掛 品	本　　社	

工場で製品が完成し、直ちに本社へ発送した。なお、この製品の製造原価は￥1,000である。この時の仕訳を表しなさい。

【考え方】

本社工場会計を採用しており、本社から工場の帳簿へ「材料」「賃金」「製造間接費」「仕掛品」の４つの勘定科目が移設されています。また、本社では「工場」勘定、工場では「本社」勘定がそれぞれ設けられています。

まずは、会社全体という視点で取引の仕訳を考えます。

借方科目	金額	貸方科目	金額
製品	1,000	仕掛品	1,000

これを工場と本社に対して分解します。

【本社の仕訳】

製品が工場から移動してくるため、資産の増加が生じます。また、工場から製品を仕入れたと考えられるため、工場に対する債務が増加します。

【解答1】

借方科目	金額	貸方科目	金額
製品	1,000	工場	1,000

債務の増加

【工場の仕訳】

製品が完成しているため、通常、仕掛品勘定から製品勘定への振替が生じます。しかし、本問では工場で製品勘定が設けられていないため、仕掛品という資産の減少と、本社に対する売上から債権が増加したと考えて処理します。

【解答2】

借方科目	金額	貸方科目	金額
本社	1,000	仕掛品	1,000

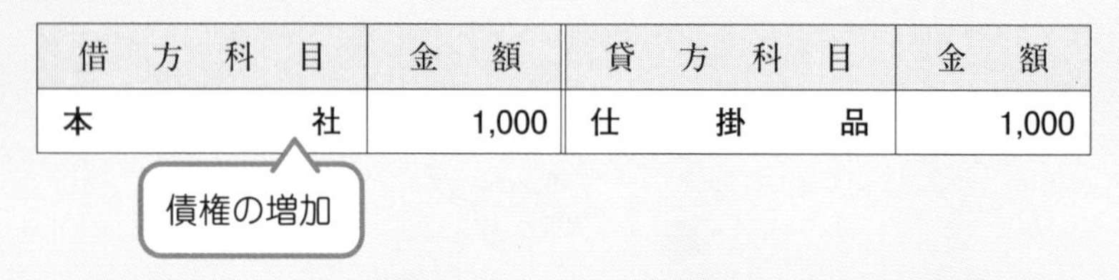

3 内部取引

本社と工場との間で「振替価格」と呼ばれる製品の販売価格を設定し、工場から本社に対して完成した製品を販売するという取引を行うことがあります。この際、本社では「**内部仕入**」勘定、工場では「**内部売上**」勘定が用意されます。

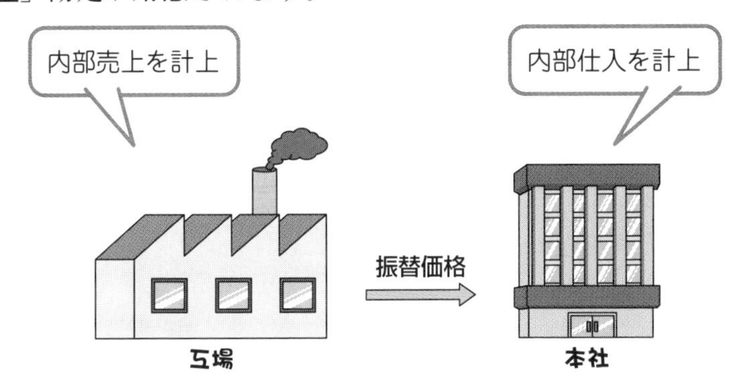

このように振替価格を設定することで、工場では売上が計上され、本社では売上原価が計上されます。その結果、それぞれの損益計算書を作成することができ、会社全体の利益に本社と工場がそれぞれどれだけの貢献をしたのか明らかにすることができます。

例11－7　内部取引（参考）

問題　当社の工場では、本社から独立して記帳を行っている。なお、工場に設置されている勘定は次の通りである。

材　　料	賃　　金	本　　社
製造間接費	仕 掛 品	製　　品
内 部 売 上	内部売上原価	

① 工場で製品（製造原価¥1,000）が完成した。

② ① の製品を製造原価の20％の利益を付加して本社へ発送した。なお、工場では製品勘定の残高を常に製品倉庫の有高と一致させている。

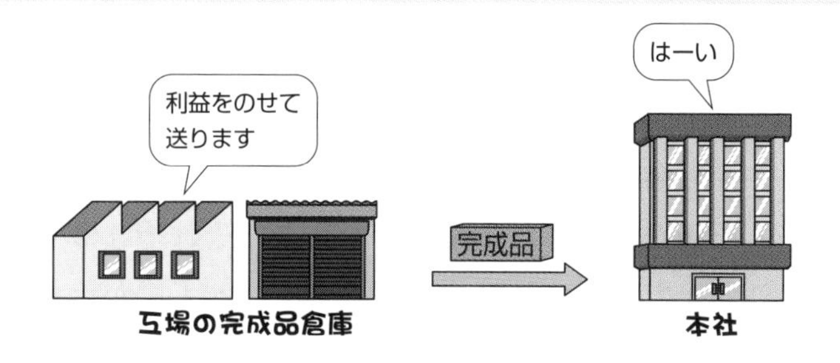

【考え方】

内部取引を行っており、工場から本社へ製品を移動する際に振替価格を設定しています。この場合、完成した製品をいったん工場の倉庫で保管し、その後、利益を上乗せして本社へ発送したと考えます。

①工場で製品（製造原価￥1,000）が完成した。

まずは、製品が完成した時の本社と工場での仕訳を確認します。

【本社の仕訳】

本社で設置されている勘定科目は変動しません。

【解答1】

仕訳なし

【工場の仕訳】

製品￥1,000が完成したため、製品という資産の増加と仕掛品という資産の減少が生じます。

【解答2】

借方科目	金額	貸方科目	金額
製品	1,000	仕掛品	1,000

資産の減少

②①の製品を製造原価の20%の利益を付加して本社へ発送した。なお、工場では製品勘定の残高を常に製品倉庫の有高と一致させている。

製造原価
￥1,000

利益
￥200

製造原価
￥1,000

振替価格
￥1,200

さっくり 7日目
しっかり 10日目
じっくり 15日目

【本社の仕訳】

工場から製品￥1,200を仕入れたと考えられるため､「内部仕入」という費用の増加として処理します。また、工場に対する債務が増加したと考えます。

【解答1】

借方科目	金額	貸方科目	金額
内部仕入	1,200	工場	1,200

【工場の仕訳】

本社へ製品￥1,200を販売したと考えられるため、「内部売上」という収益の増加として処理します。また、本社に対する債権が増加したと考えます。

【解答2】

借方科目	金額	貸方科目	金額
本社	1,200	内部売上	1,200

また、工場では製品勘定の残高を常に製品倉庫の有高と一致させているとあるため、本社へ移動した製品￥1,000を資産の減少、「内部売上原価」という費用の増加として処理します。

【解答3】

借方科目	金額	貸方科目	金額
内部売上原価	1,000	製品	1,000

確認テスト

問 題

当社の工場では、本社から独立して記帳を行っている。次の取引につき、工場で行われる仕訳をしなさい。なお、工場で設けられている勘定は次のとおりである。

材　　　料	仕　掛　品	製　　　品
賃 金・給 料	製 造 間 接 費	本　　　社

1．本社で材料300,000円を掛けで購入し、工場の倉庫に受入れた。
2．工場従業員への給与600,000円を普通預金口座から振込んだ。
3．当月分の特許権使用料150,000円につき、小切手を振出した。
4．機械の減価償却費の年間見積額1,080,000円にもとづき、当月分の減価償却費を計上する。
5．製品800,000円が完成したので、製品用倉庫で保管された。

	借 方 科 目	金 額	貸 方 科 目	金 額
1				
2				
3				
4				
5				

解答

	借方科目	金額	貸方科目	金額
1	材料	300,000	本社	300,000
2	賃金・給料	600,000	本社	600,000
3	仕掛品	150,000	本社	150,000
4	製造間接費	90,000	本社	90,000
5	製品	800,000	仕掛品	800,000

解説

工場に設定されている勘定を使って仕訳します。

まず、会社全体の仕訳を考えます。次に、工場に設定されている勘定の部分を仕訳します。そして、本社に設定されている勘定の部分については本社と仕訳します。

1．材料の購入原価については工場で処理しますが、買掛金の処理は本社で行います。

2．給与の支払いについて、工場において賃金・給料で処理し、普通預金口座からの振込みについては本社で処理します。

3．特許権使用料は直接経費です。また、特許権使用料などの経費に関する勘定がないので、仕掛品で処理します。

4．機械の減価償却費は間接経費です。また、減価償却費などの経費に関する勘定がないので、製造間接費で処理します。

5．完成した製品の完成品原価を仕掛品から製品へ振替えます。

さっくり7日目

しっかり10日目
じっくり15日目

2級INDEX

英字

CVP分析……465

あ

安全余裕額……469
安全余裕率……469

か

買入部品費……47
外注加工賃……83
外部副費……41
価格差異……378
加工換算量……205
加工進捗度……205
加工費……200
加工費配賦差異……461
貸方差異……45, 79, 117
借方差異……45, 79, 117
勘定連絡図……12
完成品換算量……205
間接経費……7, 19, 82
間接工……65
間接材料費……7, 14, 47
間接作業時間……70
間接作業賃金……71
間接労務費……7, 17, 70
機械作業時間基準……107
基準操業度……116, 118
金額基準……106
組……324
組間接費……325
組直接費……325
組別総合原価計算……300
継続記録法……49
形態別分類……6
経費……5, 82
月次損益……11, 27
原価管理……119
原価差異……45
原価標準……362
減損……254
減損費……254
原料費……200
工業簿記……2, 15
貢献利益……445
貢献利益率……465
工場会計の独立……483
工場元帳……484
工程……301
高低点法……431
工程別計算……302
固定加工費……436
固定費調整……454
固定費能率差異……402, 403
固定費率……133
固定予算……127, 388
個別原価計算……300

さ

材料……13
材料消費価格差異……49
材料費……5, 38
材料副費……40
先入先出法……48, 211, 212

三分法……398
仕掛品……3
時間差異……383
仕損……111, 282
仕損費……111, 282
仕損品……111, 282
実際価格……48
実際消費高……49
実際単価……48
実際賃率……73
実際配賦……44, 115, 116
実際配賦額……44
実際配賦率……116
支払経費……85
支払賃金……17
主要材料費……47
商業……2
商業簿記……2
消費賃金……72
シングル・プラン……405
数量差異……378
生産量基準……107
正常仕損費……111
正常仕損品……111
製造間接費……6, 98, 115
製造間接費差異……377
製造業……2
製造原価……6, 21
製造原価報告書……340, 343
製造指図書……100
製造直接費……6, 98
製造部門……156
製品……3
製品との関連による分類……6
製品別計算……35
積数……318
操業度……115, 116
操業度差異……125, 388
総原価……6
相互配賦法……167
素価基準……106
測定経費……86
損益計算書……348
損益分岐点……464
損益分岐点売上高……467
損益分岐点比率……468

た

貸借対照表……353
棚卸計算法……49
単純総合原価計算……209, 300
直接経費……7, 19, 82
直接原価計算……435
直接工……65
直接材料費……7, 14, 47
直接材料費基準……106
直接材料費差異……377
直接作業時間……70
直接作業時間基準……107
直接作業賃金……71
直接配賦法……167
直接労務費……7, 17, 70
直接労務費基準……106
直接労務費差異……377
直課……6, 7, 102
賃金……17
賃率差異……73, 383
月割経費……85
手待時間……70
等価係数……317, 318
当期製品製造原価……343
当期総製造費用……343

等級製品……318
等級別総合原価計算……300
特許権使用料……83

な

内部売上……497
内部仕入……497
内部副費……41
値引……40
能率差異……388

は

パーシャル・プラン……405
配賦……6, 102
発生経費……86
半製品……311
費目別計算……35
標準原価……360
標準原価カード……363
標準原価差異……373
賦課……6, 102
複合経費……84
複合費……84
物量基準……102
部門共通費……158
部門個別費……158
部門別計算……35, 153
振替……15
不利差異……45, 79, 117
平均法……48
変動加工費……436
変動加工費配賦差異……462
変動製造マージン……445
変動費能率差異……394, 395
変動費率……133, 465
変動予算……133, 394
補修製造指図書……112
補助部門……156
本社工場会計……482
本社元帳……484

ま

前工程費……302
目標売上高……471

や

有利差異……45, 79, 117
予算……119
予算許容額……126
予算差異……125, 388
予定価格……48
予定消費高……49
予定単価……48
予定賃率……73
予定配賦……115
予定配賦額……44
予定配賦率……44, 116

ら

利益計画……428
労務費……5, 64

わ

割引……40
割戻……40

日商簿記2級 光速マスターNEO 工業簿記 テキスト〈第4版〉

2016年2月25日　第1版　第1刷発行
2022年3月30日　第4版　第1刷発行
著　者●株式会社　東京リーガルマインド
LEC総合研究所　日商簿記試験部

発行所●株式会社　東京リーガルマインド
〒164-0001　東京都中野区中野4-11-10
アーバンネット中野ビル
LECコールセンター　0570-064-464
受付時間　平日9:30～20:00／土・祝10:00～19:00／日10:00～18:00
※このナビダイヤルは通話料お客様ご負担となります。
書店様専用受注センター　TEL 048-999-7581 / FAX 048-999-7591
受付時間　平日9:00～17:00／土・日・祝休み
www.lec-jp.com/

カバー・本文デザイン●株式会社エディポック
カバー・本文イラスト●いさじ たけひろ
印刷・製本●倉敷印刷株式会社

ISBN978-4-8449-9939-3

合格のれっくLEC

日商簿記

簿記とは

すべてのビジネスパーソンに役立つ!!

簿記は世界で通用するビジネスの共通言語であり、ビジネスパーソンにとって必要不可欠な知識です。簿記を学習することで、企業活動や社会経済システムが分かり、企業のＩＲ情報や新聞の経済記事などを理解することができます。また、損益計算書や貸借対照表を読み取れるようになるため、企業の経営成績や財政状態を数字で分析するスキルが身に付き、ビジネスや投資活動に役立てることができます。さらに、簿記検定は会計系資格のベースであり、短期間で取得可能なことから、専門資格へのステップアップの第一歩となります。簿記検定の知識やノウハウを生かせる専門資格や活躍の場は多岐にわたり、キャリアアップの可能性がひろがります。日商簿記は、社内での昇給昇格や専門職への転職を希望する社会人、就職活動を控えた学生などにとって、履歴書にアピールポイントとして記載できる資格として、ビジネス社会で活躍するための強力な武器となる資格です。

日商簿記検定ガイド

日商簿記検定は、1級を除いた場合「上位何パーセント合格」といった競争試験ではなく、合格点をクリアしていれば、全員が合格となります。努力した分、確実に結果を得られる資格試験です。

受験資格　学歴・年齢・性別・国籍に制限はありません。(どなたでも受験できます)

各級レベル

	3級	2級	1級
レベル	[簿記の基本] 商業簿記のみの学習ですが、小規模株式会社の経理実務を前提とし、現代のビジネス社会における新しい取引にも対応できる実践的な知識が身につきます。 (学習の目安：1.5～2.5ヶ月／約90時間)	[企業に求められる資格の一つ] 経営管理・財務担当者には必須の知識とされる財務諸表の数字を読み解く力が身につき、経営内容を把握できるようになります。 (学習の目安:3～6ヶ月／約250時間)	[簿記の最高峰] 公認会計士、税理士などの国家資格への登竜門。極めて高度な商業簿記・会計学・工業簿記・原価計算を学び、会計基準・会社法・財務諸表等規則などの企業会計に関する法規を理解し、経営管理や経営分析ができます。 (学習の目安：6ヶ月以上／約550時間)
試験科目・試験時間	商業簿記／60分	商業簿記 工業簿記／90分	商業簿記・会計学／1時間30分 工業簿記・原価計算／1時間30分 (計3時間)
点数配分・合格点	100点／70点以上	商業簿記60点 工業簿記40点 [計100点]／2科目合計70点以上	各科目25点 [計100点]／4科目合計70点以上(ただし1科目でも10点に満たない場合は不合格)

実施試験日　統一試験：2月・6月・11月の年3回(1級は6月・11月のみ)
ネット試験：随時(試験センターが定める日時)

LEC日商簿記　受験生の立場になって真剣に考えました

合格への安心サポート！

2級・3級

安心1 都合に合わせて学習が開始できる　～配信期間はお申込日からカウントします～

講座配信日を見直し、配信期間は申込日からカウントすることにしました。いつ学習を開始されても、２級180日間、３級120日間配信します。一律で配信終了日が決められている講座のように、申込日が遅いと学習期間が短くなってしまうというデメリットが解消されました。

安心2 選べる講義　～Web講義は一科目につき、二人の講師の講義が受講できる～

３級完全マスター講座のWeb講義は、講義時間の異なる二人の講師の講義が視聴できます。
２級完全マスター講座は、対象者・回数を変えた二つの講義が受講できます。予習と復習で講師を変えてみるなど、様々な使い方ができます。

安心3 ネット方式が体験できる　～Web模試を販売中～

新たに開始された「ネット試験」。本番前にはネット方式も体験しておきたいもの。LECでは本試験と同様の環境が体験できるWeb模試を提供しています。受講期間中なら、何度でもトライアルできます。
３級Web模試　2,750円(税込)　/　２級Web模試　4,400円(税込)

1級

安心1 「安心の学習期間」　～次回の検定までWeb受講可能～

コースに含まれているすべての講座は目標検定の次の検定試験日の月末までWeb講義を配信します！お仕事などで「目標検定までに講義が受講できなかった」「次の検定で再度チャレンジしたい！」という方も安心。追加料金もなしで、安心して受講できます。
※教えてチューターも次回の検定までご利用できます。

安心2 選べる講義　～Webは一科目につき、２講師の講義で受講できる～

「１級パーフェクト講座」は、対象者の異なる２種類の講義を配信しています。
初めて１級を受験する方には「ベーシック講義」(全66回)、受験経験があり重要ポイントを中心に確認したい方には「アドバンス講義」（全40回）がおススメです。
Web講義なら、別途受講料不要で、２つの講義が視聴できます。
２種類の講義は、使い方次第で多くのメリットが生まれます。
■対象講座：「１級パーフェクト講座」

スマートフォン・タブレットからはＱＲコードでのアクセスが便利です。▷▷▷ 

自慢のメールマガジン配信中！（登録無料）

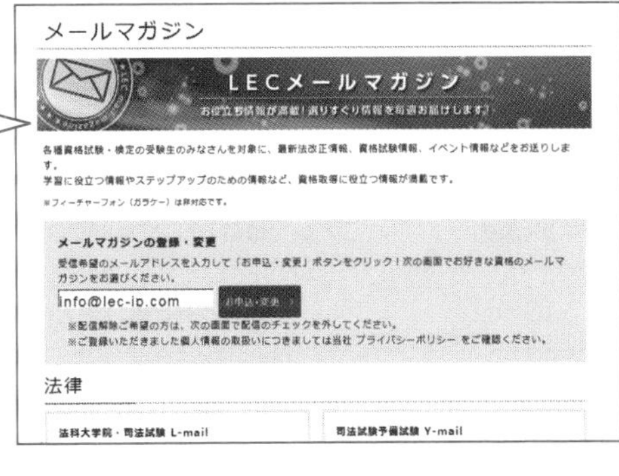

LEC講師陣が毎週配信！　最新情報やワンポイントアドバイス、改正ポイントなど合格に必要な知識をメールにて毎週配信。

www.lec-jp.com/mailmaga/

LEC E学習センター

新しい学習メディアの導入や、Ｗｅｂ学習の新機軸を発信し続けています。また、ＬＥＣで販売している講座・書籍などのご注文も、いつでも可能です。

online.lec-jp.com/

LEC電子書籍シリーズ

LECの書籍が電子書籍に！　お使いのスマートフォンやタブレットで、いつでもどこでも学習できます。

※動作環境・機能につきましては、各電子書籍ストアにてご確認ください。

www.lec-jp.com/ebook/

LEC書籍・問題集・レジュメの紹介サイト **LEC書籍部** **www.lec-jp.com/system/book/**

- LECが出版している書籍・問題集・レジュメをご紹介
- 当サイトから書籍などの直接購入が可能(*)
- 書籍の内容を確認できる「チラ読み」サービス
- 発行後に判明した誤字等の訂正情報を公開

*商品をご購入いただく際は、事前に会員登録(無料)が必要です。
*購入金額の合計・発送する地域によって、別途送料がかかる場合がございます。

※資格試験によっては実施していないサービスがありますので、ご了承ください。

LEC全国学校案内

＊講座のお問合せ、受講相談は最寄りのLEC各校へ

LEC本校

北海道・東北

札　幌本校　☎011(210)5002
〒060-0004 北海道札幌市中央区北4条西5-1　アスティ45ビル

仙　台本校　☎022(380)7001
〒980-0022 宮城県仙台市青葉区五橋1-1-10　第二河北ビル

関東

渋谷駅前本校　☎03(3464)5001
〒150-0043 東京都渋谷区道玄坂2-6-17　渋東シネタワー

池　袋本校　☎03(3984)5001
〒171-0022 東京都豊島区南池袋1-25-11　第15野萩ビル

水道橋本校　☎03(3265)5001
〒101-0061 東京都千代田区神田三崎町2-2-15　Daiwa三崎町ビル

新宿エルタワー本校　☎03(5325)6001
〒163-1518 東京都新宿区西新宿1-6-1　新宿エルタワー

早稲田本校　☎03(5155)5501
〒162-0045 東京都新宿区馬場下町62　三朝庵ビル

中　野本校　☎03(5913)6005
〒164-0001 東京都中野区中野4-11-10　アーバンネット中野ビル

立　川本校　☎042(524)5001
〒190-0012 東京都立川市曙町1-14-13　立川MKビル

町　田本校　☎042(709)0581
〒194-0013 東京都町田市原町田4-5-8　町田イーストビル

横　浜本校　☎045(311)5001
〒220-0004 神奈川県横浜市西区北幸2-4-3　北幸GM21ビル

千　葉本校　☎043(222)5009
〒260-0015 千葉県千葉市中央区富士見2-3-1　塚本大千葉ビル

大　宮本校　☎048(740)5501
〒330-0802 埼玉県さいたま市大宮区宮町1-24　大宮GSビル

東海

名古屋駅前本校　☎052(586)5001
〒450-0002 愛知県名古屋市中村区名駅4-6-23　第三堀内ビル

静　岡本校　☎054(255)5001
〒420-0857 静岡県静岡市葵区御幸町3-21　ペガサート

北陸

富　山本校　☎076(443)5810
〒930-0002 富山県富山市新富町2-4-25　カーニープレイス富山

関西

梅田駅前本校　☎06(6374)5001
〒530-0013 大阪府大阪市北区茶屋町1-27　ABC-MART梅田ビル

難波駅前本校　☎06(6646)6911
〒542-0076 大阪府大阪市中央区難波4-7-14　難波フロントビル

京都駅前本校　☎075(353)9531
〒600-8216 京都府京都市下京区東洞院通七条下ル2丁目
東塩小路町680-2　木村食品ビル

京　都本校　☎075(353)2531
〒600-8413　京都府京都市下京区烏丸通仏光寺下ル
大政所町680-1 第八長谷ビル

神　戸本校　☎078(325)0511
〒650-0021 兵庫県神戸市中央区三宮町1-1-2　三宮セントラルビル

中国・四国

岡　山本校　☎086(227)5001
〒700-0901 岡山県岡山市北区本町10-22　本町ビル

広　島本校　☎082(511)7001
〒730-0011 広島県広島市中区基町11-13　合人社広島紙屋町アネクス

山　口本校　☎083(921)8911
〒753-0814 山口県山口市吉敷下東 3-4-7　リアライズⅢ

高　松本校　☎087(851)3411
〒760-0023 香川県高松市寿町2-4-20　高松センタービル

松　山本校　☎089(961)1333
〒790-0003 愛媛県松山市三番町7-13-13　ミツネビルディング

九州・沖縄

福　岡本校　☎092(715)5001
〒810-0001 福岡県福岡市中央区天神4-4-11　天神ショッパーズ福岡

那　覇本校　☎098(867)5001
〒902-0067 沖縄県那覇市安里2-9-10　丸姫産業第2ビル

EYE関西

EYE 大阪本校　☎06(7222)3655
〒530-0013　大阪府大阪市北区茶屋町1-27　ABC-MART梅田ビル

EYE 京都本校　☎075(353)2531
〒600-8413　京都府京都市下京区烏丸通仏光寺下ル
大政所町680-1 第八長谷ビル

LEC提携校

＊提携校はLECとは別の経営母体が運営をしております。
＊提携校は実施講座およびサービスにおいてLECと異なる部分がございます。

北海道・東北

北見駅前校【提携校】 ☎0157(22)6666
〒090-0041　北海道北見市北1条西1-8-1　一燈ビル　志学会内

八戸中央校【提携校】 ☎0178(47)5011
〒031-0035　青森県八戸市寺横町13　第1朋友ビル　新教育センター内

弘前校【提携校】 ☎0172(55)8831
〒036-8093　青森県弘前市城東中央1-5-2
まなびの森　弘前城東予備校内

秋田校【提携校】 ☎018(863)9341
〒010-0964　秋田県秋田市八橋鯲沼町1-60
株式会社アキタシステムマネジメント内

関東

水戸見川校【提携校】 ☎029(297)6611
〒310-0912　茨城県水戸市見川2-3092-3

所沢校【提携校】 ☎050(6865)6996
〒359-0037　埼玉県所沢市くすのき台3-18-4　所沢K・Sビル
合同会社LPエデュケーション内

東京駅八重洲口校【提携校】 ☎03(3527)9304
〒103-0027　東京都中央区日本橋3-7-7　日本橋アーバンビル
グランデスク内

日本橋校【提携校】 ☎03(6661)1188
〒103-0025　東京都中央区日本橋茅場町2-5-6　日本橋大江戸ビル
株式会社大江戸コンサルタント内

新宿三丁目駅前校【提携校】 ☎03(3527)9304
〒160-0022　東京都新宿区新宿2-6-4　KNビル　グランデスク内

東海

沼津校【提携校】 ☎055(928)4621
〒410-0048　静岡県沼津市新宿町3-15　萩原ビル
M-netパソコンスクール沼津校内

北陸

新潟校【提携校】 ☎025(240)7781
〒950-0901　新潟県新潟市中央区弁天3-2-20　弁天501ビル
株式会社大江戸コンサルタント内

金沢校【提携校】 ☎076(237)3925
〒920-8217　石川県金沢市近岡町845-1　株式会社アイ・アイ・ピー金沢内

福井南校【提携校】 ☎0776(35)8230
〒918-8114　福井県福井市羽水2-701　株式会社ヒューマン・デザイン内

関西

和歌山駅前校【提携校】 ☎073(402)2888
〒640-8342　和歌山県和歌山市友田町2-145
KEG教育センタービル　株式会社KEGキャリア・アカデミー内

中国・四国

松江殿町校【提携校】 ☎0852(31)1661
〒690-0887　島根県松江市殿町517　アルファステイツ殿町
山路イングリッシュスクール内

岩国駅前校【提携校】 ☎0827(23)7424
〒740-0018　山口県岩国市麻里布町1-3-3　岡村ビル　英光学院内

新居浜駅前校【提携校】 ☎0897(32)5356
〒792-0812　愛媛県新居浜市坂井町2-3-8　パルティフジ新居浜駅前店内

九州・沖縄

佐世保駅前校【提携校】 ☎0956(22)8623
〒857-0862　長崎県佐世保市白南風町5-15　智翔館内

日野校【提携校】 ☎0956(48)2239
〒858-0925　長崎県佐世保市椎木町336-1　智翔館日野校内

長崎駅前校【提携校】 ☎095(895)5917
〒850-0057 長崎県長崎市大黒町10-10　KoKoRoビル
minatoコワーキングスペース内

沖縄プラザハウス校【提携校】 ☎098(989)5909
〒904-0023　沖縄県沖縄市久保田3-1-11
プラザハウス　フェアモール　有限会社スキップヒューマンワーク内

※上記は2022年2月1日現在のものです。

書籍の訂正情報の確認方法とお問合せ方法のご案内

このたびは、弊社発行書籍をご購入いただき、誠にありがとうございます。
万が一誤りと思われる箇所がございましたら、以下の方法にてご確認ください。

1 訂正情報の確認方法

発行後に判明した訂正情報を順次掲載しております。
下記サイトよりご確認ください。

www.lec-jp.com/system/correct/

2 お問合せ方法

上記サイトに掲載がない場合は、下記サイトの入力フォームより
お問合せください。

http://lec.jp/system/soudan/web.html

フォームのご入力にあたりましては、「Web教材・サービスのご利用について」の
最下部の「ご質問内容」に下記事項をご記載ください。

- 対象書籍名（○○年版、第○版の記載がある書籍は併せてご記載ください）
- ご指摘箇所（具体的にページ数の記載をお願いします）

お問合せ期限は、次の改訂版の発行日までとさせていただきます。
また、改訂版を発行しない書籍は、販売終了日までとさせていただきます。

※インターネットをご利用になれない場合は、下記①～⑤を記載の上、ご郵送にてお問合せください。
①書籍名、②発行年月日、③お名前、④お客様のご連絡先（郵便番号、ご住所、電話番号、FAX番号）、⑤ご指摘箇所
送付先：〒164-0001 東京都中野区中野4-11-10 アーバンネット中野ビル
東京リーガルマインド出版部 訂正情報係

- 正誤のお問合せ以外の書籍の内容に関する質問は受け付けておりません。
  また、書籍の内容に関する解説、受験指導等は一切行っておりませんので、あらかじめご了承ください。
- お電話でのお問合せは受け付けておりません。

講座・資料のお問合せ・お申込み

LECコールセンター 0570-064-464（携帯OK）

受付時間：平日9:30～20:00/土・祝10:00～19:00/日10:00～18:00

※このナビダイヤルの通話料はお客様のご負担となります。
※このナビダイヤルは講座のお申込みや資料のご請求に関するお問合せ専用ですので、書籍の正誤に関するご質問をいただいた場合、上記「②正誤のお問合せ方法」のフォームをご案内させていただきます。